# TÉMOIN MUET

*Collection de romans d'aventures*
*créée par Albert Pigasse*
www.lemasque.com

Agatha Christie®

# TÉMOIN MUET

*Traduction révisée de Élisabeth Luc*

ÉDITIONS DU MASQUE
17, rue Jacob, 75006 Paris

Titre original :

*Dumb Witness*

publié par HarperCollins*Publishers*

ISBN : 978-2-7024-3656-1

*À mon cher Peter,*
*le plus fidèle des amis et le plus merveilleux*
*des compagnons, un chien d'exception.*

## 1

## LA PROPRIÉTAIRE DE LITTLE GREEN

Mlle Arundell mourut le 1er mai. Bien que sa maladie fût de courte durée, son décès n'étonna guère à Market Basing, petite bourgade provinciale où elle vivait depuis l'âge de seize ans. Dernière survivante de ses cinq frères et sœurs, Emily Arundell avait plus de soixante-dix ans et on lui connaissait des problèmes de santé depuis belle lurette. Quelque dix-huit mois plus tôt, elle avait d'ailleurs bien failli succomber à une crise semblable à celle qui venait de l'emporter.

Si la mort d'Emily Arundell ne surprit pas grand monde, il en fut tout autrement de son testament. Les dernières volontés de la défunte suscitèrent en effet les réactions les plus diverses : stupeur, excitation, condamnation sévère, fureur, désespoir, colère et commérages à n'en plus finir. Pendant des semaines – voire des mois ! –, on ne parlait plus que de ça à Market Basing. Chacun avait son mot à dire, de M. Jones, l'épicier, qui clamait à tout vent : « Les liens du sang, c'est tout de même sacré », jusqu'à Mme Lamphrey, la receveuse des postes, qui répétait à qui voulait l'entendre : « Ça cache quelque chose, croyez-moi. »

Que le testament n'ait été rédigé que le 21 avril, ajoutait encore aux spéculations. Ajouté à cela le fait que les proches d'Emily Arundell étaient venus passer le week-end pascal avec elle juste avant la date fatidique, on comprendra sans peine que les habitants de Market Basing aient pu échafauder les théories les plus scabreuses – heureuse diversion dans le quotidien.

Une seule personne était à juste titre soupçonnée d'en savoir plus long sur la question qu'elle ne voulait bien l'admettre : Mlle Wilhelmina Lawson, la dame de compagnie de la défunte. Celle-ci déclarait cependant qu'elle tombait des nues comme tout le monde. Et elle avouait volontiers que la teneur du testament l'avait laissée sans voix.

Beaucoup, on s'en doute, n'en croyaient pas un traître mot. Néanmoins, que Mlle Lawson fût ou non aussi ignorante qu'elle le prétendait, une seule personne eût pu le dire. Et la personne en question c'était la morte. Selon son habitude, Mlle Arundell n'avait rien dit à personne. Même à son notaire elle n'avait rien laissé entrevoir des motifs qui la poussaient à agir ainsi qu'elle le faisait. Et ses dernières volontés, elle s'était contentée de les décréter.

Cette réserve était le trait dominant du caractère d'Emily Arundell, pur produit de sa génération. Elle en possédait les qualités et les défauts. Autoritaire et souvent arrogante, elle était pourtant parfois très chaleureuse. Elle avait la langue bien pendue mais savait aussi faire preuve d'une gentillesse extrême. Derrière son côté un peu mièvre, elle cachait des trésors de perspicacité. Elle avait certes malmené ses innombrables dames de compagnie sans pitié, mais les avait toujours récompensées avec générosité. Enfin, Elle avait un sens très développé des obligations familiales.

Peu avant sa mort, le vendredi de Pâques, Emily Arundell était debout dans le hall de Littlegreen et donnait ses instructions à Mlle Lawson.

Ravissante jeune fille en son temps, elle était toujours pimpante. Elle se tenait droite comme un i. Son teint, seul, tirait un peu vers le jaune et signalait qu'elle ne pouvait se laisser aller à des excès de table.

Mlle Arundell demanda à sa dame de compagnie :

— À propos, Minnie, comment avez-vous prévu de les installer ?

— Je... j'espère n'avoir pas commis d'impair : Dr et Mme Tanios dans la chambre du chêne, Theresa dans la chambre bleue et M. Charles dans l'ancienne chambre d'enfants.

Mlle Arundell la coupa :

— Theresa pourra parfaitement se contenter de la chambre d'enfants, et vous mettrez Charles dans la chambre bleue.

— Oh ! pardonnez-moi... Je m'étais dit que la chambre d'enfants était moins confortable et que...

— Elle est bien assez confortable pour Theresa.

Du temps de Mlle Arundell, les femmes passaient toujours après les hommes. Dans la société, eux seuls comptaient.

— Je suis tellement navrée que les chers petits ne viennent pas, larmoya Mlle Lawson.

Elle adorait les enfants même si elle n'avait aucune autorité sur eux.

— Quatre personnes à la maison, ce sera bien suffisant, assura Mlle Arundell. D'ailleurs Bella gâte trop ses enfants. Il ne leur viendrait jamais à l'idée de faire ce qu'on leur demande.

— Mme Tanios est une mère très dévouée, murmura Minnie Lawson.

— Bella est une femme remarquable, approuva Mlle Arundell avec un sérieux imperturbable.

Mlle Lawson soupira :

— Ce doit être parfois très dur, pour elle… vivre ainsi au bout du monde… à Smyrne.

— Comme on fait son lit on se couche, rétorqua Emily Arundell sur un ton sans réplique.

Et, sur cette déclaration très victorienne, elle ajouta :

— Maintenant, je vais au village passer les commandes pour le week-end.

— Oh ! mademoiselle Arundell, laissez-moi faire. Je veux dire…

— Ne soyez pas sotte ! Je préfère y aller moi-même. Rogers a besoin d'être secoué. Le problème avec vous, Minnie, c'est que vous n'êtes pas assez ferme. Bob ! Bob ! Où est encore passé ce chien ?

Un terrier à poils durs dévala l'escalier en trombe. Il se mit à tourner autour de sa maîtresse, remuant la queue et jappant frénétiquement.

Maîtresse et chien franchirent la porte d'entrée et s'éloignèrent dans l'allée qui menait au portail.

Mlle Lawson resta sur le perron à les suivre du regard, un sourire un peu niais sur ses lèvres entrouvertes.

— Ces taies d'oreiller que vous m'avez données, m'selle, eh ben elles font pas la paire, déclara soudain dans son dos une voix revêche.

— Quoi ? Oh ! que je suis bête…

Arrachée à ses rêves, Minnie Lawson dut se replonger dans ses tâches domestiques.

Quant à Mlle Arundell, flanquée de Bob, elle descendait la rue principale de Market Basing d'une allure toute royale. Et cela ressemblait en effet beaucoup à une visite officielle.

Dans tous les magasins où elle entrait, le patron – ou la patronne – se précipitait pour s'occuper d'elle. C'était Mlle Arundell de Littlegreen House. C'était « l'une des plus anciennes clientes ». C'était « quelqu'un de la vieille école. Aujourd'hui les gens comme ça on les compte sur les doigts de la main ».

— Bonjour, mademoiselle. Que puis-je faire pour vous ?... Pas tendre ? Vraiment, si je m'attendais à entendre ça... Et moi qui me disais qu'une jolie petite selle d'agneau comme ça... Oui, bien sûr, mademoiselle Arundell. Si vous le dites, c'est parole d'Évangile... Non, vous pensez bien ! Jamais il ne me viendrait à l'idée de vous livrer du Canterbury à vous, mademoiselle Arundell. Mais oui, bien sûr ! j'y veillerai personnellement, mademoiselle Arundell.

Grondant en sourdine, poil hérissé, Bob et Spot, le chien du boucher, se tournaient lentement autour. Spot était un solide molosse, croisement de plusieurs races indéfinies. Il savait qu'il ne devait pas se battre avec les chiens des clients, mais il s'autorisait à leur faire comprendre, de manière subtile, qu'il les réduirait en chair à pâté si l'occasion lui en était donnée.

Bob, qui ne manquait pas de cran, lui répondait sur le même registre.

Emily Arundell lança un « Bob » définitif et quitta la boutique.

C'était la même chose chez le marchand de légumes. Une autre vieille dame, bien en chair et au port altier, l'accueillit :

— Comment va, Emily ?

— Bonjour, Caroline.

— Vous attendez les jeunes gens ? demanda Caroline Peabody.

— Oui. Ils viennent tous. Theresa, Charles et Bella.

— Ainsi donc, Bella est rentrée, c'est ça ? Son mari aussi ?

— Oui.

Ce simple « oui » sous-entendait une situation que les deux femmes connaissaient fort bien.

Car Bella Biggs, la nièce de Mlle Arundell, avait épousé un Grec. Or, dans une famille comme celle d'Emily Arundell, c'était mal venu d'épouser des Grecs.

D'un ton qui se voulait discrètement réconfortant – bien entendu, un tel sujet ne pouvait être évoqué en public –, Mlle Peabody ajouta :

— Le mari de Bella est très intelligent. Et puis il a de si bonnes manières…

— Des manières exquises, voulut bien admettre Mlle Arundell.

Une fois dans la rue, Mlle Peabody s'enquit :

— Qu'est-ce que c'est que cette histoire de fiançailles de Theresa avec le petit Donaldson ?

Mlle Arundell haussa les épaules.

— La jeune génération est d'une insouciance ! J'ai bien peur que ce ne soient des fiançailles qui tirent en longueur – si toutefois elles se concrétisent. Il n'a pas le sou.

— En revanche, Theresa possède une certaine fortune personnelle, dit Mlle Peabody.

— Un homme ne peut sérieusement songer à vivre aux crochets de sa femme, répliqua sèchement Mlle Arundell.

Mlle Peabody laissa échapper un petit rire de gorge.

— Ça n'a plus l'air de les déranger, de nos jours. Nous sommes vieux jeu, Emily. Toutes les deux. Moi, ce que je n'arrive pas à comprendre, c'est ce que cette petite peut bien lui trouver. Dans le genre grand dadais, on ne fait pas mieux.

— C'est un excellent médecin, je crois.

— Ces binocles… et ce ton guindé ! De mon temps, on l'aurait traité de raseur !

Il y eut un silence au cours duquel les pensées de Mlle Peabody vagabondèrent dans le passé, avec son cortège de sémillants gommeux à favoris.

Elle ajouta en soupirant :

— Dites à ce chien fou de Charles de passer me voir – s'il vient.

— Bien sûr. Je n'y manquerai pas.

Les deux femmes se séparèrent.

Elles se connaissaient depuis cinquante ans bien sonnés. Mlle Peabody n'ignorait rien de certaines frasques regrettables du général Arundell. Le père d'Emily. Elle savait exactement quel choc le mariage de Thomas Arundell avait été pour ses sœurs. Et elle avait une idée très précise des problèmes de la jeune génération.

Mais les deux femmes n'avaient jamais évoqué aucune de ces questions. Elles possédaient toutes deux un sens trop aigu de la dignité et de la solidarité familiales, pour ne pas observer en ce domaine une discrétion à toute épreuve.

Mlle Arundell rentra chez elle, Bob trottinant tranquillement sur ses talons. En son for intérieur, elle devait bien admettre ce qu'elle n'eût jamais avoué à quiconque : à savoir qu'elle désapprouvait hautement la jeune génération Arundell.

Theresa, par exemple. Elle n'avait plus aucun pouvoir sur Theresa depuis que celle-ci était rentrée, à vingt et un ans, en possession de son héritage. Depuis lors, la jeune fille avait acquis une certaine notoriété. On voyait souvent sa photo dans les journaux. Elle passait son temps avec un groupe de jeunes Londoniens m'as-tu-vu et brillants qui donnaient des fêtes invraisemblables et se retrouvaient plus souvent qu'à leur tour au poste de police. C'était le genre de publicité qu'Emily Arundell réprouvait pour un membre de sa famille. En fait, elle détestait le style de vie de Theresa. Quant à ses fiançailles, elle ne savait trop qu'en penser. D'un côté, elle considérait qu'un arriviste comme le Dr Donaldson n'était pas assez bien pour une Arundell. Mais d'autre part, elle ne pouvait s'empêcher de se dire que Theresa n'était pas, et de loin, l'épouse idéale pour un paisible médecin de campagne.

Elle soupira et ses pensées se portèrent sur Bella. Elle n'avait rien à reprocher à Bella. C'était quelqu'un de bien, Bella – bonne épouse, mère dévouée, conduite exemplaire –, et puis elle était tellement insignifiante ! Cependant, même Bella ne pouvait recueillir une totale approbation. Car Bella avait épousé un étranger – et pas seulement un étranger : un Grec ! Dans l'esprit de Mlle Arundell, bourré de préjugés, un Grec ne valait guère mieux qu'un Argentin ou un Turc. Que le Dr Tanios fût homme de bonne compagnie et, affirmait-on, excellent médecin, ne faisait qu'accentuer les réticences de la vieille demoiselle à son encontre. Elle se méfiait du charme et des compliments faciles. C'était aussi pourquoi elle avait du mal à aimer vraiment les deux enfants du couple. Tous deux ressemblaient à leur père – il n'y avait rigoureusement rien d'anglais, chez eux.

Et puis il y avait Charles.

Oui, Charles…

À quoi bon refuser de regarder la réalité en face ? Charles, aussi adorable fût-il, n'était pas digne de confiance.

Emily Arundell soupira. Elle se sentait soudain fatiguée, vieille, déprimée.

Elle songea qu'elle n'en avait plus pour bien longtemps.

Elle repensa au testament qu'elle avait rédigé quelques années plus tôt.

Des legs aux domestiques, à des œuvres de charité, et le plus gros de sa considérable fortune à diviser en parts égales entre ces trois-là, ses seuls parents.

Elle estimait toujours qu'elle avait fait ce qu'il fallait et agi équitablement. L'espace d'un instant, elle se demanda s'il n'y avait pas un moyen de protéger la part de Bella, pour que son mari n'y touchât pas… Il faudrait poser la question à M. Purvis.

Elle parvint au portail de Littlegreen House et entra.

Charles et Theresa Arundell arrivèrent en premier, en voiture – les Tanios, par le train.

Charles, grand garçon séduisant, lança de son ton gentiment moqueur :

— Salut, tante Emily ! Comment va ma tantine bien-aimée ? Vous m'avez tout l'air en pleine forme.

Et il lui sauta au cou.

Theresa posa une joue fraîche et indifférente contre celle, toute flétrie, d'Emily.

— Comment allez-vous, tante Emily ?

Theresa, estima sa tante, semblait fort loin d'aller bien. Sous une bonne couche de maquillage, son visage était un peu défait, et elle avait les yeux cernés.

Le thé fut servi au salon. Bella Tanios, mèches rebelles s'échappant d'un chapeau dernier cri incliné du mauvais côté, dévorait sa cousine Theresa des yeux pour assimiler les détails de sa toilette et se les fixer en mémoire. C'était son drame, à Bella, que d'être aussi folle de mode que totalement dépourvue de goût. Les vêtements de Theresa, jeune femme aux formes parfaites, étaient coûteux et un peu excentriques.

Bella, à son retour de Smyrne, s'était désespérément appliquée à copier l'élégance de Theresa, mais à moindre prix – et pour un piètre résultat.

Le Dr Tanios, un homme plutôt fort, jovial et qui portait la barbe, bavardait avec Mlle Arundell. Il avait la voix chaude et pleine – une voix attirante, capable d'envoûter n'importe qui. Et Mlle Arundell était sous le charme, comme tout le monde.

Mlle Lawson ne tenait pas en place. Elle virevoltait, passait les assiettes, s'agitait autour de la table. Charles, qui connaissaient les bonnes manières, se leva plus d'une fois pour l'aider sans qu'elle lui en témoigne une quelconque gratitude.

Quand, après le thé, tout le monde alla faire un tour dans le jardin, Charles murmura à sa sœur :

— La mère Lawson ne peut pas me supproter. Bizarre, non ?

— Très bizarre, répondit Theresa, moqueuse. Il existe donc une personne au monde qui puisse résister à ton charme fatal ?

Charles eut un large sourire engageant et dit :

— Dieu merci, il ne s'agit que de Lawson.

Dans le jardin, Mlle Lawson, qui marchait à côté de Mme Tanios, lui demanda des nouvelles des enfants. Le visage plutôt morne de Bella s'illumina. Elle en oublia même d'observer Theresa. Et elle se transforma en moulin à paroles. Mary avait dit quelque chose de tellement cocasse sur le bateau.

Elle avait en Minnie Lawson une auditrice captivée par avance.

On vit bientôt un jeune homme blond, visage grave et pince-nez, sortir de la maison et s'avancer dans le jardin. Il semblait du genre à ne jamais très bien savoir où se mettre. Mlle Arundell le salua avec beaucoup de courtoisie.

— Salut, Rex ! s'exclama Theresa.

Elle glissa son bras sous le sien. Ils s'éloignèrent d'un pas nonchalant.

Charles fit une grimace. Et il s'échappa pour aller bavarder avec le jardinier, un complice d'autrefois.

Lorsque Mlle Arundell regagna la maison, Charles jouait avec Bob. Planté en haut de l'escalier, sa balle dans la gueule, le chien remuait doucement la queue.

— Vas-y, mon vieux ! dit Charles.

Bob s'avachit sur son arrière-train et, du bout du museau, poussa lentement, très lentement, la balle jusqu'au bord de la première marche. Lorsqu'elle dégringola enfin, il se remit d'un bond sur ses pattes, tout frétillant de joie. La balle descendit comme au ralenti, en rebondissant de marche en marche. Charles la récupéra et la renvoya à Bob qui l'attrapa dans sa gueule avec adresse. Puis ils recommencèrent leur manège.

— C'est son jeu préféré, dit Charles.

Emily Arundell sourit.

— Oui, il pourrait continuer des heures comme ça.

Elle passa au salon, et Charles lui emboîta le pas. Bob laissa échapper un aboiement, déçu.

— Vous avez vu Theresa et son jeune prétendant ? s'exclama Charles en regardant par la fenêtre. Quel drôle de couple ils font !

— Tu crois que Theresa songe vraiment à l'épouser ?

— Elle est folle de lui, répondit Charles avec conviction. C'est incroyable, mais c'est comme ça. J'ai l'impression que ça vient de la façon qu'il a de la considérer comme un spécimen scientifique et pas comme une femme de chair et de sang. Pour Theresa, c'est plutôt une nouveauté. Dommage que ce type soit tellement fauché. Theresa a des goûts de luxe.

— Je suis certaine qu'elle peut changer son train de vie – si elle en a vraiment envie ! répliqua vertement Mlle Arundell. Et après tout, elle possède une fortune personnelle.

Charles jeta à sa tante un coup d'œil quasi coupable.

— Hein ? Oh ! oui, oui, bien sûr…

Ce soir-là, tandis que tout le monde attendait au salon l'heure du dîner, on entendit soudain un affreux vacarme dans l'escalier, suivi d'un chapelet de jurons. Et Charles apparut, le visage apoplectique.

— Désolé, tante Emily, je suis en retard ? J'ai failli dévaler les marches sur les fesses à cause de votre satané chien ! Il a encore laissé traîner sa fichue balle en haut de l'escalier.

— Le vilain petit chien-chien étourdi ! dit Mlle Lawson, en se penchant vers Bob.

L'animal lui lança un regard méprisant et détourna la tête.

— Je sais, dit Mlle Arundell. C'est très dangereux. Minnie, ramassez-moi cette balle et rangez-la.

Mlle Lawson s'empressa d'obéir.

Pendant le dîner, le Dr Tanios monopolisa la conversation. Il raconta des anecdotes amusantes sur sa vie à Smyrne.

Tout le monde alla se coucher tôt. Mlle Lawson récupéra les pelotes de laine, les lunettes, le grand sac de velours et le livre de sa patronne, puis l'accompagna jusqu'à sa chambre en pépiant joyeusement.

— Il est vraiment amusant, ce Dr Tanios. Quelle charmante compagnie ! Non que j'apprécierais ce genre de vie, certainement pas... Il doit falloir faire bouillir de l'eau, j'imagine. Et ce lait de chèvre, je m'interroge. Ça doit avoir un goût épouvantable, non ?

— Cessez de débiter des âneries, Minnie, la coupa Mlle Arundell. Vous avez rappelé à Ellen de me réveiller à 6 heures et demie ?

— Bien sûr, Mlle Arundell. Je lui ai dit de ne pas apporter de thé, mais ne pensez-vous pas qu'il serait plus raisonnable de... Vous savez, le pasteur de Southbridge – un homme très avisé – m'a bien précisé qu'il n'était pas indispensable du tout de venir à jeun...

Mlle Arundell l'interrompit de nouveau.

— Je n'ai jamais rien pris avant l'office du matin, et ce n'est pas maintenant que je vais commencer. *Vous* pouvez faire comme bon vous semble.

Mlle Lawson rougit.

— Oh ! non... Je ne voulais pas dire... Je vous assure...

— Ôtez son collier à Bob, lui ordonna alors Mlle Arundell.

L'esclave s'empressa d'obéir.

Et, toujours soucieuse de plaire, elle s'exclama :

— Quelle délicieuse soirée ! Ils ont l'air tellement ravis d'être là !

— Hum ! marmonna Emily Arundell. Ils sont venus seulement à cause de l'héritage.

— Oh ! chère mademoiselle Arundell…

— Ma pauvre Minnie, je suis tout sauf une imbécile ! Simplement, je serais curieuse de savoir qui sera le premier à mettre le sujet sur le tapis.

Elle n'eut pas longtemps à attendre. Mlle Lawson et elle revinrent de l'office peu après 9 heures. Le Dr Tanios et sa femme avaient déjà investi la salle à manger, mais les deux autres ne s'étaient pas encore manifestés. Après le petit déjeuner, lorsque tout le monde fut parti, Emily Arundell resta seule, et en profita pour noter quelques chiffres dans un petit carnet.

Charles apparut sur les coups de 10 heures.

— Désolé d'être en retard, tante Emily. Mais Theresa l'est encore plus. Elle n'a pas encore ouvert l'œil ?

— La table du petit déjeuner sera desservie à 10 heures et demie, répondit Mlle Arundell. Je sais qu'il est de bon ton, de nos jours, de ne plus avoir la moindre considération pour les domestiques, mais ce n'est pas ainsi que ça se passe sous mon toit.

— Bravo ! Voilà du bon vieil autoritarisme à tous crins !

Charles se servit de rognons et s'assit à côté d'elle. Son sourire, comme d'habitude, était des plus ravageurs. Emily Arundell se surprit bientôt à le lui rendre avec bienveillance. Enhardi par ce qu'il prit pour une approbation, Charles se jeta à l'eau.

— Écoutez, tante Emily, pardonnez-moi de vous ennuyer avec ça, mais je suis dans un pétrin de tous les diables. Est-ce que vous ne pourriez pas me donner un petit coup de main ? Cent livres, c'est pas grand-chose – et ça me tirerait une drôle d'épine du pied.

L'expression de sa tante n'eut rien d'encourageant. Une inflexibilité manifeste se lisait sur son visage.

Emily Arundell n'avait pas pour habitude de mâcher ses mots. Elle n'y alla pas par quatre chemins.

Mlle Lawson, qui passait dans le vestibule, faillit entrer en collision avec Charles quand il quitta la pièce. Elle le regarda avec curiosité. Et lorsqu'elle pénétra dans la salle à manger, elle trouva Mlle Arundell, raide comme la justice et le visage rouge de colère.

## 2

## LA FAMILLE

Charles monta les escaliers quatre à quatre et frappa à la porte de sa sœur. Theresa répondit aussitôt : « Entrez ! » – ce à qu'il fit.

Assise dans son lit, elle bâillait à se décrocher la mâchoire.

Charles se laissa tomber à côté d'elle.

— Tu sais que tu es vraiment une bien jolie fille ! remarqua-t-il en connaisseur.

— Qu'est-ce qui te prend ? lui répondit-elle d'un ton sec. Tu as besoin de quelque chose ?

Charles lui adressa un grand sourire.

— Ce que tu peux être de mauvais poil, quand tu t'y mets ! Eh bien, j'ai pris une longueur d'avance sur toi, ma chère. Je me suis dit que j'avais intérêt à lancer mon offensive avant que, toi, tu t'y mettes.

— Et alors ?

Charles abaissa les mains en un geste de dénégation.

— Rien de rien ! Tante Emily m'a envoyé paître. Elle m'a signifié qu'elle ne se faisait aucune illusion sur les raisons qui ont réuni ici sa famille si aimante. Et elle a ajouté que ladite famille allait être très déçue. La seule chose qu'elle soit prête à nous donner, c'est son amour – et encore, avec parcimonie.

— Tu aurais pu attendre un peu, gronda Theresa.

— J'ai eu peur que Tanios ou toi ne preniez les devants. Ma petite Theresa, je suis au regret de t'annoncer qu'il n'y a rien à faire cette fois-ci. La vieille Emily est loin d'être une gourde.

— Je n'en ai jamais douté.

— J'ai été jusqu'à essayer de lui flanquer la frousse.

— Qu'est-ce que tu racontes ?

— Je lui ai dit que si elle continuait comme ça, c'était le meilleur moyen de se faire liquider. Après tout, elle n'emportera pas son argent dans la tombe. Pourquoi ne pas se montrer un peu plus souple ?

— Charles, tu es un idiot !

— Mais non. Au contraire : je suis du genre psychologue, à ma façon. Rien ne sert à rien de la flatter, cette vieille chouette. Elle préfère de beaucoup qu'on se rebiffe. D'ailleurs, ce que je lui ai raconté est logique. À sa mort, à nous l'argent– alors, autant nous en donner un peu à l'avance ! Dans le cas contraire, la tentation de l'aider à passer l'arme à gauche risquerait un beau jour de devenir trop forte.

— Et elle a admis ton point de vue ? demanda Theresa, dont les lèvres délicates se retroussèrent avec mépris.

— Je n'en sais rien. En tout cas, elle n'a pas voulu reconnaître que j'avais raison. Elle m'a juste remercié – d'un ton plutôt hargneux –, et a ajouté qu'elle était assez grande pour se débrouiller toute seule. « Très bien, ai-je répondu. Au moins, je vous aurais prévenue. » Ce à quoi elle s'est contentée de me répondre : « Je m'en souviendrai. »

— Vraiment, Charles, tu es le roi des imbéciles ! s'exclama Theresa, furieuse.

— Bon sang, Theresa, j'étais plutôt de mauvais poil, moi aussi ! La vieille roule sur l'or – oui, sur l'or ! Je parie qu'elle ne dépense pas un dixième de ses revenus – à son âge qu'est-ce qu'elle pourrait bien faire de son argent, de toute façon ? Et nous, nous sommes là – jeunes, décidés à dévorer la vie à belles dents. Et rien que pour nous contrarier, elle est bien capable de devenir centenaire. Moi, c'est tout de suite que je veux profiter de l'existence. Et toi aussi.

Theresa acquiesça d'un signe de tête.

Puis elle murmura d'une voix basse et saccadée :

— Ils ne comprennent pas… Les vieux ne comprennent pas… Ils en sont incapables… Ils n'ont aucune idée de ce que c'est que vivre !

Le frère et la sœur restèrent un moment silencieux.

Charles, finalement, se leva.

— Bon, ma chérie, je te souhaite d'avoir plus de succès que moi. Mais j'ai des doutes.

— Je compte sur Rex pour emporter le morceau, décréta Theresa. Si j'arrive à faire comprendre à tante Emily qu'il est brillant, qu'il faut à tout prix qu'on lui donne sa chance et qu'il ne doit pas végéter toute sa vie comme simple généraliste… Oh ! Charles, si on avait quelques milliers de livres là, tout de suite, ça changerait tout !

— J'espère que tu les auras, mais je n'y crois pas. Ces dernières années, tu as un peu trop gaspillé ton capital avec ta vie de patachon. Dis-moi, Theresa, tu ne crois tout de même pas, n'est-ce pas, que cette sinistre Bella et son douteux Tanios tireront quelque chose de la vieille peau ?

— Je ne vois pas ce que Bella ferait de cet argent. Elle s'habille comme l'as de pique et ne s'intéresse qu'à sa progéniture.

— Bon, fit Charles, j'imagine qu'elle a envie d'un tas de choses pour ses affreux bambins – études, appareils dentaires, leçons de musique, tout le bataclan… Et de toute façon, ce n'est pas Bella, le problème, c'est Tanios. Je suis sûr que, lui, il le renifle le fric ! Il n'est pas grec pour rien. Tu sais qu'il a déjà flambé la fortune de Bella ? Il a spéculé avec, et il a tout perdu.

— Et d'après toi il va tirer quelque chose de la vieille bique ?

— Pas si je peux l'en empêcher, répondit Charles, d'un air résolu.

Il quitta la chambre de sa sœur et descendit sans se presser. Bob, qui était dans le hall, lui fit la fête en le voyant. Les chiens adoraient Charles.

Bob trottina jusqu'à la porte du salon et tourna la tête vers le jeune homme.

— Qu'est-ce qu'il y a ? dit Charles, en le suivant d'un pas nonchalant.

Bob s'engouffra dans la pièce et courut s'asseoir, tout frétillant, devant un petit secrétaire.

Charles s'approcha.

— Mais qu'est-ce que tu veux ?

Bob remua la queue, fixa le meuble et émit un jappement engageant.

— Un truc qui est là-dedans ?

Charles ouvrit le tiroir du haut. Ses yeux s'écarquillèrent.

— Tiens, tiens, murmura-t-il.

Le tiroir contenait une pile de billets de banque.

Charles s'empara du paquet et les compta. Avec un petit sourire, il préleva trois billets d'une livre et deux de dix shillings, qu'il fit aussitôt disparaître dans sa poche. Puis il replaça soigneusement le reste où il l'avait trouvé.

— C'était une bonne idée, Bob, dit-il. Comme ça, tonton Charles pourra couvrir ses menus frais. Un peu de monnaie, il ne faut jamais cracher dessus.

Bob poussa un aboiement réprobateur lorsque Charles referma le tiroir.

— Oh ! excuse-moi, mon vieux.

Il ouvrit alors le tiroir du dessous. La balle y était rangée dans un coin. Il la prit.

— Tiens, fit-il. Amuse-toi avec ça.

Bob attrapa la balle et quitta la pièce. On entendit bientôt le plop-plop-plop caractéristique dans les escaliers.

Charles gagna le jardin. C'était une belle matinée ensoleillée. L'air embaumait le lilas.

Mlle Arundell était flanquée du Dr Tanios. Il vantait les mérites de l'éducation anglaise – la meilleure de toutes –, et déplorait de n'avoir pas les moyens de l'offrir à ses enfants.

Un rictus mauvais passa sur les lèvres de Charles. Il se joignit à la conversation et, d'un ton léger, s'arrangea pour la faire dévier.

Emily Arundell lui adressa un sourire presque amène. Le jeune homme eut même l'impression que son manège l'amusait et qu'elle l'encourageait discrètement.

Il reprit espoir. Peut-être, finalement, qu'avant son départ…

Charles était un incorrigible optimiste.

Dans l'après-midi, le Dr Donaldson vint chercher Theresa en voiture pour la conduire à Worthem Abbey, l'une des curiosités touristiques de la région. De là, ils partirent marcher dans les bois.

Rex Donaldson parla longuement à Theresa de ses théories et de ses travaux récents. Elle n'y comprenait rien, mais l'écoutait, fascinée.

« Rex est d'une intelligence ! pensait-elle. Et, en plus, il est adorable ! »

À un moment, son fiancé s'interrompit et dit, d'une voix hésitante :

— J'ai bien peur de t'ennuyer avec mes histoires, Theresa.

— Mais non, chéri, au contraire, c'est terriblement excitant ! répondit-elle d'un ton convaincu. Continue. Ainsi, tu as prélevé du sang sur ce lapin malade et… ?

Un peu plus tard, elle ajouta dans un soupir :

— Ton métier a l'air de vraiment compter beaucoup pour toi, mon trésor.

— Naturellement, répondit le Dr Donaldson.

Mais justement, cela ne paraissait pas du tout naturel à Theresa. Très peu de ses amis travaillaient, et ceux qui y étaient contraints en faisaient tout un foin.

Elle songea une fois encore que c'était vraiment curieux d'être tombée amoureuse de Rex Donaldson.

Pourquoi vous arrivait-il ces choses-là, ces coups de folie bizarres et ridicules ? Question sans réponse. Ça lui était arrivé, un point c'est tout.

Elle fronça les sourcils. Elle s'étonnait elle-même. Son entourage avait toujours été si insouciant et tellement cynique ! Bien sûr, l'amour était indispensable à l'existence, mais pourquoi diable le prendre au sérieux ? On s'aimait et puis on se quittait, voilà tout.

Mais ses sentiments pour Rex Donaldson étaient différents, ils devenaient même plus forts chaque jour. Son instinct lui disait qu'il ne s'agissait pas d'une passade… Son besoin de lui était simple et profond. Tout, chez cet homme, la fascinait : son calme et son détachement – si étrangers à son propre caractère, avide de plaisirs et trépidant –, la froideur logique et pénétrante de son esprit scientifique, et quelque chose d'autre, d'indéfinissable, mais qu'elle sentait inconsciemment… comme une force secrète dissimulée derrière ses manières tout à la fois un peu pédantes et résolument sans prétention.

Il y avait du génie en Rex Donaldson – et que sa profession fût la principale préoccupation de sa vie, alors qu'elle-même n'occupait qu'une part minime, quoique nécessaire, de son existence, ne donnait que plus de prix à l'intérêt qu'il lui montrait. Pour la première fois dans sa vie facile de jeune femme égocentrique, elle se contentait de ne tenir que la seconde place. Et cette idée l'enivrait. Pour Rex, elle était prête à tout – à tout !

— Quelle plaie, ces questions d'argent ! s'exclama-t-elle avec humeur. Si seulement tante Emily mourait, nous pourrions nous marier tout de suite, et tu t'installerais à Londres avec des tas d'éprouvettes et de cobayes, et tu n'aurais plus jamais à perdre ton temps avec les oreillons de ces sales gamins et les crises de foie de ces vieilles mochetés.

— Il n'y a pas de raison pour que ta tante ne vive pas encore de longues années – si elle fait attention, dit Rex Donaldson.

— Je sais…

Et Theresa, découragée, soupira profondément.

Dans leur grande chambre à lits jumeaux et aux vieux meubles de chêne, le Dr Tanios dit à sa femme :

— Je pense que j'ai suffisamment préparé le terrain. Maintenant, c'est à toi de jouer, ma chérie.

Avec un broc de cuivre ancien, il versait de l'eau dans la cuvette de porcelaine décorée de roses.

Bella Tanios, assise devant la coiffeuse, se demandait pourquoi, malgré tous ses efforts pour se coiffer comme elle, ses cheveux ne ressemblaient en rien à ceux de Theresa.

Elle ne répondit pas immédiatement.

— Je ne crois pas que j'aie envie de demander de l'argent à tante Emily, dit-elle enfin.

— Ce n'est pas pour toi, Bella, mais pour le bien des enfants. Nos investissements ont été si désastreux.

Comme il lui tournait le dos, il ne vit pas le coup d'œil rapide qu'elle lui lança – un coup d'œil furtif, craintif, même.

Elle s'obstina doucement :

— Peu importe, je préfère ne rien demander. Tante Emily n'est pas commode. Elle peut se montrer très généreuse, mais elle a horreur qu'on mendie.

Tout en s'essuyant les mains, Tanios s'écarta du lavabo.

— Vraiment, Bella, ça ne te ressemble pas de te montrer si têtue. Après tout, pourquoi est-ce que nous sommes ici ?

— Je n'ai pas… non, je n'ai pas pensé un instant que… que c'était pour lui soutirer de l'argent, murmura-t-elle.

— Et pourtant tu as toujours reconnu que notre seul espoir de donner une bonne éducation aux enfants, c'est que ta tante nous vienne en aide.

Bella Tanios ne répondit pas. Elle s'agita sur sa chaise, mal à l'aise.

Mais son visage avait ce petit air buté dont les hommes intelligents mariés à des femmes idiotes font constamment les frais.

— Peut-être que tante Emily nous le proposera d'elle-même, souffla Bella.

— C'est possible, oui, mais jusqu'ici rien ne le laisse prévoir.

— Si seulement nous avions pu amener les enfants…, geignit Bella. Tante Emily aurait forcément adoré Mary. Et Edward est tellement intelligent !

— Je ne crois pas que ta tante ait un penchant prononcé pour les gosses, rétorqua Tanios avec brusquerie. Et il vaut probablement beaucoup mieux qu'ils ne soient pas là.

— Oh ! Jacob, mais…

— Oui, oui, chérie. Je sais ce que tu penses. Mais ces vieilles filles anglaises rabougries… Elles n'ont rien d'humain. Notre souci, c'est de faire de notre mieux pour Mary et Edward, pas vrai ? Ça ne la mettra pas dans l'embarras si elle nous aidait un peu.

Bella Tanios se retourna, les joues en feu.

— Oh ! Jacob, je t'en prie, je t'en supplie ! Pas cette fois-ci. Ce serait maladroit, j'en suis sûre. Je préférerais tellement, tellement, ne pas le faire.

Tanios se tenait dans son dos, tout contre elle. De son bras, il lui entourait les épaules. Elle trembla un peu, puis se calma – comme pétrifiée.

Il lui murmura alors, la voix toujours affable :

— De toute façon, Bella, je suis intimement persuadé que tu feras ce que je te demande de faire. C'est généralement comme ça que ça finit, tu le sais très bien. Oui, je suis persuadé que tu feras ce que je te dis de faire…

## 3

## L'ACCIDENT

On était mardi après-midi. La petite porte donnant sur le jardin était ouverte. Mlle Arundell se tenait sur le seuil et, visant l'extrémité de l'allée, lançait la balle à son chien. Le fox-terrier se précipitait à toutes jambes pour la ramasser.

— Celle-ci, c'est la dernière, Bob, dit Emily Arundell. Va la chercher, mon chien !

Une fois encore, la balle roula à toute vitesse sur le sol, et, une fois encore, Bob courut à perdre haleine pour l'attraper.

Mlle Arundell se pencha, ramassa la balle que Bob avait déposée à ses pieds et rentra dans la maison, le chien sur les talons. Elle pénétra dans le salon, Bob toujours derrière elle, et rangea la balle dans le tiroir du secrétaire.

Elle jeta alors un coup d'œil rapide à la pendule qui trônait sur la cheminée. 18 h 30.

— Je crois qu'on va se reposer un peu avant le dîner, Bob.

Elle monta à sa chambre. Bob l'accompagna. Allongée sur son grand lit recouvert de chintz, Bob à ses pieds, Mlle Arundell soupira. Elle n'était pas mécontente : ses invités s'en allaient le lendemain. Ce week-end n'avait fait que confirmer ce qu'elle savait déjà. Pire : il ne lui avait pas laissé le loisir de l'oublier.

« Je dois devenir vieille… », se dit-elle. Et soudain, avec un petit sursaut d'étonnement : « Je suis vieille. »

Elle resta une bonne demi-heure allongée, les yeux fermés, puis Ellen, sa vieille femme de chambre, lui monta de l'eau chaude ; alors elle se leva et se prépara pour le dîner.

Le Dr Donaldson était convié ce soir-là. Emily Arundell voulait avoir l'occasion de l'étudier de plus près. Il lui semblait pour le moins incroyable que cette folle de Theresa voulût épouser ce jeune homme pédant et un peu guindé. Et il lui paraissait aussi un peu bizarre que ce jeune homme pédant et un peu guindé désirât se marier avec Theresa…

Pendant cette soirée, elle sentit qu'elle n'en apprendrait pas davantage sur le Dr Donaldson. Il était très poli, très cérémonieux, et, à son avis, mortellement ennuyeux. Elle se dit que le jugement de Mlle Peabody était fondé. Une pensée lui traversa l'esprit : « De mon temps, les hommes c'était autre chose ! »

Le Dr Donaldson ne s'attarda pas. Il prit congé vers 22 heures. Après son départ, Emily Arundell annonça à son tour qu'elle allait se coucher. Elle monta dans sa chambre, et la jeune génération l'imita. Ils semblaient tous un peu éteints, ce soir-là. Mlle Lawson resta encore un moment en bas, pour finir son travail – elle fit sortir le chien, couvrit les braises, installa le garde-feu et roula le bord du tapis pour éviter tout risque d'incendie.

Quelques minutes plus tard, elle pénétrait, un peu essoufflée, dans la chambre de sa patronne.

— Je crois que je n'ai rien oublié, fit-elle en posant la laine, le sac à ouvrage et un livre qu'elle avait pris à la bibliothèque. J'espère que ce roman vous plaira. Elle n'avait aucun de ceux que vous aviez notés sur votre liste, mais elle m'a assuré que vous aimeriez celui-ci.

— Cette fille est une idiote, répondit Emily Arundell. Je n'ai jamais rencontré quelqu'un qui ait d'aussi mauvais goûts en littérature.

— Oh ! mon Dieu ! Je suis désolée. Peut-être aurais-je dû...

— Mais non, ce n'est pas votre faute, ajouta plus gentiment Emily Arundell. J'espère que vous avez passé un bon après-midi ?

Le visage de Mlle Lawson s'éclaira. Elle parut soudain enthousiaste, et comme rajeunie.

— Oh ! oui. Merci beaucoup. C'était si gentil à vous de me donner congé. J'ai passé un après-midi passionnant. Nous avons utilisé la planche de ouija, et vraiment... Elle nous a envoyé quelques messages fascinants. Il y en a eu plusieurs… Bien sûr, ce n'est pas tout à fait comme lorsqu'on fait tourner les tables… Julia Tripp a eu aussi beaucoup de succès avec l'écriture automatique. Plusieurs communications de Ceux-qui-sont-passés-de-l'autre-côté. Ce… c'est une véritable bénédiction que… que de telles choses soient possibles…

— Il vaudrait mieux que le pasteur ne vous entende pas, dit Mlle Arundell avec un petit sourire.

— Oh ! vraiment, chère mademoiselle Arundell, je suis convaincue – absolument convaincue – qu'il n'y a aucun mal à ça. Que ne donnerais-je pas pour voir ce cher M. Lonsdale s'intéresser à la question… Cela me semble la preuve d'une telle étroitesse d'esprit que de condamner quelque chose sans avoir pris la peine de l'étudier. Julia et Isabel Tripp sont toutes les deux des femmes d'une telle pureté.

— Presque trop pures pour être vraies, répliqua Mlle Arundell.

Elle n'aimait guère Julia et Isabel Tripp. Elle trouvait ridicules leurs toilettes et absurde leur régime végétarien à base de crudités, et elle n'appréciait pas non plus leur affectation. Ces femmes n'avaient ni traditions ni racines. En fait, elles manquaient de savoir-vivre ! Mais la façon dont elles se prenaient au sérieux l'amusait, et son fond de gentillesse l'empêchait de leur reprocher le plaisir évident que leur amitié procurait à cette pauvre Minnie.

Oh ! oui, pauvre Minnie ! Emily Arundell considéra sa dame de compagnie avec un mélange d'affection et de mépris. Elle avait vu défiler chez elle tant de ces godiches vieillissantes – toutes les mêmes : gentilles, tatillonnes, serviles et presque entièrement dépourvues de cervelle.

Vraiment, cette pauvre Minnie avait l'air bien surexcité, ce soir ! Ses yeux brillaient et elle s'agitait dans la chambre, tripotant vaguement les objets ça et là, sans la moindre idée de ce qu'elle faisait, avec son regard d'illuminée.

— Je… j'aurais aimé que vous soyez là, balbutiait Mlle Lawson avec fièvre. Je sens bien, voyez-vous, que vous n'y croyez pas encore. Mais cet après-midi, il y a eu un message : « pour E. A. », les initiales parlaient d'elles-mêmes. Il émanait d'un homme décédé il y a des années – un militaire très séduisant, Isabel l'a vu comme je vous vois. Ce devait être ce cher général Arundell. Un si beau message, plein d'amour et de réconfort, expliquant qu'avec de la patience on arrivait à bout de tout.

— Ce genre de sentiments ne ressemble pas du tout à papa, dit Mlle Arundell.

— Oh ! mais ceux qui nous sont chers changent tellement… de l'autre côté. Tout, là-bas, n'est qu'amour et tolérance. Ensuite le ouija a écrit quelque chose au sujet d'une clé. Je pense qu'il s'agissait de la clé de votre secrétaire Boulle. Pas vous ?

— La clé de mon secrétaire ?

La voix d'Emily Arundell dénota soudain son intérêt et parut plus aiguë.

— Il me semble bien. Je me suis dit qu'il s'agissait peut-être de papiers importants. Il y a eu un cas dont l'authenticité a été prouvée : un message passé de l'au-delà a conseillé un jour d'aller voir dans un meuble donné, et on y a bel et bien retrouvé un testament.

— Il n'y avait aucun testament dans mon Boulle, dit Mlle Arundell. Allez-vous coucher, Minnie, ajouta-t-elle avec brusquerie. Vous êtes fatiguée. Et moi aussi. Nous inviterons les Tripp un de ces prochains soirs.

— Oh ! ce serait merveilleux ! Bonne nuit. Vous êtes sûre que vous avez bien tout ce qu'il vous faut ? J'espère que tous ces invités ne vous ont pas épuisée. Il faut que je pense à dire à Ellen d'aérer le salon, demain, et de secouer les rideaux. Le tabac laisse une telle odeur ! À mon avis, vous êtes trop gentille de les autoriser à fumer au salon !

— Je suis bien obligée de faire quelques concessions à la modernité, répondit Emily Arundell. Bonne nuit, Minnie.

Comme Mlle Lawson se retirait, Emily Arundell se demanda si toutes ces histoires de spiritisme étaient vraiment bonnes pour Minnie. Ce soir, sa gouvernante avait les yeux qui lui sortaient de la tête, et elle paraissait si exaltée !

« Cette anecdote à propos du Boulle est tout de même bizarre », songea Emily Arundell en se couchant. Avec un petit sourire triste, elle se souvint de ce qui s'était passé, il y avait longtemps. On avait retrouvé la clé après la mort de son père. Et lorsque l'on avait ouvert le meuble, une montagne de bouteilles de brandy vides s'était écroulée dans la pièce ! C'était ce genre de détails – que ni Minnie Lawson, ni Isabel, ni Julia Tripp ne pouvaient connaître – qui faisait qu'on se demandait si, après tout, il n'y avait pas quelque chose de vrai dans ces histoires de spiritisme...

Allongée dans son grand lit à baldaquin, elle ne trouvait pas le sommeil. Ces temps-ci, elle avait de plus en plus de mal à s'endormir. Mais elle rejetait les timides suggestions du Dr Grainger qui lui conseillait de prendre un somnifère. Les somnifères, c'était fait pour les poules mouillées, les gens incapables de supporter un bobo au doigt, le moindre petit mal aux dents, ou l'ennui d'une nuit sans sommeil.

Il lui arrivait souvent de se relever et d'errer sans bruit dans la maison, pour feuilleter un livre, caresser un bibelot, réarranger un bouquet de fleurs, écrire quelques lettres. Au cours de ces heures nocturnes, elle goûtait le rythme tranquille de cette demeure où elle rôdait. Ces promenades n'avaient rien de désagréable. Elle avait l'impression que des fantômes l'accompagnaient, ceux de ses sœurs Arabella, Matilda et Agnes, et celui de son frère Thomas, qui était un si gentil garçon avant que « cette femme » ne lui mette le grappin dessus ! Et même le fantôme du général Charles Laverton Arundell, ce tyran domestique aux manières néanmoins charmantes, qui criait et malmenait ses filles tout en restant pour elles un objet de fierté avec ses récits de la révolte des cipayes et ses connaissances du vaste monde… Et qu'importe s'il y avait eu des moments où il n'était pas « si bien que ça », comme ses filles l'insinuaient !

Soudain, elle songea de nouveau au fiancé de sa nièce. « Je suis prête à parier que lui, il ne sombrera jamais dans l'alcool ! Ça se prétend un *homme,* et ce soir il n'a bu que de *l'orgeat* ! De l'orgeat ! Et moi qui avais ouvert une des bonnes bouteilles de porto de Papa ! »

Charles, lui, avait fait honneur au porto. Oh ! si seulement on pouvait faire confiance à Charles ! Si seulement on n'était pas sûr qu'avec lui…

Le fil de ses pensées se rompit. Son esprit revint aux événements du week-end.

Il flottait sur ces deux jours une atmosphère quelque peu inquiétante.

Elle s'efforça de chasser ces idées noires.

En vain.

Alors, elle se redressa sur un coude et, à la faible lueur de la veilleuse qui brûlait toujours dans une soucoupe à son chevet, elle regarda l'heure.

1 heure du matin. Et elle ne s'était jamais sentie si éveillée.

Elle se leva, enfila ses pantoufles et sa robe de chambre fourrée. Elle décida de descendre jeter un œil aux livres de comptes de la semaine écoulée pour payer les factures le lendemain.

Telle une ombre, elle sortit de sa chambre et se glissa dans le couloir, où une seule ampoule électrique restait allumée toute la nuit.

Elle arriva au bord des marches, tendit la main pour attraper la rampe et soudain, sans raison apparente, elle trébucha, essaya – mais sans succès – de retrouver son équilibre et, la tête la première, dégringola l'escalier jusqu'en bas.

Le bruit de sa chute et le hurlement qu'elle poussa tirèrent du sommeil toute la maisonnée. Des portes s'ouvrirent, des lampes s'allumèrent.

Mlle Lawson surgit de sa chambre, en haut des escaliers.

Avec de petits couinements désespérés, elle s'empressa de rejoindre sa maîtresse. Les autres arrivèrent un à un – Charles, bâillant, dans un superbe peignoir. Theresa, en négligé de soie noire. Bella, dans un kimono bleu marine, les cheveux retenus par des peignes à cranter.

Hébétée, Emily Arundell était affalée au pied des marches. Son épaule lui faisait mal, ainsi que sa cheville – en fait, tout son corps était douloureux. Elle réalisa qu'il y avait des gens autour d'elle, que cette idiote de Minnie pleurait et gesticulait dans le vide, que les grands yeux noirs étonnés de Theresa étaient fixés sur elle, que Bella, bouche bée, paraissait attendre quelque chose, et que Charles parlait – de très loin, lui sembla-t-il.

— C'est la balle de ce satané chien ! Il a dû la laisser là, et tante Emily aura glissé dessus. Vous voyez ? La voilà !

Puis elle eut conscience d'une présence pleine d'autorité, qui écartait les autres, s'agenouillait à côté d'elle, l'examinait avec des gestes de professionnel, sans la moindre maladresse.

Elle se sentit soulagée. Tout irait bien, maintenant.

— Non, ça va, expliquait le Dr Tanios d'un ton ferme et rassurant. Rien de cassé… Elle aura juste des bleus – et bien sûr, elle est choquée ! Mais elle a eu de la chance, elle s'en tire bien.

Il les avait fait s'écarter un peu, l'avait soulevée sans peine, portée jusqu'à sa chambre, où il lui avait pris le pouls un instant, avait compté, hoché la tête et demandé à Minnie – qui pleurait toujours et empoisonnait tout le monde – d'aller chercher du brandy et de faire chauffer de l'eau pour préparer une bouillotte.

Encore bouleversée et tout endolorie, Emily Arundell éprouvait, en cet instant, une infinie gratitude envers Jacob Tanios. Se trouver en de si bonnes mains la rassurait. Il lui donnait ce sentiment de confiance et de sécurité que l'on attendait d'un médecin.

Il y avait pourtant quelque chose – quelque chose de vaguement inquiétant qu'elle ne parvenait pas à saisir –, mais elle n'avait pas envie d'y réfléchir immédiatement. Non, pour le moment, elle allait avaler cette boisson et dormir comme on le lui ordonnait.

Mais, c'était sûr, il manquait quelque chose – où plutôt quelqu'un.

Oh ! et puis, elle refusait d'y penser... Son épaule l'élançait. Elle but ce qu'on lui donnait.

Elle entendit la voix merveilleusement rassurante du Dr Tanios :

— Ça ira, maintenant.

Elle ferma les yeux.

Elle fut tirée du sommeil par un son qu'elle connaissait bien – un aboiement étouffé.

En un instant, elle fut pleinement réveillée.

Bob... ce vilain Bob ! Il aboyait devant la porte d'entrée – de ce ton spécial « J'ai passé la nuit dehors et ne suis pas fier de moi ». Une voix contenue, mais têtue et pleine d'espoir.

Mlle Arundell tendit l'oreille. Oui, c'était bien ça. Minnie descendait pour le faire entrer. Mlle Arundell entendit ensuite le grincement de la porte, puis un murmure indistinct, les reproches inutiles de Minnie – « Vilain petit toutou à sa maman... très méchant Bobbychounet ». La porte de l'office s'ouvrit. Le panier du chien se trouvait sous la table.

Alors Emily sut ce qui lui avait manqué au moment de son accident. Bob. À tout ce remue-ménage – sa chute, les gens qui couraient – Bob aurait normalement dû répondre depuis l'office par des aboiements de plus en plus violents.

C'était donc cela qui l'avait tracassée, au fond d'elle-même. Mais tout s'expliquait, maintenant. Pendant sa promenade du soir, Bob avait, sans vergogne, pris la liberté de découcher. Il commettait parfois ce genre d'entorse au réglement, mais le lendemain, il savait se faire pardonner à la perfection.

Ainsi, tout allait bien… Mais était-ce si sûr ? Dans ce cas, qu'est-ce qui l'ennuyait encore, qu'est-ce qui troublait son subconscient ? Son accident. Oui, c'était quelque chose qui avait à voir avec son accident.

Ah ! Oui. Quelqu'un – Charles – avait dit qu'elle avait glissé sur la balle de Bob. Il prétendait que le chien l'avait laissée traîner en haut des escaliers…

Et la balle était bien là, en effet – Charles l'avait tenue dans sa main.

Emily Arundell avait mal à la tête. Son épaule l'élançait. Tout son corps meurtri la faisait souffrir…

Mais la douleur ne l'empêchait pas d'être lucide. Elle n'était plus du tout sous le choc. Elle se souvenait du moindre détail de l'accident.

Elle repensa à tout ce qui s'était passé la veille, depuis 6 heures du soir. Elle revit nettement chacun de ses pas, cette nuit-là. Jusqu'au moment où elle était arrivée en haut de l'escalier et s'était préparée à s'y engager.

Un frisson d'horreur la parcourut. C'était impossible.

Elle se trompait certainement – certainement…

On se fait souvent de drôles d'idées, après un accident de ce genre. Elle essaya – de toutes ses forces – de se souvenir de la sensation de la balle de Bob, ronde et mouvante, sous son pied.

Mais elle ne se rappelait rien de tel.

Au lieu de cela…

— Mes nerfs me jouent des tours ! dit Emily Arundell. Je me fais des idées ridicules.

Mais son esprit victorien, raisonnable et perspicace, se refusa à l'admettre. Les sujets de la reine Victoria n'étaient pas d'un fol optimisme. Ils n'avaient aucun mal à croire au pire.

Et Emily Arundell était persuadée du pire.

# 4

## MLLE ARUNDELL ÉCRIT UNE LETTRE

On était vendredi.

La famille était partie.

Ils avaient pris congé le mercredi, comme prévu, non sans avoir proposé de prolonger leur séjour, ce qu'Emily Arundell avait fermement refusé, prétextant qu'elle préférait être « vraiment tranquille ».

Au cours des deux jours qui avaient suivi leur départ, Emily Arundell demeura plongée dans ses réflexions, à un point tel que c'en devenait inquiétant. Il lui arrivait même souvent de ne pas entendre ce que lui disait Mlle Lawson. Elle la regardait d'un œil fixe, puis lui ordonnait sans ménagement de répéter.

— C'est le *choc*, la pauvre ! assurait Mlle Lawson.

Et, avec cette espèce de délectation morose pour le malheur qui, d'ordinaire, illumine le regard des gens dont la vie est minable, elle ajoutait :

— J'imagine qu'elle ne sera plus jamais tout à fait la même…

Le Dr Grainger, de son côté, taquinait gentiment sa patiente.

Il lui assurait qu'elle serait sur pied d'ici la fin de la semaine, et qu'elle devrait avoir honte de ne s'être rien cassé. Elle était décidément une bien mauvaise cliente pour un pauvre médecin dans le besoin ! Si tous ses patients étaient comme elle, il vaudrait mieux qu'il prenne sa retraite tout de suite.

Emily Arundell lui donnait la réplique avec humour. Tous deux se connaissaient depuis longtemps. Il la houspillait et elle lui rendait la monnaie de sa pièce – ils avaient toujours pris beaucoup de plaisir à leur compagnie réciproque !

Mais à présent, après le départ de son médecin, la vieille demoiselle était allongée dans son lit, soucieuse, perdue dans ses pensées. Elle réagissait machinalement aux mille et un petits soins bien intentionnés de Minnie Lawson, puis, reprenant soudain ses esprits, elle la rabrouait d'un ton hargneux.

— Pauvre petit Bobbychounet, pépiait Mlle Lawson en se penchant sur le chien auquel elle avait installé une couverture au pied du lit de sa maîtresse. N'est-ce pas qu'il serait malheureux, le petit Bobbychounet, s'il savait ce qu'il a fait à sa pauvre, pauvre mamounette ?

— Ne soyez pas stupide, Minnie ! s'emporta Mlle Arundell. Où est donc passé votre sens tout britannique de la justice ? Avez-vous oublié que, dans ce pays, tout accusé est présumé innocent jusqu'à ce qu'on ait la preuve de sa culpabilité ?

— Oh ! mais nous savons bien que…

— Nous ne savons rien du tout ! répliqua Emily. Restez donc un peu tranquille, Minnie ! Arrêtez de tout tripoter. Avez-vous oublié comment on se comporte au chevet d'une malade ? Allez-vous-en et envoyez-moi Ellen.

Docile, Mlle Lawson s'éclipsa sans bruit.

Emily Arundell la regarda partir et soupira. Elle se sentait un peu coupable. Minnie était exaspérante, mais elle faisait de son mieux.

Son visage reprit bientôt son air soucieux.

Elle était terriblement malheureuse. Comme toutes les vieilles personnes alertes et décidées, elle détestait l'inaction en toutes circonstances. Et dans le cas présent, elle ne savait pas quoi entreprendre.

À certains moments, elle doutait de ses facultés et de sa mémoire. Et elle n'avait personne, absolument personne, à qui se confier.

Une demi-heure plus tard, de légers craquements annoncèrent Mlle Lawson, qui s'approcha sur la pointe des pieds, avec une tasse de bouillon. Elle s'immobilisa, sans trop savoir quoi faire, lorsqu'elle vit sa maîtresse allongée, les yeux fermés. Emily Arundell prononça soudain deux mots avec une telle violence que la demoiselle de compagnie faillit en lâcher sa tasse.

— Mary Fox, avait dit Mlle Arundell.

— *Fausse,* ma chère ? fit Mlle Lawson. Vous dites qu'elle est fausse ? Qui est fausse ?

— Vous devenez sourde, Minnie. Je n'ai pas dit fausse. J'ai parlé de Mary Fox. La femme que j'ai rencontrée à Cheltenham, l'année dernière. La sœur d'un des chanoines de la cathédrale d'Exeter. Donnez-moi cette tasse. Vous en avez renversé la moitié dans la soucoupe. Et cessez de marcher sur la pointe des pieds quand vous entrez dans une pièce. Vous ne pouvez pas imaginer comme c'est énervant. Et maintenant descendez me chercher l'annuaire de Londres.

— Voulez-vous que je vous trouve un numéro ? Ou une adresse ?

— Si je le voulais, je vous l'aurais dit. Faites ce que je vous demande. Amenez-le-moi ici et mettez-moi de quoi écrire sur la table de chevet.

Mlle Lawson s'exécuta.

Et lorsque celle-ci quitta la pièce après avoir fait tout ce qu'il fallait, Emily Arundell lui dit à brûle-pourpoint :

— Vous êtes quelqu'un de bon et de dévoué, Minnie. Ne faites pas attention à mes éclats de voix. Je montre les dents, mais je ne mords pas. J'apprécie votre patience et votre dévouement.

Rouge d'émotion, Mlle Lawson prit congé en marmonnant des paroles inintelligibles.

Alors, assise dans son lit, Mlle Arundell écrivit une lettre. Elle la rédigea lentement, avec beaucoup de soin, s'interrompant souvent pour réfléchir et souligner certains passages. Elle écrivit aussi dans les marges, car on lui avait appris à l'école qu'il ne fallait jamais gaspiller le papier. Enfin, avec un soupir de satisfaction, elle signa et glissa sa missive dans une enveloppe, sur laquelle elle écrivit un nom. Ensuite, elle prit une autre feuille. Cette fois, elle fit un brouillon, le relut, y apporta certaines modifications, et le recopia au propre. Elle lut la version définitive encore une fois, très soigneusement, et, satisfaite d'avoir correctement exprimé ce qu'elle voulait, elle adressa cette seconde lettre à M. William Purvis, chez Purvis, Purvis, Charlesworth & Purvis, notaires, Harchester.

Puis elle reprit sa première lettre, qui était destinée à M. Hercule Poirot, et ouvrit l'annuaire. Lorsqu'elle trouva l'adresse, elle l'inscrivit sur l'enveloppe.

On frappa à la porte.

Mlle Arundell s'empressa de dissimuler l'enveloppe où elle venait juste de noter l'adresse – la lettre destinée à Hercule Poirot – dans la poche de son sous-main.

Elle n'avait aucune envie d'éveiller la curiosité de Minnie, qui était bien trop indiscrète à son goût.

— Entrez ! dit-elle, en se laissant retomber sur ses oreillers avec un soupir de soulagement.

Elle venait de prendre les dispositions qu'il convenait pour faire face à la situation.

## 5

### HERCULE POIROT REÇOIT UNE LETTRE

Les événements que je viens de relater ne me furent bien sûr connus que beaucoup plus tard. Mais, après avoir soigneusement interrogé divers membres de la famille, je crois les avoir rapportés avec exactitude.

Poirot et moi ne nous intéressâmes à cette affaire qu'à la réception de la lettre de Mlle Arundell.

Je me souviens parfaitement de ce jour-là. C'était une matinée chaude et étouffante de la fin juin.

Poirot observait un rituel immuable pour la lecture de son courrier. Il prenait chaque enveloppe, l'examinait avec un soin maniaque, puis l'ouvrait d'une incision bien nette de son coupe-papier. Il lisait alors attentivement chaque lettre avant de la classer sur l'une des quatre piles qui s'entassaient derrière sa chocolatière. (Poirot buvait toujours du chocolat au petit déjeuner – habitude écœurante.) Le tout avec la régularité d'un mécanisme d'horlogerie.

Avec une telle régularité, d'ailleurs, que le moindre hiatus éveillait l'attention.

Assis près de la fenêtre, je regardais passer les voitures. J'étais rentré depuis peu d'Argentine, et ne me lassais pas du plaisir éprouvé à me retrouver dans l'agitation londonienne.

Me tournant vers Poirot, je lui dis avec un sourire :

— Poirot, en humble Watson que je suis, je vais me permettre une déduction.

— Vous m'en voyez ravi, mon ami. De quoi s'agit-il ?

Je pris une pose théâtrale et déclarai sur un ton solennel :

— Vous avez reçu ce matin une lettre d'un intérêt tout particulier !

— Vous êtes Sherlock Holmes en personne ! Oui, vous avez entièrement raison.

J'éclatai de rire.

— Voyez-vous, Poirot, je connais vos méthodes. Si vous prenez la peine de relire une lettre, c'est qu'elle est d'un intérêt évident.

— Jugez-en par vous-même, Hastings.

Mon ami me tendit en souriant la lettre en question. Je la saisis sans chercher à dissimuler ma curiosité, mais ne pus, dès le premier coup d'œil, réprimer une légère grimace. J'avais devant moi deux pages d'écriture tarabiscotée à l'ancienne mode, soulignée et raturée de surcroît par endroits. Pour couronner le tout, les mêmes arabesques fleuries couraient en diagonale sur les marges disponibles.

— Dois-je vraiment lire ça, Poirot ? demandai-je avec un soupir.

— Non, rien ne vous y oblige, cela va de soi.

— Vous ne pourriez-pas me dire de quoi il retourne ?

— Je préférerais que vous vous forgiez votre opinion vous-même. Mais ne vous donnez pas cette peine si cela vous ennuie.

— Si, si, je veux savoir de quoi il retourne ! protestai-je.

— Ça, c'est une autre paire de manches, me fit remarquer mon ami, pince-sans-rire. Car, en réalité, cette lettre ne dit rien du tout.

Pensant qu'il exagérait, je me plongeai sans plus attendre dans le texte en question.

*À monsieur Hercule Poirot.*

*Cher monsieur,*

*Après bien des hésitations, je vous écris* (ces deux derniers mots étaient raturés, et la lettre reprenait :) *je me permets de vous écrire en espérant que vous pourrez m'apporter votre aide dans une affaire strictement domestique.* (Les mots « strictement domestique » étaient soulignés trois fois.) *Je me dois d'avouer que votre nom ne m'est pas inconnu. Une Mlle Fox d'Exeter m'a parlé de vous et, bien que cette Mlle Fox ne vous connaisse pas personnellement, elle m'a confié que la sœur de son beau-frère (dont hélas, le nom ne me revient pas) avait évoqué votre gentillesse et votre discrétion dans les termes les plus élogieux* (« les plus élogieux » souligné une fois). *Je ne me suis pas renseignée, bien sûr, sur la nature* (« nature » souligné) *de l'enquête dont elle vous avait chargé, mais Mlle Fox m'a laissé entendre qu'il s'agissait d'une histoire pénible et confidentielle.* (Ces cinq derniers mots soulignés plusieurs fois.)

J'interrompis mon déchiffrage laborieux de ces pleins et de ces déliés.

— Poirot, dis-je, dois-je continuer ? Va-t-elle finir par en venir au fait ?

— Poursuivez, mon bon ami. Patience et longueur de temps…

— De la patience ! marmonnai-je. On dirait qu'une araignée est tombée dans un encrier pour aller ensuite sur cette feuille de papier ! Ça me rappelle l'écriture de ma grand-tante Mary !

Je me replongeai néanmoins dans cette épître.

*Vu mon problème actuel, il me semble que vous pourriez entreprendre pour moi les recherches nécessaires. Comme vous le comprendrez aisément, cette affaire requiert la plus totale discrétion et je peux, en fait – dois-je ajouter que j'espère sincèrement et que je prie* (« je prie » souligné deux fois) *pour que ce soit le cas – oui, je peux, en fait, me tromper du tout au tout. On accorde parfois trop d'importance à certains faits dont l'explication est au bout du compte très simple.*

— Ai-je sauté une page ? murmurai-je, perplexe.

Poirot gloussa.

— Non, non.

— Parce que tout ça me semble n'avoir ni queue ni tête, ajoutai-je. De quoi diable parle-t-elle ?

— Continuez, mon ami, donnez-vous de la peine…

*Comme vous le comprendrez aisément, cette affaire requiert...* (Non, j'en étais plus loin. Ah ! Voilà, nous y sommes.) *Étant donné les circonstances, et, j'en suis sûre, vous en serez le premier conscient, il m'est tout à fait impossible de consulter quelqu'un à Market Basing* (je revins à l'en-tête de la lettre : Littlegreen House, Market Basing, Berks), *mais en même temps, vous comprendrez sans peine que je me sente troublée* (« troublée » souligné). *Au cours de ces derniers jours, je me suis reproché de me laisser trop emporter par mon imagination* (« imagination » souligné trois fois), *et pourtant mon tourment n'a cessé de grandir. Il se peut que j'attache trop d'importance à ce qui n'est, après tout, qu'une bagatelle* (ce mot souligné deux fois), *mais mon inquiétude demeure. Il faut que j'en aie le cœur net. Car cette histoire me ronge vraiment et affecte ma santé, et naturellement ma situation est d'autant plus pénible que je ne puis me confier à personne* (« me confier à personne » souligné de plusieurs traits épais). *Bien sûr, avisé comme vous l'êtes, vous direz peut-être que tout ceci est ridicule. Les faits peuvent avoir une explication parfaitement innocente* (« innocente » souligné). *Néanmoins, aussi insignifiante que cette question puisse sembler, mes soupçons et mon inquiétude ne cessent d'augmenter depuis l'incident de la balle du chien. C'est pourquoi j'aimerais avoir votre avis et vos conseils sur cette affaire. Cela, j'en suis certaine, m'ôterait un grand poids. Auriez-vous l'amabilité de me faire connaître le montant de vos honoraires et de me dire ce que vous me suggérez ?*

*Il faut que vous compreniez bien que personne, ici, n'est au courant. Les faits sont, je le sais, futiles et sans véritable importance, mais ma santé n'est pas brillante et mes nerfs* (« nerfs » souligné trois fois) *ne sont plus ce qu'ils étaient. Me faire un tel souci, j'en suis convaincue, est fort mauvais pour moi, et plus je pense à cette histoire, plus je suis certaine que j'ai raison et qu'il n'y a pas d'erreur possible. Évidemment, il n'est pas dans mes intentions de raconter quoi que ce soit* (souligné) *à quiconque* (souligné).

*J'espère avoir très bientôt vos conseils sur ce problème.*

*Je vous prie d'agréer, Monsieur, mes salutations distinguées.*

*Emily Arundell*

Je retournai la lettre dans tous les sens et examinai chaque page avec soin.

— Mais enfin, Poirot, protestai-je, de *quoi* s'agit-il ?

— Je me le demande, répondit mon ami en haussant les épaules.

Je tapotai les feuilles avec impatience.

— Qu'est-ce qui nous a fichu une bonne femme pareille ! Pourquoi cette Mme… ou cette Mlle Arundell…

— Mademoiselle, d'après moi. Cette lettre est typique d'une vieille fille.

— Oui, fis-je. La vieille fille tatillonne dans toute sa splendeur ! Pourquoi ne peut-elle pas dire simplement de quoi il retourne ?

Poirot soupira.

— Vous avez raison – regrettable incapacité à réfléchir avec ordre et méthode. Et sans ordre ni méthode, Hastings…

— Tout à fait, l'interrompis-je un peu hâtivement. Absence presque totale de petites cellules grises.

— Je ne dirais pas ça, mon bon ami.

— Moi, oui. À quoi rime une lettre pareille ?

— À pas grand-chose, c'est exact, admit Poirot.

— Tout ce galimatias pour rien, continuai-je. Sans doute un quelconque problème avec un chien – chien-à-sa-mémère trop gras. Un petit roquet asthmatique ou un pékinois qui passe son temps à japper ! (J'observai mon ami avec curiosité.) Et cependant vous avez lu cette lettre deux fois. Je ne vous comprends pas, Poirot.

Il m'observa en souriant.

— Vous, Hastings, vous l'auriez mise directement au panier ?

— Plutôt deux fois qu'une. (Je regardai les feuilles en fronçant les sourcils.) Je suppose que je suis un peu obtus, comme d'habitude, mais moi, je ne vois rien d'intéressant là-dedans !

— Et pourtant, il y a quelque chose d'important ici – quelque chose qui m'a immédiatement frappé.

— Attendez ! m'exclamai-je. Ne me dites rien. Laissez-moi regarder si je ne peux pas le découvrir tout seul.

C'était peut-être puéril de ma part. Je relus la missive avec beaucoup d'attention, puis je secouai la tête.

— Non, je ne vois pas. Cette vieille chouette a peur, je le comprends – mais bon, c'est le cas de beaucoup de vieilles chouettes ! Elle se fait peut-être des idées, ou peut-être pas, d'accord, mais je ne vois pas ce qui vous permet de l'affirmer. À moins que votre instinct ne…

Poirot leva la main pour protester.

— L'instinct ! Vous savez à quel point je déteste ce mot. « Quelque chose me dit que… » C'est ça que vous entendez par là. Jamais de la vie ! Moi, je raisonne. J'utilise mes petites cellules grises. Il y a un aspect intéressant de cette lettre qui vous a complètement échappé, Hastings.

— Bon, répliquai-je d'un ton las. J'achète.

— Vous achetez ? Vous achetez quoi ?

— Façon de parler. Je veux dire que je vais vous permettre d'avoir la satisfaction de m'expliquer en quoi j'ai été un imbécile.

— Pas un imbécile, Hastings. Vous n'avez simplement pas été assez observateur.

— Eh bien, finissons-en. Quel est donc cet « aspect intéressant » ? J'imagine qu'il vient justement de ce qu'il n'y a rien d'intéressant dans tout cela – comme pour « l'incident de la balle du chien » !

Poirot ne tint aucun compte de ma boutade. Il répondit, très calmement :

— L'aspect intéressant, c'est la date.

— La date ?

Je pris la lettre. Dans le coin gauche, en haut, était noté : 17 avril.

— Oui, murmurai-je. C'est curieux. Le 17 avril.

— Et nous sommes le 28 juin, aujourd'hui. Curieux, en effet, n'est-ce pas ? Plus de deux mois...

Je secouai la tête d'un air dubitatif.

— Ça ne veut probablement rien dire. Une erreur. Elle aura pensé « juin » et écrit « avril ».

— Même dans ce cas, la lettre remonterait à dix ou onze jours. Ce qui est bizarre. Mais en réalité, vous vous trompez. Regardez la couleur de l'encre. Ces lignes ont été écrites il y a bien plus d'une dizaine de jours. Non, le 17 avril est certainement la bonne date. Mais en ce cas, pourquoi ne l'a-t-on pas postée ?

Je haussai les épaules.

— Facile. La vieille bique aura changé d'avis.

— Et pourquoi n'a-t-elle pas déchiré la lettre ? Pourquoi l'avoir conservée plus de deux mois et l'expédier maintenant ?

Je devais reconnaître qu'il était difficile de répondre à ça. En effet, j'étais incapable de trouver une explication vraiment satisfaisante à cette question. Je me contentai de secouer la tête, et je me tus.

— Je vous assure que c'est intéressant, fit soudain Poirot. Oui, décidément, tout ceci est très, très curieux.

— Vous allez lui répondre ?, demandai-je.

— Oui, mon bon ami.

Le silence régna un moment dans la pièce – on n'entendait que le grattement de la plume de Poirot. C'était une matinée chaude et étouffante. Par la fenêtre entrait une odeur de poussière et de bitume.

Poirot se leva de son bureau, sa lettre à la main. Il ouvrit un tiroir, en sortit une petite boîte carrée dans laquelle il prit un timbre. Il humecta celui-ci avec une minuscule éponge et s'apprêta à le coller sur son enveloppe.

Et soudain, il s'interrompit, son timbre à la main, secoua la tête avec force et s'écria :

— Et puis non ! Ce n'est pas la bonne méthode. (Il déchira la lettre et la jeta dans sa corbeille à papiers.) Ce n'est pas ainsi que nous devons traiter cette affaire. Nous allons nous rendre sur les lieux, mon bon ami.

— Vous voulez dire que nous partons pour Market Basing ?

— Exactement. Pourquoi pas ? On étouffe à Londres aujourd'hui, ne trouvez-vous pas ? Est-ce que ça ne serait pas agréable de respirer un peu le bon air de la campagne ?

— Eh bien, vu sous cet angle…, dis-je. Nous prenons la voiture ?

Je venais d'acheter une Austin d'occasion.

— Excellente idée. C'est une journée idéale pour une promenade en voiture. Inutile de s'envelopper dans des plaids. Un pardessus léger, une écharpe de soie…

— Mon cher ami, vous ne partez pas pour le pôle Nord ! protestai-je.

— On ne veille jamais assez à ne pas prendre froid, répliqua Poirot, sentencieux.

— Par un temps pareil ?

Sans se soucier de mes protestations, Poirot enfila un pardessus de couleur fauve et noua un foulard de soie blanche autour de son cou. Il reposa avec soin le timbre pour le laisser sécher sur son buvard, et nous sortîmes.

## 6

### VISITE À LITTLEGREEN

J'ignore comment Poirot se sentait avec son pardessus et son cache-col, mais pour ma part je mourais déjà de chaud alors que nous n'étions même pas encore sortis de Londres. Une voiture décapotable, en pleine circulation, est bien loin d'être un havre de fraîcheur, un jour d'été.

Lorsque nous quittâmes enfin l'agglomération et que nous prîmes de la vitesse sur la nationale de l'ouest, je retrouvai quelque courage.

Le trajet dura environ une heure et demie, et il était près de midi lorsque nous arrivâmes dans la petite ville de Market Basing. Jadis située sur la route principale, mais désormais à l'écart grâce à une déviation qui canalisait le trafic à quelque cinq kilomètres plus au nord, elle avait conservé un calme et un air de dignité à l'ancienne. Sa grand-rue et sa vaste place du marché semblaient proclamer : « J'ai eu autrefois mon importance, et les personnes de bon sens et de savoir-vivre savent bien que je n'ai pas changé. Laissons le monde actuel toujours pressé rouler à tombeau ouvert sur cette route trop moderne ; j'ai été construite pour durer, à une époque où solidité et beauté allaient de pair. »

Un parking avait été aménagé au centre de la grand-place, mais il était presque vide. J'y garai l'Austin, Poirot se dépouilla de ses vêtements superflus, s'assura que sa moustache avait retrouvé sa flamboyante symétrie, et nous fûmes fin prêts.

Pour une fois, nos premières questions ne se soldèrent pas par la réponse habituelle : « Désolé, mais je ne suis pas d'ici. » Il semblait peu probable qu'il y eût le moindre étranger à Market Basing ! C'était évident ! Déjà, j'avais l'impression que Poirot et moi – surtout Poirot d'ailleurs – ne passions pas inaperçus : dans cette bourgade commerçante, sûre de ses traditions, nous faisions tache sur le décor patiné par les ans.

— Littlegreen House ?

L'homme, un individu corpulent à l'expression bovine, nous toisa – d'un air pensif.

— Remontez la grand-rue tout droit et vous ne pourrez pas la rater. Sur votre gauche. Il n'y a pas de nom sur la grille, mais c'est la première grosse maison après la banque. (Il répéta :) Vous ne pourrez pas la rater.

Il nous suivit des yeux tandis que nous nous mettions en route.

— Mon Dieu, me lamentai-je, il y a un je ne sais quoi dans cet endroit qui me donne le sentiment d'attirer tous les regards. Quant à vous, Poirot, vous avez l'air carrément exotique.

— Vous pensez que l'on remarque que je suis un étranger – c'est ça ?

— Ça se voit comme le nez au milieu de la figure !

— Et pourtant mon tailleur est anglais, répondit Poirot d'un ton songeur.

— L'habit ne fait pas le moine, dis-je. Il est indéniable, Poirot, que votre personnage ne saurait passer inaperçu. Je me suis souvent étonné que cela n'ait pas nui à votre carrière.

Poirot soupira.

— C'est parce que vous avez dans le crâne cette idée fausse qu'un détective est forcément quelqu'un qui porte une barbe postiche et se dissimule dans un recoin sombre. Les postiches, c'est démodé, et les filatures ne sont menées que par les éléments les moins brillants de notre profession. Les Hercule Poirot, mon cher, se contentent de s'installer dans un fauteuil et de réfléchir.

— Ce qui explique que nous soyons en train de remonter cette rue torride en cette matinée qui ne l'est pas moins.

— Excellente repartie, Hastings. Pour une fois, je l'admets, vous marquez un point.

Nous trouvâmes Littlegreen House sans trop de difficulté, mais une surprise nous y attendait – le panneau d'une agence immobilière. Tandis que nous le contemplions, un aboiement attira mon attention.

La haie n'était pas épaisse à cet endroit, et on voyait bien l'animal. C'était un terrier à poil dur, au pelage quelque peu ébouriffé. Le corps légèrement de guingois, les pattes bien écartées, il aboyait avec un plaisir évident, dénotant les meilleurs intentions du monde.

« Je suis un bon chien de garde, n'est-ce pas ? paraissait-il dire. Mais ne craignez rien. C'est juste pour m'amuser. C'est aussi mon rôle, bien entendu. Il faut bien que je fasse savoir qu'il y a un chien dans cette maison ! Quel ennui mortel, ce matin ! C'est une bénédiction d'avoir quelque chose à faire, à présent. Vous venez chez nous ? Je l'espère. Ce qu'on peut s'ennuyer, si vous saviez ! J'aimerais bien faire un brin de causette. »

— Salut, mon vieux, dis-je en avançant la main.

Il tendit le cou à travers la grille, renifla d'un air méfiant, puis se mit à remuer doucement la queue en lançant quelques aboiements saccadés, comme pour me répondre :

« Bien sûr, nous n'avons pas été présentés selon l'étiquette, et il convient d'y remédier. Mais je vois que vous connaissez les règles. »

— Bon vieux chien, dis-je.

— Ouaf ! répliqua aimablement le terrier.

J'abandonnai cette conversation pour me tourner vers mon ami :

— Alors, Poirot ?

Son visage avait une expression bizarre, que j'avais du mal à comprendre. Une espèce d'excitation volontairement contenue – c'est la meilleure description que je puisse en faire.

— « L'incident de la balle du chien », murmura-t-il. Eh bien, nous avons au moins le chien.

— Ouaf ! observa notre nouvel ami.

Puis il s'assit, bâilla largement et nous regarda, plein d'espoir.

— Et maintenant ? demandai-je.

Le chien semblait se poser la même question.

— Voyons, mon ami ! Nous allons chez MM. – comment s'appellent-ils déjà ? – Habler et Stretcher.

— Cela semble tout indiqué, acquiesçai-je.

Nous revînmes sur nos pas, poursuivis par les aboiements déçus de notre nouvel ami canin.

L'agence Habler & Stretcher se trouvait sur la place du marché. Nous pénétrâmes dans un bureau tout gris où nous accueillit une jeune femme au regard éteint qui parlait d'une voix nasillarde.

— Bonjour, dit poliment Poirot.

Elle était au téléphone mais elle indiqua une chaise à Poirot, qui s'assit. J'avançai un autre siège et m'installai à mon tour.

— Je n'en suis pas sûre, disait la jeune femme dans le combiné, d'un air absent. Non, je ne connais pas le montant du loyer… Pardon ? Oh ! l'eau courante, je crois, mais je n'en suis pas certaine… Je suis vraiment désolée… Non, il n'est pas là… Non, je ne peux pas vous dire… Oui, je vous promets que je le lui demanderai… Oui… 8135 ? Excusez-moi, je n'ai pas bien compris… Oh ! 8935… 39… Oh ! 5135… Oui, je lui dirai de vous rappeler… Après 18 heures… Excusez-moi, avant 18 heures… Merci beaucoup.

Elle raccrocha, griffonna le chiffre 5319 sur son sous-main, et adressa à Poirot un regard à la fois vaguement interrogateur et indifférent.

Poirot ne se perdit pas en précautions oratoires excessives.

— J'ai vu qu'il y avait une maison à vendre juste à la sortie de la ville. Je crois que c'est Littlegreen House.

— Pardon ?

— Une maison à louer ou à vendre, répéta Poirot lentement et distinctement. Littlegreen. Littlegreen House, si vous préférez.

— Oh ! Littlegreen House, fit la jeune femme d'un ton toujours aussi absent. Littlegreen House, c'est ça que vous avez dit ?

— C'est ce que j'ai dit.

— Littlegreen House, reprit-elle avec un formidable effort mental. Oh ! oui, je pense que M. Habler sera à même de vous renseigner.

— Puis-je voir M. Habler ?

— Il est sorti, répondit-elle avec un soupçon de satisfaction, comme pour dire : « Un point pour moi. »

— Vous savez quand il sera de retour ?

— Je n'en sais rien… je ne suis pas sûre…

— Vous comprenez, je cherche une maison dans la région, dit Poirot.

— Ben, oui, fit la jeune femme, sans pour autant manifester le moindre intérêt.

— Et Littlegreen House semble correspondre exactement à mes souhaits. Pouvez-vous me donner des renseignements sur cette propriété ?

— Des renseignements ? répéta la jeune femme, l'air ahuri.

De mauvaise grâce, elle ouvrit un tiroir et en sortit un dossier en désordre.

Puis elle appela :

— John !

Un gringalet dégingandé, assis dans un coin du bureau, leva la tête.

— Oui, mademoiselle ?

— Avons-nous des renseignements sur… Comment avez-vous dit, déjà ?

— Littlegreen House, répéta Poirot en articulant avec soin.

— Vous avez l'annonce ici, fis-je remarquer en indiquant le mur.

Elle m'observa avec froideur. Elle estimait sans doute que jouer à deux contre un n'était pas juste. Elle sonna donc le garde :

— Vous ne savez rien sur Littlegreen House, n'est-ce pas, John ?

— Non, mademoiselle. Ça doit être dans le dossier.

— Désolée, dit la secrétaire, sans même jeter un coup d'œil à ses papiers. J'ai l'impression que nous avons dû envoyer tous les renseignements à quelqu'un d'autre.

— Je suis désolé de l'apprendre.

— Pardon ?

— Je disais que je trouve cela dommage.

— Nous avons un joli bungalow à Hemel End, deux chambres, un séjour.

Elle avait indiqué cela sans enthousiasme, mais avec l'évidente volonté de faire son devoir vis-à-vis de son employeur.

— Je vous remercie, non.

— Et une maison mitoyenne avec une petite serre. Là, je peux vous fournir les renseignements.

— Non merci. J'aimerais connaître le montant du loyer de Littlegreen House.

— Elle n'est pas à louer, répondit la jeune femme, cessant de jouer la complète ignorance en ce qui concernait Littlegreen House. Elle est à vendre.

— L'écriteau disait : « À louer ou à vendre. »

— Ça, je ne sais pas, mais elle est seulement à vendre.

À ce moment de la discussion, la porte s'ouvrit et un homme aux cheveux gris, dans la cinquantaine, entra en coup de vent. Son regard vif s'éclaira à notre vue. Il interrogea son employée d'un froncement de sourcil.

— Voici M. Habler, dit la jeune femme.

M. Habler ouvrit la porte de son sanctuaire d'un geste théâtral.

— Entrez donc, messieurs.

Il nous fit entrer, nous désigna cérémonieusement deux fauteuils et s'installa en face de nous derrière un bureau.

— Maintenant, que puis-je faire pour vous ?

— Je désire quelques renseignements sur Littlegreen House..., commença Poirot, obstiné.

Il n'eut pas le temps d'en dire davantage. M. Habler prit la parole.

— Ah ! Littlegreen House... voilà une belle propriété ! Une affaire en or. Elle vient juste d'être mise en vente. Je puis vous assurer que nous n'avons pas souvent des maisons de cette qualité à un tel prix. Les modes passent. Les gens en ont assez des constructions en carton-pâte. Ils veulent du solide. De bonnes vieilles maisons qui tiennent debout. Une belle propriété George V, avec du caractère. Oui, voilà ce que recherchent les gens, aujourd'hui. Il y a un véritable engouement pour les maisons de style, si vous voyez ce que je veux dire. Ah ! ça oui, Littlegreen House ne restera pas longtemps en vente. On va se l'arracher ! Se l'arracher ! Un député l'a visitée pas plus tard que samedi dernier. Il l'a tellement aimée qu'il revient ce week-end. Et puis ensuite, j'ai eu un homme d'affaires. À l'heure actuelle, les gens veulent être au calme et à l'écart des grandes routes quand ils viennent à la campagne. C'est vrai pour beaucoup de monde, mais nous attirons des personnes de classe, ici, et elle n'en manque pas, de classe, cette demeure. De la classe ! Avouez qu'ils savaient construire des maisons de maître, dans le temps. Oui, nous ne devrions pas garder longtemps Littlegreen House à notre catalogue.

M. Habler qui, me dis-je, faisait honneur à son nom en se montrant le roi des hâbleurs, s'interrompit pour reprendre son souffle.

— Est-ce qu'elle a changé souvent de propriétaire ces dernières années ? s'enquit Poirot.

— Au contraire. Elle appartient à la même famille depuis plus d'un demi-siècle. Les Arundell. Très respectés en ville. Des dames de la vieille école.

Il se leva brusquement, ouvrit la porte et cria :

— Le dossier Littlegreen House, mademoiselle Jenkins. Vite ! Il revint à son bureau.

— Je cherche une maison qui soit à peu près à cette distance de Londres, dit Poirot. À la campagne, mais pas trop perdue, si vous me suivez…

— Parfaitement, parfaitement. Il ne faut pas être trop loin de tout. Et d'abord les domestiques n'aiment pas ça. Ici, vous n'avez que les avantages de la campagne, pas les inconvénients.

Mlle Jenkins entra sans bruit avec une feuille dactylographiée qu'elle posa sous le nez de son patron. Celui-ci la renvoya d'un signe de tête.

— Voilà, dit M. Habler, après avoir rapidement parcouru le document d'un œil expert. Maison de style : quatre salles, huit chambres avec cabinet de toilettes, cuisine aménagée, sanitaires, vastes dépendances, écuries, etc. Eau courante, jardins à l'ancienne, pas de grosses charges, pour une surface totale d'un hectare et demi, deux pavillons d'été, etc. Le prix est de deux mille huit cent cinquante livres, à débattre.

— Pouvez-vous me donner une autorisation de visite ?

— Certainement, cher monsieur. (M. Habler se mit à en rédiger une, avec affectation.) Nom et adresse ?

Je fus un peu surpris d'entendre Poirot déclarer qu'il s'appelait M. Parotti.

— Nous avons deux ou trois autres propriétés qui pourraient vous intéresser, continua M. Habler.

Poirot le laissa lui donner trois adresses, puis demanda :

— On peut voir Littlegreen House rapidement ?

— Certainement, mon cher monsieur. Il y a des domestiques sur place. Il vaudrait peut-être mieux que je téléphone quand même pour m'en assurer. Vous y allez maintenant, ou après déjeuner ?

— Après déjeuner serait préférable.

— Certainement, certainement. Je vais les appeler et leur dire de vous attendre à 14 heures. Hein ? Ça vous va ?

— Merci. Vous disiez que la propriétaire de la maison… Une demoiselle Arundell, je crois ?

— Lawson. Mlle Lawson. C'est le nom de la propriétaire actuelle. Mlle Arundell, hélas ! est morte récemment. C'est pourquoi la maison est en vente. Mais je puis vous assurer qu'elle ne le restera pas longtemps. Aucun doute. Entre nous, si vous pensez faire une offre, je crois que vous ne devriez pas trop tarder. Comme je vous l'ai dit, j'ai deux autres acheteurs potentiels, et je ne serais pas surpris de recevoir la proposition de l'un ou l'autre dans les prochains jours. Chacun d'eux connaît l'existence de son concurrent, voyez-vous. Et il va sans dire que l'esprit de compétition aiguillonne tout le monde. Ha ha ! Je ne voudrais pas que vous soyez déçu !

— J'ai cru comprendre que Mlle Lawson serait assez pressée de vendre ?

M. Habler baissa la voix et répondit sur le ton de la confidence :

— Exactement. La maison est trop grande pour elle – une personne d'un certain âge vivant seule. Elle veut s'en débarrasser et prendre quelque chose à Londres. Mettez-vous à sa place. Voilà pourquoi le prix est si ridiculement bas.

— Elle serait donc sans doute prête à accepter un compromis ?

— Pourquoi pas, cher monsieur. Amorcez et surveillez le bouchon. Mais je vous fiche mon billet que nous n'aurons guère de mal à rester dans les limites du prix annoncé. Car enfin, rendez-vous compte ! Faire construire une telle maison de nos jours coûterait facilement six mille livres, sans parler de la valeur du terrain et de l'emplacement.

— Mlle Arundell est morte subitement, si j'ai bien saisi ?

— Oh ! ce n'est pas le mot que j'emploierais. Le poids des ans, cher monsieur. Le poids des ans. Elle avait largement dépassé soixante-dix ans. Et elle était en mauvaise santé depuis un certain temps. C'était la dernière de sa famille. Vous avez peut-être entendu parler des Arundell ?

— Je connais quelques personnes du même nom dans la région. Je me demande s'ils sont parents.

— Très vraisemblablement. Il y avait quatre sœurs. L'une s'est mariée sur le tard, et les trois autres sont restées à Littlegreen. Des dames de la vieille école. Mlle Emily était la dernière. Très respectée à Market Basing.

Il se pencha vers Poirot et lui tendit l'autorisation de visite.

— Vous repasserez pour me dire ce que vous en pensez, n'est-ce pas ? Bien sûr, vous aurez çà et là quelques travaux de modernisation à envisager. Un minimum. Mais c'est ce que je dis toujours : « Qu'est-ce que c'est, une salle de bains ou deux ? Une bricole. »

Nous prîmes congé, et la dernière chose que nous entendîmes, ce fut la voix éteinte de Mlle Jenkins :

— Mme Samuels a téléphoné, monsieur. Elle voudrait que vous la rappeliez : Holland, 5391.

Pour autant que je m'en souvienne, ce n'était ni le numéro que Mlle Jenkins avait noté sur son sous-main ni celui qu'on avait finalement réussi à lui donner par téléphone.

Je demeurai convaincu que c'était là sa façon de se venger d'avoir été finalement obligée de nous fournir le dossier de Littlegreen House.

# 7

## DÉJEUNER CHEZ *GEORGE*

Lorsque nous arrivâmes sur la place du marché, je fis observer finement ce que j'avais déjà noté, à savoir que M. Habler méritait bien son nom. Poirot acquiesça avec un sourire.

— Il sera plutôt déçu lorsqu'il ne vous verra pas revenir, ajoutai-je. À mon avis, il s'imagine avoir été parfait et il croit déjà qu'il vous a vendu cette maison.

— J'ai bien peur en effet qu'il n'aille au-devant d'une désillusion.

— Peut-être pourrions-nous tout aussi bien déjeuner ici avant de retourner à Londres ? À moins que nous ne mangions quelque part sur le chemin du retour ?

— Mon cher Hastings, je n'ai pas l'intention de quitter Market Basing de sitôt. Nous n'avons pas encore atteint les objectifs qui nous y ont conduits.

J'écarquillai les yeux.

— Vous voulez dire… Mais, mon très cher ami, cette affaire est tombée à l'eau. La vieille dame est morte.

— Précisément.

Le ton avec lequel il avait prononcé ce simple mot ne fit qu'accroître ma curiosité. À l'évidence, cette lettre incohérente lui avait troublé les esprits.

— Mais si elle est morte, Poirot, ajoutai-je doucement, à quoi ça sert ? Elle ne peut plus rien vous dire, maintenant. Quel qu'ait pu être son problème, il a disparu avec elle.

— Comme vous allez vite en besogne ! Permettez-moi de vous dire qu'aucune affaire n'est réglée aussi longtemps qu'Hercule Poirot s'y intéresse.

J'aurais dû savoir par expérience qu'il était parfaitement inutile de discuter avec Poirot. Avec une belle imprudence, j'insistai pourtant :

— Mais puisqu'elle est morte…

— Précisément, Hastings, précisément, précisément, précisément… Vous ne cessez de répéter le mot important de cette affaire tout en affichant une incompréhension tragiquement obtuse de ses implications. Vous ne voyez donc pas l'intérêt de cette information ? Mlle Arundell est morte.

— Mais, mon cher Poirot, ce décès est parfaitement naturel ! Il n'a rien d'étrange ni de suspect. Nous avons la parole de ce cher Habler.

— Il nous a également assuré que, pour deux mille huit cent cinquante livres, Littlegreen House était une affaire. Vous acceptez cela aussi comme parole d'évangile ?

— Non, en effet. J'ai été frappé que Habler semble si pressé de vendre cette maison. Elle a sans doute besoin d'être remise à neuf de la cave au grenier. Je suis prêt à parier qu'il – ou plutôt sa cliente – accepterait une offre bien inférieure à cette somme. Il doit être diablement difficile de se débarrasser de ces vastes bâtisses George V donnant directement sur la rue.

— Dans ce cas, conclut Poirot, ne dites pas « Nous avons la parole de Habler » comme si c'était la déclaration d'un prophète incapable de mensonge.

J'allais protester de nouveau, mais nous entrions chez *George* et Poirot mit fin à la conversation avec un « Chut ! » emphatique.

On nous conduisit à la salle à manger, pièce de belles proportions aux fenêtres soigneusement closes, où flottaient de vieilles odeurs de cuisine. Un serveur âgé, lent et poussif, s'occupa de nous. Nous étions les seuls clients. Nous mangeâmes un excellent mouton, mais du chou et des pommes de terre sans saveur, puis des fruits au sirop et de la crème anglaise assez fades. Après le gorgonzola et les gâteaux secs, le serveur nous apporta deux tasses d'un breuvage douteux qu'il fit passer pour du café.

Poirot produisit alors ses autorisations de visite et lui demanda son aide.

— Oui, monsieur, je connais trois de ces endroits. Hemel Down est à cinq kilomètres d'ici, sur la route de Much Benham, c'est pas très grand. Naylor's Farm est à un peu plus d'un kilomètre. Y'a une espèce de chemin qui y mène, un petit peu après King's Head. Bisset Grange ? Non, jamais entendu parler. Littlegreen House est juste à côté, à quelques minutes à pied, pas plus.

— Ah, je crois l'avoir déjà vue de l'extérieur. Je pense que ça doit être celle-là, oui. Elle est en bon état, non ?

— Oh ! oui, monsieur. Tout est impeccable, la toiture, les gouttières et le reste. Bien sûr, c'est un peu vieillot. Elle n'a jamais été modernisée. Les jardins sont splendides. Ses jardins, elle les adorait, Mlle Arundell.

— Tout ça appartient, d'après ce que je sais, à une certaine Mlle Lawson.

— C'est exact, monsieur. Mlle Lawson, c'était la dame de compagnie de Mlle Arundell, et lorsque celle-ci est morte, tout lui est revenu, la maison et le reste.

— Vraiment ? Je suppose qu'elle n'avait donc pas de parents à qui léguer ses biens.

— Eh bien, ce n'est pas tout à fait ça, monsieur. Elle avait bel et bien neveux et nièces. Mais il ne faut pas oublier que Mlle Lawson était avec elle tout le temps. Et puis, dites voir, c'est que c'était plus une jeunesse, et dans ces cas-là… Et puis voilà, quoi !

— De toute façon, il ne devait y avoir que la maison et sans doute pas beaucoup d'argent.

J'ai souvent eu l'occasion de remarquer que là où une question directe ne parvenait pas à arracher une réponse à quelqu'un, une allégation fausse procurait immédiatement des informations sous la forme d'une contradiction.

— Vous êtes loin du compte, monsieur. Loin du compte. Tout le monde a été surpris par la somme que la vieille demoiselle a laissée. Son testament était dans le journal, avec les chiffres et tout. Il semble que pendant de longues années, elle n'ait pas dépensé la totalité de ses revenus. Elle a laissé quelque chose comme trois ou quatre cent mille livres.

— Vous me stupéfiez ! s'exclama Poirot. On est en plein conte de fées, non ? La pauvre dame de compagnie se retrouve soudain incroyablement riche. Elle est encore jeune, cette Mlle Lawson ? Elle va pouvoir profiter de sa nouvelle fortune ?

— Oh ! non, c'est une… une personne d'un certain âge.

La façon dont il avait prononcé le mot « personne » était une véritable performance de comédien. Il était évident que Mlle Lawson, ex-dame de compagnie, n'avait guère fait impression à Market Basing.

— Les neveux et nièces ont dû être déçus, dit Poirot, songeur.

— Oui, monsieur, je crois que ça leur en a fichu un vieux coup, comme on dit. Ils ne s'y attendaient pas. L'affaire a fait du bruit à Market Basing. Il y a ceux qui pensent que ce n'est pas bien de déshériter ainsi des personnes de son sang. Mais il y a bien sûr les autres, qui estiment qu'on a le droit de faire ce qu'on veut de ce qu'on possède. Les deux points de vue se défendent, évidemment.

— Mlle Arundell vivait ici depuis longtemps, n'est-ce pas ?

— Oui, monsieur. Elle et ses sœurs, et avant elles leur père, le vieux général Arundell. Ce n'est pas que je m'en souvienne, naturellement, mais je crois que c'était un sacré personnage. Il était aux Indes au moment de la révolte des cipayes.

— Il y avait plusieurs filles ?

— Trois que je me rappelle, et il me semble qu'il y en avait une autre qui s'était mariée. Oui, Mlle Matilda, Mlle Agnes et Mlle Emily. Mlle Matilda est morte la première, puis Mlle Agnes et finalement Mlle Emily.

— C'est récent ?

— Début mai – ou peut-être fin avril.

— Elle était malade depuis longtemps ?

— Des hauts et des bas. Oui, des hauts et des bas. C'est une santé fragile, qu'elle avait. L'an dernier, elle avait déjà failli passer, suite à une mauvaise jaunisse. Elle est restée jaune comme un citron pendant un certain temps, après ça. Oui, depuis cinq ans, sa santé n'allait pas fort.

— Vous avez certainement de bons médecins dans le coin ?

— Eh bien, y'a le Dr Grainger. Il est installé ici depuis près de quarante ans, et c'est surtout lui que les gens vont voir. Il est un peu grincheux et il a ses humeurs, mais, pour un bon médecin, c'est un bon médecin, y'a pas à dire. Il a un jeune associé, le Dr Donaldson. D'un style plus moderne, celui-là. Il y en a qui le préfèrent. Et puis, bien sûr, il y a le Dr Harding, mais il ne travaille pas beaucoup.

— C'est le Dr Grainger qui suivait Mlle Arundell, je suppose ?

— Oh ! oui. Même qu'il l'a tirée d'affaire plus d'une fois. Il est du genre qui vous oblige à guérir, que vous le vouliez ou non.

Poirot acquiesça d'un signe de tête.

— Il faut se renseigner un peu sur un endroit avant de s'y fixer, fit-il remarquer. Et un bon médecin, c'est un élément primordial.

Ça, c'est bien vrai.

Poirot demanda alors l'addition, et laissa un généreux pourboire.

— Merci, monsieur. Merci beaucoup, monsieur. J'espère bien que vous vous installerez par ici, monsieur.

— Je l'espère aussi, mentit Poirot.

Nous quittâmes le *George*.

— Satisfait, maintenant, Poirot ? fis-je lorsque nous nous retrouvâmes dans la rue.

— Absolument pas, mon bon ami.

Il prit une direction inattendue.

— Où nous mèneront donc nos pas, Poirot ?

— Du côté de l'église, mon ami. Ça peut se révéler intéressant. Deux ou trois plaques mortuaires, quelques vieilles tombes…

Je secouai la tête, sceptique.

Poirot n'examina que brièvement l'intérieur de l'église. Bien que ce fût un bel exemple de gothique médiéval, elle avait été si consciencieusement restaurée à l'époque du vandalisme victorien qu'elle n'avait plus guère d'intérêt.

Poirot déambula ensuite dans le cimetière, lut quelques épitaphes, commenta le nombre de décès dans certaines familles, se récria parfois en découvrant le pittoresque d'un patronyme.

Je ne fus pas surpris, pourtant, lorsqu'il s'arrêta finalement devant ce qui était, à mon avis, le vrai but de sa visite.

Une imposante plaque de marbre portait une inscription en partie effacée :

À LA MÉMOIRE DE
JOHN LAVERTON ARUNDELL
GÉNÉRAL DU 24e SIKHS
DÉCÉDÉ DANS LA PAIX DU SEIGNEUR LE 19 MAI 1888
À L'ÂGE DE SOIXANTE-NEUF ANS
« MÈNE LE BON COMBAT DE TOUTES TES FORCES »

ET DE
MATILDA ANN ARUNDELL
DÉCÉDÉE LE 10 MARS 1912,
« JE ME LÈVERAI ET J'IRAI VERS MON PÈRE »

ET DE
AGNES GEORGINA MARY ARUNDELL
DÉCÉDÉE LE 20 NOVEMBRE 1921
« DEMANDE ET TU RECEVRAS »

Venait ensuite un texte manifestement récent :

ET DE
EMILY HARRIET LAVERTON ARUNDELL

DÉCÉDÉE LE 1er MAI 1936

« QUE TA VOLONTÉ SOIT FAITE »

Poirot resta un moment immobile à observer la plaque.

Puis il murmura doucement :

— 1er mai… 1er mai… Et je reçois sa lettre aujourd'hui, le 28 juin. Vous comprenez, n'est-ce pas, Hastings, que ce mystère doive être élucidé ?

Je voyais bien qu'il le devait.

Ou plus précisément que Poirot avait décidé qu'il devait l'être.

## 8

## L'INTÉRIEUR DE LITTLEGREEN HOUSE

Lorsque nous quittâmes le cimetière, Poirot se dirigea d'un pas vif vers Littlegreen House. Je compris qu'il allait jouer de nouveau le rôle de l'éventuel acheteur. Tenant à la main les autorisations de visite de l'agent immobilier – celle de Littlegreen House sur le dessus –, il ouvrit la grille et remonta l'allée jusqu'à la porte d'entrée.

Cette fois, notre ami le terrier était invisible, mais nous l'entendions aboyer à l'intérieur de la maison, assez loin – à la cuisine, pensai-je.

Un bruit de pas retentit dans le vestibule et la porte s'ouvrit sur une femme au visage agréable, entre cinquante et soixante ans, le type même de la domestique d'autrefois, qu'on ne rencontre quasiment plus.

Poirot lui montra les papiers.

— Oui, monsieur. J'ai eu un coup de téléphone de l'agent immobilier. Voulez-vous bien me suivre ?

Les volets, clos lors de notre première reconnaissance du terrain, étaient maintenant grands ouverts en prévision de notre venue. Tout, je m'en rendis compte, était bien rangé d'une impeccable propreté. À l'évidence, notre guide était quelqu'un de très consciencieux.

— Voici le petit salon, monsieur.

Je jetai un regard approbateur autour de moi. C'était une pièce agréable avec ses hautes fenêtres donnant sur la rue. Les meubles massifs, à l'ancienne, étaient de belle facture – époque victorienne pour la plupart – mais il y avait aussi une bibliothèque Chippendale et une série de superbes chaises Hepplewhite.

Poirot et moi, nous nous comportions comme n'importe quels clients possibles visitant une maison. Nous osions à peine bouger, paraissions légèrement mal à l'aise, murmurions des remarques du style « très joli », « quelle belle pièce » ou « le petit salon, dites-vous ? ».

La domestique nous fit traverser le vestibule et entrer dans la pièce qui faisait face au petit salon : celle-ci était beaucoup plus grande.

— La salle à manger, monsieur.

Elle était dans le plus pur style victorien. Lourde table et buffet massif en acajou de couleur pourpre, avec de gros bouquets de fruits sculptés, et de solides chaises recouvertes de cuir. Au mur étaient accrochés des portraits, certainement des membres de la famille Arundel.

Le terrier avait continué d'aboyer là où on l'avait enfermé. Mais, soudain, on l'entendit plus distinctement : à présent, dans un crescendo d'aboiements, il courait dans le vestibule.

« *Qui* est entré ? Je vais le mettre en pièces », disaient nettement ses jappements.

Il apparut sur le seuil en reniflant bruyamment.

— Oh ! Bob, le vilain chien ! s'exclama notre guide. N'ayez crainte, messieurs, il ne vous fera aucun mal.

Et Bob, en effet, ayant découvert qui étaient les intrus, changea d'attitude du tout au tout. Il se précipita vers nous et se présenta très gentiment.

« Ravi de vous voir, je vous assure, observa-t-il en reniflant nos chevilles. Pardonnez ce bruit, mais j'ai mon travail à assurer, n'est-ce pas ? Je dois faire attention à qui nous laissons entrer ici, vous savez. Mais c'est une existence ennuyeuse, et je suis très content d'avoir des visiteurs. Je me demande si vous avez un chien, vous ? »

Cette dernière question m'était adressée, tandis que je me penchais pour le caresser.

— C'est une brave bête, dis-je à la femme. Mais il aurait besoin d'être un peu tondu.

— Oui, monsieur. On fait ça trois fois par an, en général.

— Il est vieux ?

— Oh ! non, monsieur. Bob n'a pas six ans. Et parfois, il se comporte comme un bébé. Il chipe les chaussons de la cuisinière et fait le fou avec. Il est très gentil, mais vous n'imaginez pas le boucan qu'il est capable de faire. La seule personne à qui il s'attaque, c'est le facteur. Il en a une peur bleue, cet homme.

Bob s'intéressait à présent au pantalon de Poirot. Ayant fait le tour de la question, il renifla longuement (« Hum… pas trop mal, mais il n'aime pas beaucoup les chiens, celui-là ») avant de revenir vers moi, la tête penchée sur le côté, les yeux pleins d'espoir.

— Je ne sais pas pourquoi les chiens s'attaquent toujours aux facteurs, poursuivit notre guide.

— C'est une question de raisonnement, dit Poirot. Un chien réfléchit. Il est intelligent, il fait ses déductions en fonction de son propre point de vue. Il y a des gens qui peuvent pénétrer dans une maison, et d'autres qui ne peuvent pas – cela, un chien ne tarde pas à l'apprendre. Eh bien, qui est-ce qui tente tout le temps de s'y introduire en venant frapper à la porte deux ou trois fois par jour – et que l'on n'invite jamais à entrer ? Le facteur. C'est donc manifestement quelqu'un d'indésirable pour le maître de maison. On le renvoie sans arrêt, et pourtant il n'a de cesse de revenir tenter sa chance ! Alors, le devoir du chien est clair – il doit aider à chasser cet intrus et le mordre si possible. C'est une démarche tout à fait logique. (Il fit un large sourire à Bob.) Et je pense que celui-là est quelqu'un de très intelligent.

— Oh ! oui, monsieur. Il ne lui manque que la parole, à notre Bob. (Elle ouvrit une autre porte.) Le salon, monsieur.

L'endroit évoquait pour moi le bon vieux temps. Il y flottait un léger parfum de fleurs séchées. Les rideaux de chintz étaient usés, et leurs guirlandes de roses arboraient des couleurs fatiguées. Aux murs pendaient des gravures et des aquarelles. Il y avait de nombreuses porcelaines – des bergers et des bergères fragiles. Il y avait des coussins brodés au point de croix ; des photographies jaunies dans de jolis cadres d'argent ; beaucoup de boîtes à ouvrage et de boîtes à thé en marqueterie. Je fus tout particulièrement fasciné par deux sous-verre – deux petits personnages féminins en papier de soie, délicatement découpés. L'une tournait un rouet, l'autre était assise avec un chat sur les genoux.

Je me sentais plongé dans l'atmosphère du temps jadis – époque de plaisirs, de raffinement, de « belles dames et de beaux messieurs ». Cet endroit était en effet une vraie « retraite ». C'était là que les dames s'installaient pour broder, et si par hasard une cigarette était fumée par un membre privilégié de la gent masculine, avec quel empressement, ensuite, les rideaux étaient-ils secoués et les lieux aérés !

Bob attira mon attention. Assis devant une jolie petite table à deux tiroirs, il nous fixait avec un grand sérieux.

Lorsqu'il vit que je l'observais, il émit un bref jappement plaintif, et son regard fit l'aller-retour entre moi et la table.

— Qu'est-ce qu'il veut ? demandai-je.

L'intérêt que nous portions au chien faisait visiblement plaisir à la domestique qui, à l'évidence, l'aimait beaucoup.

— C'est sa balle, monsieur. On la rangeait toujours dans un de ces tiroirs. C'est pour ça qu'il s'assoit là et qu'il réclame.

Sa voix changea soudain. Elle s'adressa au chien sur un ton de fausset.

— Elle n'est plus là, mon trésor. La balle de Bob est dans la cuisine. Dans la cuisine, Bobbychounet.

Bob lança un regard impatient à Poirot.

« Cette bonne est une idiote, semblait-il vouloir dire. Vous, vous avez l'air d'un gars plus futé. On range les balles à certains endroits – dans ce tiroir, par exemple. Il y en a toujours eu une ici. Donc, il doit encore y en avoir une. C'est une évidente logique de chien, n'est-ce pas ? »

— Maintenant, elle n'y est plus, mon vieux, dis-je.

Il me regarda, pas convaincu. Puis, comme nous sortions de la pièce, il nous suivit lentement, l'air sceptique.

On nous montra divers placards, une penderie au rez-de-chaussée, et un petit office, « où la maîtresse s'occupait des fleurs, monsieur ».

— Étiez-vous depuis longtemps à son service ? demanda Poirot.

— Vingt-deux ans, monsieur.

— Vous êtes seule, ici, pour vous occuper de la maison ?

— Il y a aussi la cuisinière, monsieur.

— Et celle-ci est aussi chez Mlle Arundell depuis longtemps ?

— Quatre ans, monsieur. L'ancienne cuisinière est morte.

— Supposons que j'achète cette maison. Seriez-vous prête à continuer à travailler pour moi ?

Elle rougit légèrement.

— C'est très gentil à vous, monsieur, je vous assure, mais je prends ma retraite. La maîtresse m'a légué une belle petite somme, voyez-vous, et je vais aller vivre auprès de mon frère. Je reste ici et je m'occupe de tout – juste pour rendre service à Mlle Lawson, en attendant qu'elle vende.

Poirot acquiesça d'un signe de tête.

Dans le bref silence qui suivit, on entendit soudain un nouveau son.

« *Plop... plop... PLOP...* »

Un bruit toujours identique, allant en s'amplifiant et semblant venir de l'étage.

— C'est Bob, monsieur. (La domestique souriait.) Il a trouvé sa balle et il l'a lancée du haut de l'escalier. C'est un petit jeu à lui.

Comme nous arrivions au bas des marches, une balle de caoutchouc noir rebondit à nos pieds avec un son mat. Je la ramassai et l'examinai. Couché sur le palier du premier, les pattes écartées, Bob remuait doucement la queue. Je la lui lançai, et il s'en saisit avec adresse, la mâchonna une minute ou deux avec un évident plaisir, puis la reposa entre ses pattes de devant et la poussa lentement avec son museau, avant de lui donner un petit coup de tête et de l'envoyer rouler de nouveau dans l'escalier. Il se mit à agiter frénétiquement la queue tout en observant sa dégringolade.

— Il ferait ça pendant des heures, monsieur. C'est un jeu habituel. Il peut continuer une journée entière. Ça suffit, maintenant, Bob ! Ces messieurs ont autre chose à faire que de jouer avec toi.

Rien de tel qu'un chien pour rompre la glace entre les gens. L'intérêt et l'affection que nous portions à Bob avaient vaincu la réserve de la brave employée. Tandis que nous montions à l'étage où se trouvaient les chambres, notre guide parla avec volubilité de la merveilleuse intelligence de Bob. La balle était restée au rez-de-chaussée. Quand nous passâmes devant lui, Bob nous décocha un coup d'œil écœuré puis, avec un air de dignité offensée, descendit pour aller la récupérer tout seul. Alors que nous tournions à droite, je le vis revenir lentement, son jouet dans la gueule, avec la démarche d'un très vieil homme auquel des êtres sans discernement auraient imposé une trop grosse fatigue.

Au cours de notre visite des chambres, Poirot commença peu à peu à faire parler notre hôtesse.

— Quatre demoiselles Arundell ont vécu dans cette maison, n'est-ce pas ? demanda-t-il.

— À l'origine oui, monsieur, mais c'était avant que je travaille ici. Il n'y avait plus que Mlle Agnes et Mlle Emily quand je suis arrivée, et Mlle Agnes est morte peu de temps après. C'était la plus jeune de la famille. Ça semble bizarre qu'elle nous ait quittés avant sa sœur.

— Je suppose qu'elle était plus fragile ?

— Oh ! non, monsieur, c'est ça qui est singulier. Ma Mlle Arundell, Mlle Emily, a toujours été la délicate de la famille. Toute sa vie elle a beaucoup fréquenté les docteurs. Mlle Agnes était robuste, et pourtant elle est partie la première, tandis que Mlle Emily, qui était faible depuis l'enfance, a survécu à tout le monde. La vie est très bizarre, parfois.

— Oui, c'est même étonnant comme ce genre de choses est fréquent.

Poirot se plongea dans une histoire inventée de toutes pièces – j'en étais sûr – à propos d'un oncle invalide, inutile que je me donne la peine de la rapporter ici ; il suffit de dire qu'elle eut l'effet escompté. Rien ne délie les langues comme les discussions sur la mort et autres sujets morbides. Poirot pouvait à présent poser des questions qui auraient été considérées avec hostilité et suspicion vingt minutes plus tôt.

— La maladie de Mlle Arundell a-t-elle été longue et douloureuse ?

— Non, ce n'est pas ainsi que je présenterais les choses, monsieur. Elle avait une petite santé depuis très longtemps, si vous voyez ce que je veux dire – ça faisait bien deux hivers. Elle avait été très malade, à cette époque-là. La jaunisse. On a le visage tout jaune – et jusqu'au blanc des yeux.

— Ah ! oui, en effet…

(Suivit une anecdote sur un cousin de Poirot qui avait dû être le Péril jaune en personne.)

— C'est exact. Juste comme vous le dites, monsieur. Elle a donc été gravement malade, la pauvre. Elle ne pouvait rien garder. Entre nous, le Dr Grainger a bien cru qu'elle ne survivrait pas. Mais il savait si bien la prendre. Il la secouait, vous voyez. « Vous avez décidé de vous allonger pour de bon et de commander votre pierre tombale ? », lui a-t-il lancé, un jour. Et elle a répondu : « J'ai encore envie de lutter un peu, docteur. » Et lui : « C'est bien. C'était ça que je voulais entendre. » On avait aussi une infirmière qui, elle, était persuadée que tout était fini. Elle a même dit une fois au docteur qu'elle se demandait s'il ne valait pas mieux ne plus embêter la vieille dame en la forçant à manger, mais si vous saviez comme il l'a attrapée ! « C'est stupide ! qu'il s'est exclamé. Comment ça, l'ennuyer ? Vous devez l'obliger à se nourrir, au contraire. » Du consommé de bœuf à heures fixes, du fortifiant, des petites cuillerées de cognac. À la fin, il lui a dit une chose que je n'ai jamais oubliée : « Vous êtes jeune, ma fille, vous ne vous rendez pas compte à quel point l'âge peut vous donner la volonté de vous battre. Ce sont les jeunes qui renoncent et qui meurent parce que la vie ne les intéresse pas suffisamment. Montrez-moi quelqu'un qui a vécu jusqu'à soixante-dix ans – voilà quelqu'un qui se bagarre, quelqu'un qui a la volonté de vivre. » Et c'est vrai, monsieur. On raconte toujours que les vieilles personnes sont formidables, avec leur vitalité et toutes leurs facultés bien conservées, mais comme l'a expliqué le docteur, c'est justement à cause de cela qu'elles ont vécu si longtemps.

— Mais c'est profond, ce que vous dites-là – très profond ! Et Mlle Arundell était comme ça ? Très vivante ? Adorant la vie ?

— Oh ! oui, en effet, monsieur. Sa santé était fragile, mais elle avait toute sa tête. Et comme je vous l'ai expliqué, elle s'est remise de cette maladie – à la grande surprise de l'infirmière, ça oui. Une pimbêche celle-là, avec ses cols et ses manchettes amidonnés, et en plus il fallait lui servir du thé à n'importe quelle heure de la journée !

— Une belle guérison.

— Oui monsieur. Naturellement, la maîtresse a dû suivre un régime – tout devait être bouilli ou cuit à la vapeur. Graisse et œufs interdits. Ce n'était pas très drôle pour elle.

— Enfin, le principal c'est qu'elle ait recouvré la santé.

— Oui, monsieur. Bien sûr, elle avait encore de petites crises, parfois. Ce que je nommais ses attaques de bile. Au bout d'un moment, elle avait un peu cessé de surveiller sa nourriture. Mais ces crises n'étaient jamais très sérieuses – jusqu'à la dernière.

— C'était la même maladie que deux ans auparavant ?

— Oui, exactement la même, monsieur. De nouveau, cette horrible jaunisse et cet affreux teint jaune, et ces terribles nausées et tout le reste. Elle l'a cherché, je le crains, la pauvre chérie. Elle mangeait beaucoup de choses qui lui étaient interdites. Le soir où elle s'est trouvée mal, elle avait pris du curry et comme vous le savez, monsieur, le curry est une nourriture riche et un peu grasse.

— Elle est tombée malade subitement, n'est-ce pas ?

— Eh bien oui, monsieur, apparemment. Mais le Dr Grainger a dit que ça la guettait depuis un bon moment. Il a suffi d'un coup de froid – le temps avait été très changeant – et d'une nourriture trop riche.

— Sa dame de compagnie – Mlle Lawson était bien sa dame de compagnie, n'est-ce pas ? – aurait pu tout de même l'empêcher de manger des choses qui lui faisaient mal ?

— Oh ! Mlle Lawson n'avait guère voix au chapitre. Mlle Arundell n'était pas du genre à se laisser donner des ordres.

— Mlle Lawson était-elle déjà avec elle lors de sa première jaunisse ?

— Non, elle est arrivée après. Elle n'était ici que depuis environ un an.

— Je suppose que Mlle Arundell a eu d'autres dames de compagnie ?

— Oh ! oui, monsieur, un bon nombre.

— Elles ne restaient pas aussi longtemps que ses domestiques, commenta Poirot en souriant.

Son interlocutrice rougit.

— Eh bien, voyez-vous, monsieur, c'était différent. Mlle Arundell sortait très peu et une chose entraînant l'autre…

Elle s'interrompit.

Poirot l'observa un moment, puis il dit :

— Je comprends un peu le caractère des vieilles dames. Elles ont un besoin maladif de nouveauté, n'est-ce pas ? Elles ont vite fait de se lasser de quelqu'un.

— Oui, c'est très bien vu, monsieur. Exactement ça. Quand une nouvelle arrivait, Mlle Arundell s'intéressait toujours à elle, au début – sa vie, son enfance, les endroits où elle était allée, ses opinions – et ensuite, lorsqu'elle savait tout, eh bien je suppose qu'elle s'ennuyait, oui, c'est bien le mot qui convient.

— Exactement. Et entre nous, ces personnes qui se placent comme dames de compagnie ne sont en général ni très intéressantes ni très amusantes, hein ?

— En effet, monsieur. Elles sont timorées, pour la plupart. Et complètement stupides, parfois. Mlle Arundell en faisait vite son affaire, pour ainsi dire. Et ensuite elle changeait, elle prenait quelqu'un d'autre.

— Elle devait être attachée à Mlle Lawson plus que de coutume, pourtant ?

— Oh ! je ne crois pas, monsieur.

— Mlle Lawson n'avait pas de qualités particulières ?

— Je ne dirais pas ça, monsieur. C'est une personne... tout à fait ordinaire.

— Vous l'aimez bien, oui ?

Elle haussa légèrement les épaules.

— Il n'y a rien, chez elle, d'aimable ni de détestable. Elle a toujours été maniaque, la vieille fille typique, et elle racontait des tas de sottises sur les esprits.

— Les esprits *?* répéta Poirot, soudain intéressé.

— Oui, monsieur, les esprits. On s'assoit dans l'obscurité autour d'une table et les morts reviennent et ils vous parlent. Moi, j'estime que c'est tout à fait contraire à la religion. Comme si nous ne savions pas que les âmes qui s'en sont allées ont trouvé la place qui leur convient et qu'il est peu probable qu'elles en bougent !

— Ainsi, Mlle Lawson est une adepte du spiritisme ! Mlle Arundell y croyait aussi ?

— Mlle Lawson aurait bien voulu, répliqua la domestique, sur un ton où perçait un soupçon de malice.

— Mais ce n'était pas le cas ? insista Poirot.

— La maîtresse avait trop de bon sens, grommela-t-elle. Remarquez, je ne dis pas que ça ne l'amusait pas. « Je ne demande qu'à être convaincue », répétait-elle. Mais elle considérait souvent Mlle Lawson avec l'air de dire : « Ma pauvre, faut-il que vous soyez gourde pour vous laisser prendre à ça ! »

— Je comprends. Elle n'y croyait pas, mais c'était pour elle un sujet d'amusement.

— C'est exact, monsieur. Je me suis parfois demandé si elle ne prenait pas, pour ainsi dire, un plaisir – bien innocent – à faire bouger elle-même la table et tout ça, alors que les autres y croyaient dur comme fer.

— Les autres ?

— Mlle Lawson et les deux Mlles Tripp.

— Mlle Lawson est une adepte du spiritisme très convaincue ?

— Elle tient tout cela pour parole d'évangile, monsieur.

— Et Mlle Arundell était très attachée à Mlle Lawson, bien sûr ?

C'était la seconde fois que Poirot faisait cette remarque, et il reçut la même réponse.

— Eh bien, pas vraiment, monsieur.

— Mais enfin, dit Poirot. Si elle lui a tout légué… C'est bien cela, n'est-ce pas ?

Le changement fut immédiat. L'être humain céda la place à la domestique irréprochable. Elle se redressa et répondit d'une voix froide excluant désormais toute familiarité.

— La manière dont ma patronne a cru bon de disposer de son argent ne me regarde pas, monsieur.

Je sentis que Poirot avait saboté tout son travail. Après avoir mis la domestique en confiance, il était en train de ruiner tout son avantage. Il fut assez habile, cependant, pour ne pas essayer immédiatement de reconquérir le terrain perdu. Après un commentaire banal sur la superficie et le nombre des chambres, il se dirigea vers l'escalier.

Bob avait disparu, mais en arrivant sur le palier, je trébuchai sur quelque chose et faillis tomber. Je réussis à me retenir en m'appuyant à la rampe ; en baissant les yeux, je me rendis compte sur j'avais, par inadvertance, posé le pied sur la balle abandonnée par Bob à cet endroit.

La domestique s'empressa de s'excuser.

— Je suis désolée, monsieur. C'est de la faute de Bob. Il laisse toujours traîner sa balle ici. Et on ne la voit pas, sur le tapis foncé. Quelqu'un va se tuer, un jour. La pauvre Mlle Arundell a fait une mauvaise chute à cause de ça. Elle aurait très bien pu en mourir.

Poirot s'immobilisa brusquement dans les escaliers.

— Vous dites qu'elle a eu un accident ?

— Oui, monsieur. Bob a posé sa balle ici, comme il le fait souvent, et la patronne est sortie de sa chambre, elle a trébuché dessus et elle a dégringolé jusqu'au bas des escaliers. Elle aurait pu se tuer.

— Elle a été gravement blessée ?

— Pas autant qu'on aurait pu s'y attendre. Le Dr Grainger a dit qu'elle avait eu de la chance. Elle s'est fait une plaie à la tête et s'est froissé les muscles du dos ; bien sûr, elle a eu des bleus partout et ça lui a fait un vilain choc. Elle a gardé le lit pendant une semaine, mais ce n'était pas très grave.

— C'est arrivé il y a longtemps ?

— Une semaine ou deux avant sa mort.

Poirot se baissa pour ramasser quelque chose qu'il venait de laisser tomber.

— Pardon. Mon stylo… Ah, oui, le voilà.

Il se releva.

— Il est négligent, notre ami Bob, observa-t-il.

— Ah ! mais il ne sait pas, monsieur, répondit la domestique d'une voix indulgente. Peut-être qu'il ne lui manque que la parole, mais on ne peut pas tout avoir. La maîtresse, vous voyez, ne dormait pas tellement la nuit et il lui arrivait souvent de se lever, de descendre en bas et de tourner dans la maison.

— Souvent, dites-vous ?

— Presque toutes les nuits. Mais elle ne voulait ni Mlle Lawson ni personne, à ce moment-là.

Poirot était entré de nouveau dans le salon.

— C'est une pièce magnifique, dit-il. Je me demande s'il y aurait assez de place pour ma bibliothèque dans ce renfoncement ? Qu'en pensez-vous, Hastings ?

Pris au dépourvu, je lui fis prudemment remarquer que c'était difficile à dire.

— C'est vrai, les dimensions sont parfois si trompeuses ! Tenez, voici mon mètre ; mesurez, s'il vous plaît, la largeur de ce pan de mur. Je vais noter.

Obéissant, je saisis le mètre pliant que Poirot me tendait et je pris diverses mesures sous sa direction, qu'il inscrivit au dos d'une enveloppe.

Je commençais à trouver étrange qu'il utilisât une méthode aussi brouillonne et inhabituelle, au lieu d'inscrire soigneusement tous ces chiffres dans son petit carnet – lorsqu'il me fit passer son morceau de papier en disant :

— C'est correct, n'est-ce pas ? Vous devriez peut-être quand même jeter un coup d'œil là-dessus.

Il n'y avait aucun chiffre sur son enveloppe. Mais Poirot avait écrit : « Lorsque nous remonterons à l'étage, faites semblant de vous rappeler un rendez-vous et demandez si vous pouvez donner un coup de fil. Laissez la bonne vous accompagner, et retenez-la le plus longtemps possible. »

— Oui, tout est juste, fis-je en tapotant l'enveloppe. À mon sens, les deux bibliothèques entreront parfaitement.

— Il vaut tout de même mieux vérifier. Je crois, madame, si cela ne vous dérange pas trop, que j'aimerais revoir la chambre à coucher principale. Je ne suis pas tout à fait sûr de la surface de mur disponible dans cette pièce.

— Certainement, monsieur. Il n'y a pas de problème.

Nous remontâmes donc. Poirot mesura un panneau ; il était juste en train de commenter à haute voix les emplacements possibles du lit, de la penderie et du bureau, lorsque, regardant ma montre, je sursautai d'une manière quelque peu exagérée, et m'exclamai :

— Mon Dieu ! Savez-vous qu'il est déjà 15 heures ? Que va penser Anderson ? Je devrais l'appeler. (Je me tournai vers la domestique.) Serait-il possible d'utiliser votre téléphone – si vous en avez un ?

— Mais oui, certainement, monsieur. Il se trouve dans la petite pièce qui donne dans le vestibule. Je vais vous y conduire.

Elle descendit rapidement avec moi, m'indiqua l'appareil, puis je lui demandai de m'aider à trouver un numéro dans l'annuaire. Finalement, je passai un coup de fil à un certain M. Anderson, à Harchester, la ville voisine. Par chance, il était absent, et je pus laisser un message disant que ce n'était pas grave et que je rappellerais !

Lorsque je sortis de cette petite pièce, Poirot était redescendu de l'étage et avait regagné le vestibule. Ses yeux avaient un léger reflet vert. Je voyais bien qu'il était excité, mais je n'aurais su dire pourquoi.

— Cette chute du haut des marches a sans doute été un terrible choc pour votre patronne, remarqua-t-il. Semblait-elle préoccupée par Bob et sa balle, après cela ?

— C'est drôle que vous disiez ça, monsieur. Parce qu'elle a été très préoccupée, en effet. Mon Dieu, au moment de mourir, pendant son délire, elle n'a pas arrêté de divaguer à propos de Bob, de sa balle et d'une image qui était évasée.

— Une image qui était évasée, répéta Poirot, pensif.

— Bien sûr, ça n'a aucun sens, monsieur, mais elle divaguait, vous comprenez.

— Un moment – permettez-moi de retourner un instant au salon.

Là, il fit le tour de la pièce en examinant avec soin les bibelots. Un grand vase coiffé d'un couvercle retint particulièrement son attention. Ce n'était pas, à mon avis, une porcelaine de collection, mais plutôt un exemple d'humour victorien, représentation assez grossière d'un bouledogue assis, l'air triste, devant une porte. En dessous, une légende disait : « J'ai découché, et j'n'ai pas de clé. » Poirot, que je soupçonne depuis toujours d'avoir des goûts désespérément petit-bourgeois, semblait en admiration devant l'objet.

— *J'ai découché et j'n'ai pas de clé*, murmura-t-il. C'est amusant, ça ! Est-ce que c'est vrai pour M. Bob ? Reste-t-il souvent dehors toute la nuit ?

— Très rarement, monsieur. Oh ! très rarement. Bob est un très bon chien, ça oui.

— J'en suis sûr. Mais même le meilleur des chiens…

— Oh ! vous avez tout à fait raison, monsieur. Une fois ou deux il est parti et n'est revenu à la maison qu'à 4 heures du matin, peut-être. Alors il s'assoit sur les escaliers et il aboie jusqu'à ce qu'on lui ouvre.

— Qui le fait entrer, alors – Mlle Lawson ?

— Eh bien, la première personne qui l'entend, monsieur. Mais c'était en effet Mlle Lawson, la dernière fois, monsieur. La nuit de l'accident de la maîtresse. Bob n'a été de retour que vers 5 heures. Mlle Lawson s'est dépêchée de lui ouvrir avant qu'il ne fasse trop de bruit. Elle avait peur qu'il ne réveille la maîtresse ; pour éviter de l'inquiéter, elle ne lui avait pas dit que Bob était parti.

— Je vois. Elle pensait qu'il valait mieux que Mlle Arundell ne fût pas au courant.

— C'est ce qu'elle a dit, monsieur. Elle a dit : « Il reviendra certainement. Il revient toujours. Mais elle pourrait se faire du souci et ce n'est jamais bon. » Aussi nous nous sommes tues.

— Bob aimait-il Mlle Lawson ?

— Ma foi, il la méprisait un peu, si vous voyez ce que je veux dire, monsieur. Certains chiens sont ainsi. Elle était gentille avec lui, elle l'appelait « le bon toutou, le gentil toutou, mon Bobbychounet », mais lui, il la regardait avec une sorte de dédain et il se moquait pas mal des ordres qu'elle lui donnait.

Poirot acquiesça d'un signe de tête.

— Je vois, dit-il.

Et soudain, il fit quelque chose qui me prit totalement au dépourvu.

Il tira une lettre de sa poche – la lettre qu'il avait reçue le matin même.

— Ellen, demanda-t-il alors, savez-vous quelque chose à propos de ceci ?

La transformation du visage d'Ellen fut remarquable.

Elle fixa Poirot, bouche bée, avec une telle stupeur que c'en était presque comique.

— Non ! s'exclama-t-elle. Je n'ai jamais fait ça !

Sa réponse manquait peut-être de cohérence, mais ne laissait aucun doute sur ce que voulait dire Ellen.

— Êtes-vous donc le monsieur à qui cette lettre était adressée ?

— Oui. Je suis Hercule Poirot.

Comme cela se produisait généralement avec la plupart des gens, Ellen n'avait pas lu le nom inscrit sur l'autorisation de visite que Poirot lui avait tendue en arrivant. Elle hocha lentement la tête.

— C'était ça, dit-elle. *Hercules Poirot.* (Elle avait ajouté un S au prénom et prononcé le T du nom.) Mon Dieu ! C'est la cuisinière qui va être surprise.

— Peut-être que l'on pourrait aller discuter à la cuisine de cette affaire avec votre amie ? proposa Poirot rapidement.

— Eh bien… Si cela ne vous dérange pas monsieur.

Ellen paraissait juste un peu indécise. Elle n'avait, à l'évidence, jamais eu à affronter pareil dilemme social. Mais les manières directes de Poirot la rassuraient, et nous nous dirigeâmes donc vers la cuisine. Ellen expliqua la situation à une grosse femme au visage agréable qui venait de retirer une bouilloire du feu.

— Vous n'allez pas me croire, Annie. C'est à ce monsieur que la lettre était adressée. Vous vous souvenez, celle que j'ai trouvée dans le sous-main.

— N'oubliez pas que je ne suis au courant de rien, dit Poirot. Peut-être pourrez-vous m'expliquer pourquoi cette lettre a été postée avec tant de retard ?

— Eh bien, monsieur, pour être franche, je ne savais pas quoi en faire. Aucune de nous deux ne le savait, n'est-ce pas, Annie ?

— C'est exact, confirma la cuisinière.

— Voyez-vous, monsieur, quand Mlle Lawson a fait le tri dans les affaires de Mlle Arundell, après sa mort, beaucoup de choses ont été données ou jetées. Entre autres, un petit sous-main en carton-pâte, je crois que c'est comme ça que ça s'appelle. Il était très joli, avec un brin de muguet sur le dessus. La maîtresse l'utilisait toujours lorsqu'elle écrivait dans son lit. Bon, Mlle Lawson ne voulait pas le garder, alors elle me l'a donné, avec d'autres bricoles qui avaient appartenu à la patronne. Je l'ai rangé dans un tiroir, et c'est seulement hier que je l'ai ressorti. Je voulais changer le buvard pour pouvoir m'en servir. À l'intérieur, il y avait une sorte de poche, dans laquelle j'ai glissé les doigts et qu'est-ce que je découvre au fond ? Une lettre écrite de sa main.

» Bon, comme je vous l'ai dit, je ne savais pas trop quoi en faire. Elle était écrite par la maîtresse ; j'avais l'impression de voir Mlle Arundell la rédiger et la glisser là-dedans en attendant de la poster le lendemain et puis oubliant de le faire – c'était le genre de chose qui lui arrivait souvent, la pauvre chérie. Une fois ça s'est produit avec un chèque pour la banque, et personne n'a réussi à le retrouver, et finalement il était tout au fond d'un casier du bureau.

— Était-elle désordonnée ?

— Oh ! non, monsieur, exactement le contraire ! Elle n'arrêtait pas de tout ranger et de tout nettoyer. C'était ça, l'ennui, d'une certaine façon. Ç'aurait vraiment été mieux si elle avait un peu laissé traîner ses affaires. Elle les mettait quelque part, puis oubliait ce qu'elle avait bien pu fabriquer avec.

— Des choses comme la balle de Bob, par exemple ? demanda Poirot en souriant.

L'astucieux petit terrier, qui venait de rentrer du jardin, recommença à nous faire la fête.

— Oui, monsieur, en effet. Dès que Bob avait fini de jouer avec sa balle, elle la rangeait. Mais ça, ça allait car la balle avait une place bien précise – dans le tiroir du petit secrétaire que je vous ai montré.

— Je vois. Mais je vous ai interrompue. Je vous en prie, continuez. Vous avez donc découvert la lettre dans le sous-main.

— Oui, monsieur, c'est ça. Puis j'ai demandé à Annie ce que je devais faire. Je n'avais aucune envie de la jeter au feu – et, bien sûr, je ne pouvais pas me permettre de l'ouvrir ; en outre, ni Annie ni moi ne pensions que cela concernait Mlle Lawson ; aussi, après en avoir discuté un moment, je me suis contentée de coller un timbre dessus et j'ai filé la mettre à la boîte aux lettres.

Poirot se tourna légèrement vers moi.

— Et voilà ! murmura-t-il.

Je ne pus m'empêcher de dire, sur un ton malicieux :

— C'est fou ce qu'une explication peut être simple et évidente !

J'eus l'impression qu'il était un peu déçu, et je m'en voulus d'avoir si vite retourné le couteau dans la plaie.

— Comme le dit mon ami, reprit-il en regardant Ellen de nouveau : « Une explication peut être simple et évidente ! » Vous comprenez que j'aie pu être plutôt surpris lorsque j'ai reçu une lettre datée de plus de deux mois.

— Oui, j'imagine que vous avez dû l'être, monsieur. Nous n'avions pas pensé à cela.

— Et puis, ajouta Poirot en toussotant, j'ai un petit problème. Cette lettre, vous voyez… c'était une mission que Mlle Arundell voulait me confier. Une affaire quelque peu personnelle. (Il s'éclaircit la gorge, avec un air important.) Maintenant qu'elle est morte, je ne sais plus trop quoi faire. Aurait-elle souhaité ou pas me voir me charger de cette mission quand même, en ces circonstances ? C'est difficile, très difficile.

Les deux femmes le considéraient avec respect.

— J'aurais besoin, je pense, de consulter le notaire de Mlle Arundell. Elle en avait bien un, n'est-ce pas ?

Ellen s'empressa de répondre :

— Oh ! oui, monsieur. M. Purvis, à Harchester.

— Il est au courant de toutes ses affaires ?

— Je crois, monsieur. Aussi loin que remontent mes souvenirs, c'est toujours lui qui s'est occupé de tout. C'est lui qu'elle a fait appeler après la chute.

— La chute dans les escaliers ?

— Oui, monsieur.

— Maintenant, si vous me disiez quel jour ça s'est passé exactement ?

La cuisinière intervint :

— Le lendemain d'un jour férié. Je m'en souviens bien. Je suis restée travailler ce jour-là, vu qu'elle avait tous ces gens chez elle, et j'ai pris mon mercredi à la place.

Poirot sortit son petit agenda de poche.

— Précisément... Précisément... Pâques, je vois, tombait le 13, cette année. Donc Mlle Arundell a eu son accident le 14. Elle m'a écrit cette lettre trois jours plus tard. C'est dommage qu'elle ne l'ait jamais envoyée. Pourtant, il n'est peut-être pas encore trop tard. (Il s'interrompit un instant.) Il me semble bien que la... euh... mission qu'elle voulait me confier avait un rapport avec l'un des... euh... invités dont vous venez de parler.

Cette réflexion, qui aurait pu n'être qu'une simple hypothèse lancée à l'aveuglette, eut un effet immédiat. Une lueur passa, très vite, sur le visage d'Ellen, comme si elle venait de comprendre quelque chose. Elle se tourna vers la cuisinière qui lui donna un coup d'œil significatif. Puis elle dit :

— Ça pourrait être M. Charles.

— Si vous me disiez seulement qui était là, suggéra Poirot.

— Le Dr Tanios et sa femme, Bella, et puis Mlle Theresa et M. Charles.

— Tous des nièces et des neveux de Mlle Arundell ?

— Exact, monsieur. Le Dr Tanios, bien sûr, n'est pas de leur sang. En fait, c'est un étranger, un Grec ou quelque chose comme ça, je crois. Il a épousé Bella, la nièce de Mlle Arundell, la fille de sa sœur. Charles et Theresa sont frères et sœurs.

— Je vois. Une réunion de famille. Quand sont-ils repartis ?

— Le mercredi matin, monsieur. Le Dr Tanios et sa femme sont revenus le week-end suivant, parce qu'ils se faisaient du souci pour Mlle Arundell.

— Et M. Charles ? Et Mlle Theresa ?

— Le week-end d'après. Le week-end précédant sa mort.

La curiosité de Poirot, je le sentais, était illimitée. Pour moi, je ne comprenais pas à quoi rimaient ces questions sans fin. Il avait la réponse à son mystère et, à mon avis, plus vite maintenant il se retirerait dans la dignité, mieux cela vaudrait.

Il sembla lire dans mes pensées.

— Eh bien, dit-il, les informations que vous m'avez données me sont très utiles. Il faut que je rencontre ce M. Purvis. C'est bien ce nom-là que vous avez dit, n'est-ce pas ? Merci beaucoup pour toute l'aide que vous m'avez apportée.

Il se baissa pour caresser Bob.

— Brave chien-chien, va ! Tu l'aimais bien, ta maîtresse.

Bob répondit aimablement à ces avances et, espérant avoir trouvé un compagnon de jeu, il alla chercher un gros morceau de charbon – qu'on lui retira aussitôt, après l'avoir grondé. Il se tourna vers moi et mendia un peu de réconfort.

« Ces femmes ! semblait-il dire. Elles vous nourrissent correctement, mais elles ne sont pas fichues de s'intéresser au sport ! »

# 9

## RECONSTITUTION DE L'INCIDENT DE LA BALLE DU CHIEN

— Eh bien, Poirot, j'espère que vous êtes content, maintenant ! dis-je, tandis que la grille de Littlegreen House se refermait derrière nous.

— Oui, mon ami. Je suis satisfait.

— Dieu soit loué ! Tous les mystères sont éclaircis ! Le mythe de la méchante dame de compagnie et de la vieille femme riche est parti en fumée. Nous avons eu l'explication du retard de la lettre et même du fameux incident de la balle du chien. Les choses sont rentrées dans l'ordre de manière satisfaisante et dans les formes requises.

Poirot fit entendre une petite toux sèche et répondit :

— Je n'emploierais pas le terme « satisfaisant », Hastings.

— Vous venez de le faire il y a une minute.

— Non, non. Je n'ai pas prétendu que la situation était satisfaisante. J'ai dit, parlant de ma curiosité, qu'elle était satisfaite. Je connais désormais la vérité sur l'incident de la balle du chien.

— Ça aussi, c'était d'une simplicité enfantine !

— Pas autant que vous le pensez... (Il hocha la tête à plusieurs reprises.) Voyez-vous, mon cher, je sais une petite chose que vous ignorez.

— Et laquelle ? demandai-je, avec un certain scepticisme.

— Je sais qu'on a enfoncé un clou dans la plinthe, en haut de l'escalier.

Je le dévisageai. Son expression était tout ce qu'il y a de sérieux.

— Et alors ? dis-je au bout d'un instant. Pourquoi n'aurait-on pas enfoncé un clou à cet endroit-là ?

— Hastings, la vraie question, c'est : « Pourquoi y en a-t-on enfoncé un ? »

— Comment le saurais-je ? Pour une quelconque raison d'ordre domestique, peut-être. Est-ce important ?

— Certainement. Et je ne vois aucune « raison d'ordre domestique », comme vous dites, de planter un clou à cet endroit précis, en haut de la plinthe. En outre, il était peint avec soin pour passer inaperçu.

— À quoi voulez-vous en venir, Poirot ? Vous avez une explication, vous ?

— Je suis capable de l'imaginer sans trop de difficulté. Si vous voulez tendre une ficelle solide ou un fil de fer en travers de l'escalier à une trentaine de centimètres du sol, vous pouvez en attacher une extrémité à la balustrade, mais du côté du mur vous aurez besoin de quelque chose du genre d'un clou pour fixer l'autre extrémité.

— Poirot ! m'écriai-je. Où diable voulez-vous en venir ?

— Mon très cher ami, je suis en train de reconstituer l'incident de la balle du chien. Vous désirez des détails ?

— Je vous écoute.

— Eh bien, voilà. Quelqu'un a remarqué que Bob laissait souvent traîner sa balle en haut des escaliers. Pratique dangereuse qui risquait de provoquer un accident. (Il s'interrompit un instant, avant de reprendre sur un ton légèrement différent :) Si vous aviez envie de tuer quelqu'un, Hastings, comment vous y prendriez-vous ?

— Je... Euh, vraiment, je n'en sais rien. Je m'inventerais un alibi ou quelque chose de ce genre, je suppose.

— Méthode à la fois difficile et risquée, je vous assure. D'ailleurs, vous n'avez pas le type du meurtrier calculateur capable de tuer de sang-froid. Ne vous semble-t-il pas que le meilleur moyen de vous débarrasser de quelqu'un qui vous gêne est de tirer parti d'un accident ? Des accidents se produisent tout le temps... Et parfois, Hastings, on peut même les aider à se produire ! (Il se tut une minute, avant de poursuivre :) À mon avis, cette balle abandonnée par hasard en haut de l'escalier a fourni une idée à notre meurtrier. Mlle Arundell avait l'habitude de sortir de sa chambre la nuit et d'errer dans la maison – sa vue n'étant pas très bonne, il était tout à fait vraisemblable de penser qu'un jour elle trébucherait et dégringolerait les marches la tête la première. Mais un assassin consciencieux ne s'en remet pas à la chance. Un fil tendu en haut de l'escalier est une bien meilleure méthode pour la faire chuter. Ensuite, lorsque toute la maisonnée se précipite sur les lieux du drame, la cause de l'accident est là, bien en vue : la balle de Bob !

— Quelle horreur ! m'écriai-je.

— Oui, c'est horrible..., dit Poirot d'une voix grave. Mais ça a échoué. Alors qu'elle aurait vraiment pu se rompre le cou, Mlle Arundell n'a été que légèrement blessée. Quelle déception pour notre ami inconnu ! De plus, Mlle Arundell était une vieille demoiselle très perspicace. Tout le monde lui disait qu'elle avait trébuché sur la balle, et en effet cette balle était là en évidence, mais lorsqu'elle se rappelait les faits, Emily Arundell avait le sentiment que l'accident s'était produit autrement. Elle n'avait pas glissé sur la balle. Et, en outre, elle se souvenait d'autre chose. Elle se souvenait d'avoir entendu Bob aboyer dehors pour se faire ouvrir la porte à 5 heures du matin.

» Ce dernier point, je l'admets, relève plutôt de la conjecture, mais je ne crois pas me tromper. La veille au soir, Mlle Arundell avait rangé elle-même la balle dans le tiroir habituel. Ensuite, Bob était sorti, et il n'était pas rentré de la nuit. Dans ce cas, ce n'était pas lui qui avait abandonné la balle sur le palier.

— Il ne s'agit là que de conjecture pure et simple, Poirot ! protestai-je.

— Pas tout à fait, mon ami, objecta-t-il. Il y a les paroles révélatrices prononcées par Mlle Arundell pendant son délire – quelque chose à propos de la balle de Bob et d'une « image évasée ». Vous voyez ce que je veux dire, n'est-ce pas ?

— Pas le moins du monde.

— Bizarre. Je connais suffisamment votre langue pour savoir que l'on ne parle pas d'une image évasée. Un entonnoir est évasé, mais une image est déformée.

— Ou tout simplement agrandie.

— Ou tout simplement agrandie, comme vous dites. Aussi... Aussi me suis-je immédiatement rendu compte qu'Ellen avait mal compris cette expression. Ce n'était pas « évasée » que Mlle Arundell voulait dire, mais « du vase ». Et justement, dans le salon, il y a un vase en porcelaine qui ne passe pas inaperçu sur lequel je me souvenais avoir remarqué « l'image » d'un chien. En gardant à l'esprit ce qu'avait dit Mlle Arundell dans son délire, j'y suis retourné et j'ai examiné cet objet de plus près. J'ai constaté qu'il était décoré avec un chien qui avait découché. Vous suivez le cheminement de la pensée de cette femme en proie à la fièvre ? Bob était comme ce chien sur « l'image du vase » – il avait découché –, il ne pouvait donc pas avoir laissé la balle en haut des escaliers.

— Vous êtes diabolique, Poirot ! dis-je, plein d'admiration malgré moi. Comment pouvez-vous penser à des choses pareilles ? Ça me dépasse !

— Je n'y pense pas. Elles sont là, évidentes, pour quiconque veut les voir. Eh bien, vous comprenez la situation, maintenant ? Mlle Arundell, alitée à la suite de son accident, est saisie par le doute. Elle se dit qu'elle se fait peut-être des idées et que tout cela est absurde, mais les faits sont là. « Depuis l'incident de la balle du chien, mes soupçons et mon inquiétude continuent d'augmenter. » Et donc… donc elle m'écrit une lettre qui, hélas, ne me parvient que deux mois plus tard. Et dites-moi, cette lettre ne correspond-elle pas parfaitement aux faits que je viens d'évoquer ?

Je dus admettre que oui.

— Un autre point mérite notre attention, poursuivit Poirot. Mlle Lawson semblait tenir absolument à ce que Mlle Arundell ignorât que Bob avait passé la nuit dehors.

— Vous pensez qu'elle…

— Je pense que ce fait doit être noté avec beaucoup de soin.

Je retournai ces informations dans ma tête pendant un instant, puis je conclus, dans un soupir :

— Tout ceci est très intéressant – comme gymnastique cérébrale, j'entends. Et je vous tire mon chapeau. Votre reconstitution est un chef-d'œuvre. Il est presque dommage, vraiment, que la vieille dame soit décédée.

— Dommage, en effet. Elle m'écrit que quelqu'un a essayé de la tuer – ça se résume à cela, en gros – et très peu de temps après, elle meurt !

— Oui, dis-je, et cette mort naturelle vous déçoit beaucoup, n'est-ce pas ? Allez, admettez-le.

Poirot haussa les épaules.

— Ou peut-être pensez-vous que Mlle Arundell a été empoisonnée ? conclus-je malicieusement.

Poirot secoua la tête, comme découragé...

— Il semble certain, en effet, qu'elle a succombé à une mort naturelle, reconnut-il.

— Et donc, nous rentrons à Londres la queue entre les jambes.

— Mille pardons, mon ami, mais nous ne rentrons pas à Londres.

— Que voulez-vous dire, Poirot ? m'écriai-je.

— Si vous mettez le chien sur la piste du lapin, Hastings, retourne-t-il à Londres ? Non – il plonge dans le terrier.

— Je ne comprends pas.

— Le chien chasse les lapins, et Hercule Poirot les meurtriers. Nous sommes en présence d'un assassin – un assassin qui a raté son coup, oui, peut-être, mais un assassin tout de même. Et moi aussi je vais plonger dans le terrier, mon bon ami, pour le coincer, lui ou elle, selon le cas.

Sans avertissement, il franchit le portail devant lequel nous passions.

— Où allez-vous, Poirot ? demandai-je.

— Dans le terrier, mon ami. C'est ici qu'habite le Dr Grainger, qui s'est occupé de Mlle Arundell lors de son ultime maladie.

Le Dr Grainger était un homme d'une soixantaine d'années au visage maigre et osseux et au menton agressif. Il avait d'épais sourcils et de petits yeux intelligents. Son regard pénétrant se posa sur moi, puis sur Poirot.

— Que puis-je pour vous ? demanda-t-il d'un ton bourru.

Poirot se lança dans l'une de ces tirades flamboyantes dont il avait le secret :

— Il me faut vous prier d'excuser notre intrusion, docteur Grainger. Je dois vous avouer sur-le-champ que je ne viens pas vous consulter pour une raison médicale…

Le Dr Grainger répondit, très pince-sans-rire :

— Heureux de vous l'entendre dire. Vous me semblez suffisamment bien portant comme vous êtes.

— Laissez-moi vous expliquer les raisons de ma visite, poursuivit Poirot. La vérité, en l'occurrence, c'est que j'écris un livre – une biographie de feu le général Arundell qui, d'après ce que j'ai compris, a vécu quelques années à Market Basing.

Le médecin parut plutôt surpris.

— Oui. Le général Arundell a habité ici jusqu'à sa mort, en effet. À Littlegreen House, juste au bout de la rue, après la banque, vous êtes allé jusque-là, peut-être ? (Poirot fit oui de la tête.) Mais vous imaginez bien que c'était avant mon arrivée dans le coin. Je ne me suis installé ici qu'en 1919.

— Vous connaissiez pourtant sa fille, feu Mlle Arundell ?

— Oui, je connaissais bien Emily Arundell.

— Vous comprenez, c'est pour moi un coup très dur de découvrir que Mlle Arundell est morte récemment.

— Fin avril.

— C'est ce que j'ai appris. Je comptais sur elle, voyez-vous, pour me communiquer divers détails personnels sur son père et me raconter des anecdotes sur lui.

— Certainement… Certainement. Mais je ne vois pas ce que je peux faire en ce domaine.

— Savez-vous si certains enfants du général Arundell sont encore vivants ?

— Ils sont tous morts. Tous.

— Combien étaient-ils ?

— Cinq. Quatre filles et un garçon.

— Et la génération suivante ?

— Il y a Charles Arundell et sa sœur Theresa. Vous pourriez prendre contact avec eux. Je doute, cependant, qu'ils vous soient d'une grande utilité. Les jeunes ne s'intéressent plus guère à leurs grands-parents. Et il y a aussi une Mme Tanios, mais je ne crois pas que vous tirerez grand-chose d'elle non plus.

— Ils peuvent avoir des papiers de famille, ou des documents ?

— C'est possible, mais ça m'étonnerait. À ma connaissance, on a jeté ou brûlé beaucoup de choses après la mort de Mlle Emily.

Poirot laissa échapper un grognement de désespoir.

Grainger l'observa avec curiosité.

— En quoi le vieil Arundell peut-il bien être intéressant ? Je n'ai jamais entendu dire qu'il ait fait quoi que ce soit de bon en un quelconque domaine.

— Mon cher monsieur (les yeux de Poirot brillaient d'une excitation fanatique), n'y a-t-il pas un dicton qui prétend que l'Histoire ne sait rien de ses plus grands hommes ? On a récemment découvert certains documents qui éclairent d'un jour entièrement nouveau l'ensemble de la révolte des cipayes. Cela appartient à l'histoire secrète. Et John Arundell y a joué un rôle de premier plan. Tout cela est fascinant ! Et laissez-moi vous dire, mon cher monsieur, que cette question présente un intérêt tout particulier, à notre époque. L'Inde – la politique britannique vis-à-vis de ce pays – est un sujet d'une brûlante actualité.

— Hum…, fit le médecin. J'ai entendu dire que ce vieux ronchon de général Arundell était intarissable sur la question. En réalité, il paraît même qu'il aurait mérité la médaille de l'ennui.

— Qui vous a raconté cela ?

— Mlle Peabody. Vous pourriez aller la voir, en fait. C'est la doyenne de notre bonne ville. Elle a très bien connu les Arundell. Et elle adore bavarder. Ça vaut la peine de la rencontrer rien que pour elle-même – c'est un sacré numéro.

— Merci. Excellente idée. Peut-être pourriez-vous aussi me donner l'adresse du jeune M. Arundell, le petit-fils du général ?

— Charles ? Oui, je peux vous mettre en contact. Mais c'est un jeune freluquet qui n'a pas grand-chose dans la tête. L'histoire de sa famille ne signifie rien pour lui.

— Jeune ? Il est donc si jeune que ça ?

— Pour une vieille baudruche de mon acabit, c'est un gamin en effet, répondit le médecin avec de la malice dans le regard. Petite trentaine. Le genre beau gosse né pour compliquer l'existence des siens et vivre à leurs crochets. Du charme à revendre, mais pas un sou vaillant. On l'a expédié à peu près dans le monde entier et il n'a jamais rien fait de bon.

— Sans doute sa tante l'aimait-elle beaucoup ? suggéra Poirot. C'est souvent ainsi.

— Hum, je n'en sais rien. Emily Arundell n'était pas idiote. À ma connaissance, il n'a jamais réussi à lui soutirer de l'argent. Elle n'était pas toujours commode, cette brave Emily. Je l'aimais bien. Et je la respectais, aussi. Elle avait tout d'un brave soldat.

— Elle est morte brusquement ?

— Oui, d'une certaine façon. Remarquez, depuis quelques années, elle était fragile. Pourtant, elle s'en était toujours sortie.

— Pardonnez-moi de répéter des rumeurs (Poirot ouvrit les mains, l'air mécontent de lui-même), mais j'ai entendu dire qu'elle s'était querellée avec sa famille.

— Elle ne s'est pas exactement querellée, répondit lentement le Dr Grainger. Non, pour autant que je m'en souvienne, il n'y avait entre eux aucune brouille sérieuse.

— Je vous demande pardon. Là, je me montre peut-être indiscret.

— Non, non. Après tout, cette affaire est dans le domaine public.

— Elle n'a pas laissé sa fortune à sa famille, d'après ce qu'on m'a raconté ?

— En effet. Elle a tout légué à sa dame de compagnie, cette dinde peureuse et agitée. C'est étrange. Je n'y comprends rien moi-même. Cela ne lui ressemble guère.

— Enfin..., dit Poirot, songeur. On imagine très bien que ce genre de choses puisse arriver. Une vieille demoiselle, fragile et malade. Très dépendante de la personne qui s'occupe d'elle et qui la soigne. Une femme maligne et dotée d'une certaine personnalité peut prendre beaucoup d'ascendant de cette façon.

Le mot « ascendant » sembla faire au Dr Grainger le même effet qu'un chiffon rouge à un taureau. Il répondit avec brusquerie :

— Ascendant ? Ascendant ? Mon œil, oui ! Emily Arundell traitait Mlle Lawson comme un chien, et pire encore. C'est caractéristique de cette génération ! De toute façon, les femmes qui gagnent leur vie en travaillant comme dames de compagnie sont en général stupides. Dans le cas contraire, elles trouvent un moyen de faire de l'argent autrement ! Et Emily Arundell ne supportait pas la bêtise. Habituellement, elle épuisait une de ces malheureuses par an. Ascendant ! Ah, que non !

Poirot s'empressa de quitter ce terrain dangereux.

— Peut-être que cette Mlle... euh... Lawson est en possession de lettres ou de documents de famille ? suggéra-t-il.

— Peut-être, acquiesça Grainger. Les vieilles filles ont souvent tendance à amasser tout un tas de choses. Mlle Lawson n'en a certainement trié qu'une partie, pour l'instant.

Poirot se leva :

— Merci beaucoup, docteur Grainger. Vous avez été très aimable.

— Inutile de me remercier, répondit le médecin. Je regrette de ne pouvoir vous aider davantage. Vous aurez sans doute plus de chance avec Mlle Peabody. Elle habite Morton Manor, à environ un kilomètre et demi d'ici.

Poirot se pencha sur un gros bouquet de roses rouges qui trônait sur la table du docteur.

— Merveilleux parfum, murmura-t-il.

— Oui, probablement. Moi, je ne sens rien. J'ai perdu l'odorat au cours d'une vilaine grippe, il y a quatre ans. Sacré aveu de la part d'un médecin, non ? « Les cordonniers sont toujours les plus mal chaussés. » Très désagréable. Je n'apprécie même plus autant le tabac qu'avant.

— C'est fâcheux, en effet. Au fait, vous n'oublierez pas de me donner l'adresse du jeune Arundell ?

— Je peux vous l'avoir, oui. (Il nous accompagna jusque dans le vestibule et appela :) Donaldson ! (Puis il précisa à notre intention :) C'est mon associé. Il doit avoir votre renseignement, car il est sur le point de se fiancer avec Theresa, la sœur de Charles. (Il appela de nouveau :) Donaldson !

Un jeune homme arriva de l'une des pièces du fond. De taille moyenne, plutôt insignifiant, il avait des gestes précis. On n'aurait pu imaginer contraste plus frappant avec le Dr Grainger.

Celui-ci lui expliqua ce qu'il désirait.

Les yeux d'un bleu très pâle et quelque peu proéminents de Donaldson nous évaluèrent. Il répondit assez sèchement, en choisissant ses mots :

— Je ne sais pas au juste où trouver Charles. Mais je peux vous donner l'adresse de Theresa. Elle vous mettra certainement en rapport avec son frère.

Poirot lui répondit que c'était parfait ainsi.

Le jeune homme inscrivit une adresse sur une page de son calepin, qu'il détacha et tendit à Poirot.

Celui-ci le remercia, puis salua les deux médecins. Tandis que nous franchissions le seuil, je sentis peser sur nous le regard scrutateur du Dr Donaldson, dont le visage, je m'en étais rendu compte un instant plus tôt, reflétait une légère surprise.

# 10

## VISITE À MLLE PEABODY

— Est-il vraiment nécessaire de raconter des mensonges si compliqués, Poirot ? demandai-je tandis que nous nous éloignions.

Poirot haussa les épaules.

— Si on est obligé de mentir – et je note, au passage, que votre nature y répugne –, personnellement, ça ne me dérange pas du tout, en effet, et…

— J'avais remarqué, lançai-je.

— Je disais donc, reprit-il, que si on est obligé de mentir, mieux vaut inventer des mensonges artistiques, des mensonges romanesques, des mensonges convaincants !

— Parce que vous estimez que celui-là l'était ? Vous pensez que le Dr Donaldson a été dupe ?

— Ce jeune homme est d'une nature sceptique, admit Poirot d'un ton songeur.

— Il m'a paru nettement soupçonneux, oui.

— Je ne vois pas pourquoi il le serait. Des imbéciles écrivent le récit de la vie d'autres imbéciles tous les jours. Ça se fait, comme vous dites.

— C'est la première fois que je vous entends vous traiter vous-même d'imbécile, remarquai-je avec un grand sourire.

— J'espère être tout aussi capable que n'importe qui de jouer un rôle, répondit Poirot froidement. Je suis désolé que vous ne trouviez pas ma petite histoire bien tournée. Moi, j'en étais plutôt satisfait.

Je préférai changer de sujet.

— Que faisons-nous, maintenant ?

— C'est simple. Nous remontons dans votre voiture et nous nous offrons une visite à Morton Manor.

Nous ne tardâmes pas à découvrir une grande maison victorienne fort laide. Un maître d'hôtel décrépit nous reçut avec quelque hésitation, alla nous annoncer et revint au bout d'un certain temps pour nous demander « si nous avions rendez-vous ».

— Veuillez, s'il vous plaît, expliquer à Mlle Peabody que nous venons de la part du Dr Grainger, répondit Poirot.

Nous attendîmes encore quelques minutes, puis la porte s'ouvrit et une petite femme rondelette entra en se dandinant. Une raie bien nette séparait, au milieu de son crâne, ses cheveux blancs clairsemés. Elle portait une robe de velours noir, dont le tissu était par endroits usé jusqu'à la corde, et un col de dentelle superbe fermé sur le devant du cou par un gros camée.

Elle traversa la pièce en nous détaillant d'un regard de myope. Ses premières paroles nous surprirent un peu :

— Vous avez quelque chose à vendre ?

— Rien, madame, répondit Poirot.
— Sûr ?
— Absolument.
— Pas d'aspirateurs ?
— Non.
— Pas de bas ?
— Non.
— Pas de tapis ?
— Non.
— Bon, alors ça devrait aller, dit Mlle Peabody en s'installant dans un fauteuil. Vous feriez mieux de vous asseoir, dans ce cas.

Nous nous exécutâmes, obéissants.

— Vous pardonnerez ces questions, reprit Mlle Peabody, quelque peu confuse. On ne saurait être trop prudent. Vous n'imaginez pas les gens qui entrent ici. Les domestiques ne sont plus fiables. Ils ne savent plus faire la différence. On ne peut pas leur en vouloir, remarquez. Ces visiteurs ont un beau langage, un beau costume, un nom qui sonne bien. Comment les reconnaître ? Commandant Ridgeway, M. Scott Edgerton, capitaine d'Arcy Fitzherbert. Certains ont l'air de gentlemen. Mais avant que vous sachiez à qui vous avez affaire, ils vous ont flanqué sous le nez un appareil à battre les œufs en neige.

— Je vous assure madame, que nous n'avons rien de la sorte à vous proposer, dit Poirot avec un grand sérieux.

— Bon, je vous crois, dit Mlle Peabody.

Poirot se lança alors dans son histoire. Mlle Peabody l'écouta sans faire de commentaire. Ses petits yeux clignèrent une fois ou deux. À la fin, elle demanda :

— Vous allez écrire un livre, hein ?

— Oui.

— En anglais ?

— Bien sûr, en anglais.

— Mais vous êtes étranger, hein ? Allez, avouez, vous êtes étranger, pas vrai ?

— C'est exact.

Ses yeux vinrent se poser sur moi.

— Et vous, vous êtes son secrétaire, je suppose ?

— Euh… Oui, répondis-je, avec hésitation.

— Vous savez écrire un anglais correct ?

— Je l'espère.

— Hum… De quelle école sortez-vous ?

— Eton.

— Alors vous êtes nul en tout.

Je fus forcé de laisser sans réponse ce terrible affront à une ancienne et vénérable institution, car Mlle Peabody s'intéressait de nouveau à Poirot.

— Vous allez raconter la vie du général Arundell, c'est ça ?

— Oui. Vous le connaissiez, je crois.

— Exact. Je connaissais John Arundell. Il buvait comme un trou. (Il y eut un bref silence, puis Mlle Peabody reprit, d'un air songeur :) La révolte des cipayes, hein ? À mon avis, c'est enfoncer des portes ouvertes. Mais c'est vous que ça regarde.

— Vous savez, madame, dans ce domaine, c'est une question de mode. En ce moment, l'Inde est très en vogue.

— Vous n'avez peut-être pas tort. Les modes vont et viennent. Regardez les manches. (Nous gardâmes un silence respectueux.) Les manches gigot ont toujours été hideuses. En revanche, j'avais de l'allure avec les pagodes… (Ses yeux brillants se posèrent sur Poirot.) Eh bien, maintenant, que voulez-vous savoir ?

Poirot ouvrit largement les mains.

— Tout ! L'histoire de la famille. Les potins. La vie quotidienne.

— Je ne peux rien vous raconter sur l'Inde, avoua Mlle Peabody. Le fin mot de tout ça, c'est que je n'écoutais pas. Ils sont plutôt rasoirs, ces vieux grincheux avec leurs anecdotes. C'était un homme irrémédiablement stupide – mais j'ose affirmer qu'il n'en était pas pour autant le pire de nos généraux. J'ai toujours entendu dire que l'intelligence ne vous menait pas loin, dans l'armée. Soyez attentionné avec la femme du colonel, écoutez respectueusement vos officiers supérieurs, et vous ferez votre chemin – c'est ce qu'aimait à répéter mon père.

Poirot laissa s'écouler quelques instants de silence afin de traiter cette pensée profonde avec le respect qui convenait, puis il demanda :

— Vous connaissiez très bien les Arundell, n'est-ce pas ?

— Oui, tous, Matilda, c'était l'aînée. Pleine de boutons sur la figure. Elle faisait le catéchisme. Et elle en pinçait pour un des vicaires. Ensuite, il y avait Emily. Bonne culotte de cheval, celle-là ! C'était la seule qui pouvait tenir tête à son père lorsqu'il avait une de ses crises. On sortait de cette maison les bouteilles vides par charretées entières. Ils les enterraient la nuit, hé oui ! Qui venait ensuite ? Voyons, c'était Arabella ou Thomas ? Thomas, je crois. Il m'a toujours fait de la peine, Thomas. Un homme au milieu de quatre femmes ! De quoi vous rendre fou ! Il avait des côtés vieille fille, ce pauvre Thomas. Personne ne croyait qu'il se marierait un jour. Vous imaginez la surprise, quand c'est arrivé.

Elle laissa échapper un gloussement – un de ces sonores gloussements tout victoriens.

À l'évidence, Mlle Peabody s'amusait beaucoup. Plongée dans le passé, elle avait presque oublié son auditoire – Poirot et moi.

— Puis il y avait Arabella. Un laideron. Le visage comme une patate. Elle a quand même réussi à se caser. C'était pourtant la plus moche des quatre. Avec un professeur de Cambridge. Vieux comme Mathusalem. Soixante ans bien sonnés. Il est venu donner une série de conférences ici – les merveilles de la chimie moderne, ou quelque chose d'approchant. J'y suis allée. Il bavait dans sa barbe, je m'en souviens. Il avait une barbe, oui. On ne comprenait pas un traître mot de ce qu'il racontait. Arabella s'attardait toujours pour poser des questions. Elle non plus, elle n'était plus de la première jeunesse, d'ailleurs. Elle approchait de la quarantaine. Enfin, ils sont tous deux morts et enterrés, à présent. Leur mariage fut plutôt heureux, semble-t-il. C'est ça l'avantage d'épouser une mocheté : on connaît son malheur immédiatement, et au moins elle ne risque pas d'être infidèle. Et enfin, il y avait Agnes. C'était la plus jeune – et la moins tarte. Assez délurée, de l'avis général. Presque dévergondée. Bizarrement, si l'une des quatre devait se marier, vous auriez parié sur Agnes. Eh bien non ! Elle est morte peu de temps après la guerre.

— Ainsi, d'après vous, le mariage de Thomas fut inattendu ? murmura Poirot.

Mlle Peabody émit de nouveau son impressionnant gloussement guttural.

— Inattendu ? Ah ! ça, vous pouvez le dire ! Un scandale, oui ! On n'aurait jamais cru ça de lui – un homme si calme, si timide et effacé, si attaché à ses sœurs…

Elle se tut un instant.

— Vous vous souvenez d'une affaire qui a défrayé la chronique à la fin des années 1890 ? Mme Varley ? Soupçonnée d'avoir empoisonné son mari à l'arsenic. Une belle femme. Ça a fait du bruit, cette histoire ! Elle a été acquittée. Eh bien, Thomas Arundell a complètement perdu la boule. Il s'est mis à acheter tous les journaux, à collectionner tous les articles qui parlaient de cette histoire, à découper les photos de Mme Varley. Et vous me croirez si vous voulez, mais quand le procès a été terminé, qui est-ce qui est allé à Londres pour lui demander sa main ? Thomas ! Thomas, le garçon calme et pantouflard… Il ne faut jurer de rien, avec les hommes, n'est-ce pas ? On court toujours le risque de les voir prendre leurs cliques et leurs claques.

— Et que s'est-il passé, alors ?

— Oh ! elle l'a épousé, vous pensez !

— Ça a été un choc terrible pour ses sœurs ?

— Je ne vous le fais pas dire ! Elles ont refusé de la recevoir. Tout bien considéré, je ne sais pas si je peux le leur reprocher. Thomas a été terriblement blessé. Il est parti s'installer dans les îles anglo-normandes et on n'a plus jamais entendu parler de lui. Je ne peux pas dire si son épouse a empoisonné son premier mari, mais elle n'a pas assassiné Thomas, en tout cas. Il est mort trois ans après elle. Ils ont eu deux enfants, un garçon et une fille. Très beaux tous les deux – ils tiennent de leur mère.

— Je suppose qu'ils rendaient souvent visite à leur tante ?

— Seulement après la disparition de leurs parents. À l'époque, ils faisaient leurs études et ils étaient déjà presque adultes, ils venaient pour les vacances. Emily était seule au monde et ils étaient son unique famille, avec Bella Biggs.

— Biggs ?

— La fille d'Arabella. Insignifiante. Quelques années de plus que Theresa. Elle a quand même réussi à faire l'andouille. Elle a épousé un métèque qui faisait des études universitaires. Un médecin grec. Simiesque, mais des manières plutôt charmantes, je dois l'admettre. Enfin, je suppose que la pauvre Bella n'avait pas beaucoup de choix. Elle passait son temps à aider son père ou à tenir les écheveaux de laine de sa mère. Ce gars-là était exotique. Ça lui a plu.

— C'est un mariage heureux ?

— Je ne crois pas qu'on puisse dire cela d'un seul mariage ! rétorqua Mlle Peabody d'un ton cassant. Ils semblent assez heureux. Deux enfants au teint plus ou moins olivâtre. Ils vivent à Smyrne.

— Mais ils sont en Angleterre, en ce moment, n'est-ce pas ?

— Oui. Ils sont arrivés en mars. Ça ne m'étonnerait pas qu'ils repartent bientôt.

— Emily Arundell aimait-elle beaucoup sa nièce ?

— Si elle aimait Bella ? Oh ! Énormément. C'est le genre insignifiant, mère poule et un peu niaise.

— Et le mari ? L'appréciait-elle ?

Mlle Peabody gloussa.

— Elle ne *l'appréciait* pas, mais je crois qu'elle ne le détestait pas, ce singe. Il est intelligent, vous savez. Si vous voulez mon avis, il savait la manœuvrer en douceur. Il renifle l'argent à dix pas, ce bonhomme !

Poirot toussota, puis demanda dans un murmure :

— Il m'a semblé comprendre que Mlle Arundell avait une belle fortune, à sa mort.

Mlle Peabody s'installa plus confortablement dans son fauteuil.

— Oui, et tout ce tintouin vient de là ! Personne n'avait imaginé à quel point elle était riche. Ça s'est passé comme ça : le vieux général Arundell a laissé un joli petit magot – qui a été partagé équitablement entre son fils et ses filles. Une partie de cet argent a été réinvestie dans des placements qui, je crois bien, se sont tous révélés fructueux. Les premières actions Mortauld, entre autres. Naturellement, lorsqu'ils se sont mariés, Thomas et Arabella ont récupéré ce qui leur appartenait. Les trois autres sœurs vivaient ici et ne dépensaient même pas un dixième de leurs revenus, qu'elles avaient mis en commun. Toutes les économies ont été réinvesties de nouveau. Quand Matilda est morte, elle a légué ses biens à Agnes et Emily, puis celle-ci a hérité d'Agnes. Et elle a continué à dépenser très peu. Résultat, elle est morte sur un tas d'or – et c'est la Lawson qui a tout empoché !

Mlle Peabody avait prononcé cette dernière phrase comme s'il s'agissait de l'aboutissement triomphal de toute l'affaire.

— Et vous, Mlle Peabody, cela vous a-t-il étonnée ?

— À vrai dire, oui ! Emily n'avait jamais fait mystère qu'à sa disparition sa fortune serait divisée entre ses nièces et son neveu. C'est d'ailleurs ce que stipulait le premier testament. Hormis de petites sommes aux domestiques, tout devait aller à parts égales à Theresa, à Charles et à Bella. Miséricorde, quel ramdam lorsqu'on a découvert après sa mort, qu'elle avait modifié son testament et qu'elle laissait tout à cette pauvre Mlle Lawson !

— Ce deuxième testament a été rédigé juste avant son décès ?

Mlle Peabody lança à Poirot un regard perçant.

— Vous pensez manœuvres captatoires. Non, vous perdez votre temps, mon brave. Et je n'irai pas jusqu'à croire que la pauvre Lawson ait eu l'intelligence et le cran de tenter un coup pareil. En réalité, elle a paru aussi surprise que tout le monde – ou elle a prétendu l'être !

Ce dernier commentaire fit sourire Poirot.

— Le testament a été rédigé dix jours avant sa mort, poursuivit Mlle Peabody. Le notaire prétend qu'il n'y a pas de problème. Je veux bien. Mais qu'est-ce qui prouve qu'il n'est pas en train de commettre une erreur ?

Poirot se pencha en avant.

— Vous voulez dire…

— C'est louche, voilà ce que je veux dire. Quelque chose de pas très net quelque part.

— C'est quoi, au juste, votre idée ?

— Je n'ai pas d'idée ! Comment saurais-je où est l'entourloupe ? Je ne suis pas notaire. Mais il y a quelque chose qui cloche, croyez-moi !

— A-t-il été question de contester le testament ?

— Je crois que Theresa a vu un avocat. Grand bien lui fasse. Que vous chante un avocat, neuf fois sur dix ? « Laissez tomber ! » Un jour, cinq avocats m'ont déconseillé d'intenter une action en justice. Qu'est-ce que j'ai fait ? Je les ai ignorés. Et j'ai gagné mon procès. On m'a fait venir à la barre et un petit morveux tout frais débarqué de Londres a essayé de me prendre en défaut. Mais il en a été pour ses frais. « Vous ne pouvez pas reconnaître ces fourrures avec certitude, Mlle Peabody, m'a-t-il dit. Elles ne portent aucune marque de fourreur. » « Peut-être, ai-je répondu, mais il y a une reprise dans la doublure, et si quelqu'un est capable de faire une reprise pareille aujourd'hui, je veux bien manger mon parapluie. » Il n'en a plus mené large, après ça !

Et Mlle Peabody de rire de bon cœur.

— Je suppose, dit prudemment Poirot, que ce n'est pas le grand amour entre Mlle Lawson et les descendants de Mlle Arundell ?

— Vous vous attendez à quoi ? Vous connaissez le genre humain. De toute façon, après un décès, il y a toujours des histoires. Le défunt n'est pas encore refroidi dans son cercueil que la plupart des parents s'arrachent déjà les yeux.

— Ce n'est que trop vrai, soupira Poirot.

— Bah ! Le monde est ainsi fait, conclut Mlle Peabody, tolérante.

Poirot changea de sujet.

— Est-il vrai que Mlle Arundell était adepte du spiritisme ?

Les yeux pénétrants de Mlle Peabody le scrutèrent.

— Si vous pensez, dit-elle alors, que l'esprit de John Arundell est revenu pour ordonner à Emily de léguer son argent à Minnie Lawson et que sa fille a obéi, j'aime autant vous dire que vous vous fourrez le doigt dans l'œil. Emily n'avait rien d'une toquée de ce genre. Si vous voulez savoir, elle trouvait simplement le spiritisme un peu plus amusant que les patiences ou la crapette. Vous avez rencontré les sœurs Tripp ?

— Non.

— Si vous les aviez rencontrées, vous sauriez de quelle sorte d'âneries je veux parler. Des femmes exaspérantes. Elles passent leur temps à vous donner des messages de l'un de vos parents morts – messages toujours totalement absurdes. Elles y croient dur comme fer. Pareil pour Minnie Lawson. Après tout, c'est une façon comme une autre de passer ses soirées, j'imagine.

Poirot essaya une nouvelle piste :

— Vous connaissez le jeune Arundell, je présume ? Quel genre d'homme est-ce ?

— Un bon à rien. Charmant, pourtant. Toujours fauché et toujours endetté. Revenant sans cesse, les poches vides, d'un endroit quelconque de la planète. Et il sait les embobiner, les femmes ! (Nouveau gloussement.) Moi, j'en ai trop vu des comme lui pour me laisser avoir. C'est quand même drôle que Thomas ait eu un fils pareil. C'était un vieux fossile collet monté. Un modèle de rectitude. À se demander d'où ça vient. L'hérédité vous joue parfois de ces tours. Remarquez, je l'aime bien, ce voyou – mais c'est le genre à tuer père et mère pour des clopinettes sans l'ombre d'un remords. Aucun sens moral. C'est étrange comme certaines personnes semblent en être dépourvues à la naissance.

— Et sa sœur ?

— Theresa ? (Mlle Peabody secoua la tête et répondit lentement :) Je ne sais pas. C'est une créature peu commune. Quelqu'un de différent. Elle est fiancée à un médecin d'ici un peu mou. Vous l'avez peut-être rencontré ?

— Le Dr Donaldson.

— Oui. Bon dans sa partie, dit-on. Mais par certains côtés, il est assez insipide. Pas le genre d'homme qui me plairait si j'étais jeune. Enfin, Theresa doit savoir ce qu'elle fait. Elle a eu des expériences, j'en mettrais ma main au feu.

— Le Dr Donaldson ne soignait-il pas Mlle Arundell ?

— Si, quand le Dr Grainger était en vacances.

— Mais il ne s'est pas occupé d'elle pendant sa dernière maladie ?

— Je ne pense pas.

Poirot constata alors avec un petit sourire :

— J'ai l'impression que vous ne tenez pas en haute estime ses qualités de médecin ?

— Je n'ai jamais dit ça. En fait, vous vous trompez. Il est assez dégourdi et intelligent dans son genre. Mais ce n'est pas mon genre. Que je vous donne un exemple. De mon temps, quand un enfant mangeait trop de pommes vertes, il avait une crise de foie et le docteur appelait ça une crise de foie et il rentrait chez lui et vous faisait parvenir quelques pilules de son cabinet. Aujourd'hui, on vous dit que l'enfant souffre d'une acidose prononcée et qu'il faut surveiller son régime ; on vous donne le même médicament, sauf que ce sont de jolis petits comprimés fabriqués dans des usines pharmaceutiques et qu'ils coûtent les yeux de la tête ! Donaldson appartient à cette nouvelle école. Remarquez, il y a des tas de jeunes mères qui préfèrent ça. Ça sonne mieux. Mais, entre nous, ce jeune homme ne restera pas longtemps ici à soigner des rougeoles et des crises de foie. C'est Londres qu'il vise. Il a de l'ambition et veut se spécialiser.

— Dans un domaine en particulier ?

— La sérothérapie. Il me semble que ça s'appelle comme ça. L'idée, c'est qu'on vous plante dans le corps une de ces horribles aiguilles hypodermiques, même si vous allez bien, juste pour le cas où vous attraperiez quelque chose. Pour ma part, j'ai horreur de ces saletés de piqûres.

— Le Dr Donaldson fait de l'expérimentation sur une maladie bien précise ?

— Ne m'en demandez pas tant. Tout ce que je sais, c'est que la médecine générale n'est pas assez bonne pour lui. Il veut s'installer à Londres. Mais pour cela, il lui faut de l'argent et il est pauvre comme Job… Si quelqu'un sait encore qui était Job.

— C'est regrettable que les vraies compétences soient si souvent gênées par le manque d'argent, murmura Poirot. Quand on pense qu'il y a des gens qui ne dépensent pas le quart de leurs revenus.

— Comme Emily Arundell, dit Mlle Peabody. Ça a été une sacrée surprise pour certaines personnes quand on a lu son testament. Je veux parler de la somme, pas des dispositions qu'elle a prises.

— Est-ce que, d'après vous, ça a été une surprise aussi pour les membres de sa famille ?

— En fait, dit Mlle Peabody en plissant les paupières d'un air vraiment ravi, oui et non. L'un d'eux savait à peu près à quoi s'en tenir.

— Qui ?

— M. Charles. Il avait fait ses calculs d'après ses propres revenus. Il est loin d'être bête, vous savez.

— Juste un peu fripouille, hein ?

— En tout cas, il n'a rien d'un idiot, grinça Mlle Peabody.

Elle se tut un instant, puis demanda :

— Vous allez vous mettre en contact avec lui ?

— Telle est bien mon intention. J'estime possible, ajouta-t-il avec un grand sérieux, qu'il soit en possession de certains papiers de famille concernant son grand-père.

— Il y a davantage de chances qu'il ait allumé un feu de joie avec. Aucun respect pour les aînés, ce jeune homme.

— On ne doit négliger aucune piste, dit Poirot d'un ton sentencieux.

— C'est bien l'impression que ça me donne en effet, répliqua sèchement Mlle Peabody.

Dans ses yeux bleus brilla une lueur fugitive qui sembla produire un effet désagréable sur Poirot. Celui-ci se leva.

— Je m'en voudrais d'abuser plus longtemps de votre temps, madame. Je vous suis très reconnaissant de tout ce que vous avez pu me raconter.

— J'ai fait de mon mieux, répondit Mlle Peabody. Mais j'ai comme l'impression que nous nous sommes bien éloignés de la révolte des cipayes, pas vous ?

Elle nous serra la main et conclut, en guise d'adieu :

— Faites-moi savoir quand votre livre sortira. J'aimerais beaucoup le lire.

Et la dernière chose que nous entendîmes, lorsque nous quittâmes la pièce, fut son joyeux gloussement guttural.

## 11

## VISITE AUX DEMOISELLES TRIPP

— Et maintenant, dit Poirot tandis que nous remontions en voiture, que faisons-nous ?

Instruit par l'expérience, je ne suggérai pas cette fois un retour à Londres. Après tout, si Poirot semblait si bien s'amuser à sa façon, qu'avais-je à y redire ?

Je proposai de prendre le thé.

— Le thé, Hastings ? Quelle idée ! Vous avez observé l'heure ?

— Je l'ai observée, oui. Je l'ai vue, veux-je dire. (Le mauvais anglais de Poirot est parfois tragiquement contagieux.) Il est 5 heures et demie. Un thé est tout indiqué.

— Vous autres Anglais et votre déplorable manie de boire du thé l'après-midi ! soupira Poirot. Non, mon bon ami, pas de thé. L'autre jour, j'ai lu dans un manuel de savoir-vivre qu'il ne fallait pas se présenter chez quelqu'un après 18 heures. C'est une faute de goût. Il ne nous reste donc qu'une demi-heure pour faire ce que nous avons à faire.

— Vous êtes bien mondain, aujourd'hui, Poirot ! À qui rendons-nous visite, maintenant ?

— Aux demoiselles Tripp.

— Vous écrivez un livre sur le spiritisme, à présent ? Ou s'agit-il toujours de la biographie du général Arundell ?

— Ce sera plus simple que cela, mon bon ami. Mais nous devons d'abord nous enquérir de l'adresse de ces dignes personnes.

On nous indiqua volontiers la route mais non sans une certaine confusion, car il fallait emprunter toute une série de chemins creux. La demeure des demoiselles Tripp était un cottage pittoresque, si vieux qu'il semblait sur le point de s'écrouler.

Une adolescente d'environ quatorze ans nous ouvrit la porte ; elle dut se plaquer non sans difficulté contre le mur pour nous laisser le passage.

À l'intérieur, tout n'était que vieilles poutres de chêne. Il y avait un âtre immense – et des fenêtres tellement minuscules que l'on n'y voyait guère. Le mobilier était assez simple, plutôt rustique. Des coupes de fruits étaient posées un peu partout et sur le buffet trônaient nombre de photographies représentant deux mêmes personnes dans des poses diverses, avec un bouquet de fleurs ou un large chapeau de paille à la main.

La jeune fille qui nous avait accueillis avait murmuré quelques mots avant de disparaître, mais nous perçûmes clairement sa voix à l'étage.

— Y'a deux messieurs qui demandent après vous, m'selles !

Une femme descendit l'escalier avec grâce dans un concert de froissements et de froufrous, et s'approcha de nous.

Elle n'était pas loin de la cinquantaine, avait la raie au milieu et les yeux marron légèrement globuleux. Un peu ronde, elle portait une robe de mousseline à ramages d'un autre temps.

Poirot engagea la conversation dans son style le plus fleuri.

— Je me dois de vous présenter mille et une excuses pour cette intrusion, bien chère mademoiselle, mais je me trouve dans une situation quelque peu délicate. J'ai fait le voyage jusqu'ici dans le but de rencontrer une dame ; cependant, elle a quitté Market Basing et l'on m'a dit que vous auriez très certainement son adresse.

— Vraiment ? Et de qui s'agit-il ?

— Mlle Lawson.

— Oh ! Minnie Lawson ! Bien sûr. Nous sommes les plus grandes amies du monde. Asseyez-vous, monsieur… Euh…

— Parotti. Et voici mon camarade, le capitaine Hastings.

Les présentations faites, Mlle Tripp se mit aussitôt à s'agiter.

— Installez-vous là, voulez-vous... Non, merci..., je vous assure..., j'ai toujours préféré les chaises droites. Bon, vous êtes bien, bien sûrs d'être à votre aise, là ? Chère Minnie Lawson... Oh ! voici ma sœur.

Nous entendîmes de nouveaux froufrous et fûmes rejoints par une seconde femme, vêtue d'une robe en vichy vert qui aurait été parfaite sur une fille de seize ans.

— Ma sœur Isabel. Monsieur..., euh... Parodie et... euh... le capitaine Hawkins. Ma chère Isabel, ces messieurs sont des amis de Minnie Lawson.

Comparée à sa sœur, Mlle Isabel Tripp aurait pu passer pour squelettique. Ses cheveux très blonds étaient tout bouclés et un peu en désordre. Elle avait des attitudes enfantines et c'était elle, sans le moindre doute, que l'on voyait sur la plupart des photographies avec des fleurs. Elle ne tarda pas à joindre les mains avec un enthousiasme juvénile.

— C'est merveilleux ! Cette chère Minnie ! Vous l'avez rencontrée récemment ?

— Pas depuis plusieurs années, expliqua Poirot. Nous nous sommes complètement perdus de vue. J'ai beaucoup voyagé. C'est pourquoi j'ai été si étonné et ravi lorsque j'ai appris la bonne fortune de ma vieille amie.

— Oui, en effet. Mais elle l'a tellement bien mérité ! Minnie est une personne si rare. Si simple, si droite.

— Julia ! couina soudain Isabel.

— Oui, Isabel ?

— C'est extraordinaire. *P !* Tu te souviens que la planche insistait nettement sur la lettre *P*, hier soir ?

Un visiteur d'outre-mer, dont le nom commençait par un *P* !

— Exact, confirma Julia.

Les deux demoiselles regardèrent Poirot avec un air stupéfait et émerveillé.

— La planchette ne ment jamais, constata Mlle Julia.

— Vous intéressez-vous un tant soit peu aux sciences occultes, monsieur Parodie ?

— Je n'y connais pas grand-chose, chère mademoiselle, mais... comme tous ceux qui ont longtemps voyagé en Orient, je dois admettre qu'il est beaucoup de phénomènes que l'on ne comprend pas et que l'on ne peut expliquer de façon naturelle.

— C'est si vrai, dit Julia. Si profondément vrai.

— L'Orient..., murmura Isabel. La terre du mysticisme et de l'occulte.

À ma connaissance, les voyages de Poirot en Orient se limitaient à un séjour en Syrie, puis en Irak, qui n'avait guère duré que quelques semaines en tout. À en juger pourtant par ses propos actuels, on aurait juré qu'il avait passé la majeure partie de sa vie à parcourir la jungle et les bazars et à discuter avec les fakirs, les derviches et les mahatmas.

Je crus comprendre que les demoiselles Tripp étaient végétariennes, théosophes, israélites britanniques, scientistes chrétiennes, spirites, et qu'elles pratiquaient la photographie amateur avec enthousiasme.

— On a parfois le sentiment, dit Julia dans un soupir, qu'il est impossible de vivre dans un endroit comme Market Basing. C'est un lieu sans beauté – sans âme. Et on ne peut se passer de l'âme, ne pensez-vous pas, capitaine Hawkins ?

— Absolument, hasardai-je, un peu embarrassé. Oh ! absolument.

— *Là où ne fleurit pas l'idéal, l'individu se ronge et dépérit,* cita Isabel, en soupirant à son tour. J'ai souvent essayé de parler de ces choses avec le pasteur, mais je l'ai trouvé affreusement borné. Ne croyez-vous pas, monsieur Parodie, que toute croyance trop stricte rétrécit l'esprit ?

— Alors que tout est si simple, en réalité, ajouta sa sœur. Comme nous le savons si bien, tout n'est que joie et amour !

— C'est tellement vrai, répliqua Poirot. Tellement vrai. Quelle pitié qu'il doive toujours y avoir, semble-t-il tant d'incompréhension et de querelles – et surtout dès qu'il est question d'argent.

— L'argent, quelle contingence sordide ! gémit Julia.

— Je crois que la défunte Mlle Arundell était l'une de vos converties ? s'enquit Poirot.

Les deux sœurs échangèrent un regard.

— J'aimerais en être sûre, répondit Isabel.

— Nous n'en avons jamais été tout à fait certaines, murmura Julia. Elle semblait convaincue, et puis la seconde suivante elle disait quelque chose de si… si grivois. (Elle ajouta, à l'intention de sa sœur :) Ah ! mais souviens-toi de la dernière manifestation. Ça a été réellement remarquable. (Elle se tourna vers Poirot.) C'était le soir où cette chère Mlle Arundell est tombée malade. Ma sœur et moi étions passées chez elle après dîner, et nous avons eu une séance, juste nous quatre. Et, vous savez, nous avons vu très distinctement – oui, nous l'avons vu toutes les trois – une sorte de halo autour de la tête de Mlle Arundell.

— Je vous demande pardon ?

— Oui. Comme une vapeur lumineuse. (Elle considéra Isabel :) C'est bien ainsi que tu décrivais la chose, toi aussi ?

— Oui. Oui, exactement. Une vapeur lumineuse a peu à peu entouré la tête de Mlle Arundell – une auréole de lumière diaphane. C'était un signe – maintenant, nous le savons – un signe qu'elle allait bientôt… passer de l'autre côté.

— Remarquable ! dit Poirot, d'une voix indiquant à quel point il était impressionné. Il faisait sombre dans la pièce, n'est-ce pas ?

— Oh ! oui, nous obtenons toujours de meilleurs résultats dans le noir, et c'était une soirée si douce que le feu, dans la cheminée, n'était même pas allumé.

— Un esprit des plus intéressants nous a parlé, dit Isabel. Une femme qui se nommait Fatima. Elle nous a dit qu'elle était morte à l'époque des croisades. Elle nous a délivré un message magnifique !

— Elle vous a vraiment parlé ?

— Non, nous n'avons pas entendu directement sa voix, bien sûr. Elle s'est exprimée en frappant. Amour. Espoir. Vie. Des mots merveilleux.

— Et Mlle Arundell est tombée malade pendant la séance ?

— Juste après. On nous a apporté des sandwiches et du porto, et notre chère Mlle Arundell a dit qu'elle ne voulait rien, car elle ne se sentait pas très bien. C'est ainsi que sa maladie a commencé. Dieu merci, elle n'a pas souffert trop longtemps.

— Elle est morte quatre jours plus tard, précisa Isabel.

— Et elle nous a déjà fait passer des messages, ajouta Julia d'une voix passionnée. Disant qu'elle est très heureuse et que tout est beau et qu'elle espère que la paix et l'amour règnent parmi les siens.

Poirot toussota.

— Ce qui... euh... n'est pas vraiment le cas, je le crains.

— La famille s'est conduite de façon honteuse envers la pauvre Minnie ! s'exclama Isabel, rouge d'indignation.

— Minnie est l'âme la plus détachée des contingences matérielles que je connaisse, renchérit Julia.

— Les gens se sont mis à répandre sur elle les pires horreurs – qu'elle avait tout manigancé pour que cet argent lui soit légué !

— Alors qu'en réalité ça a été pour elle une immense surprise.

— Quand le notaire a lu le testament, elle en a à peine cru ses oreilles.

— Elle nous l'a raconté elle-même. « Julia, ma chère, un rien m'aurait fait tomber à la renverse ! m'a-t-elle dit. Juste quelques petits legs aux domestiques et puis... Littlegreen House et le reste de ma fortune à Wilhelmina Lawson ! » Elle était si abasourdie qu'elle pouvait à peine articuler. Et lorsqu'elle a retrouvé sa voix, elle a demandé à combien tout cela se montait – songeant sans doute que la somme s'élèverait à quelques milliers de livres – et M. Purvis après avoir bafouillé et fait référence à des choses incompréhensibles du style biens meubles bruts et nets, a annoncé que l'héritage approchait des trois cent soixante-quinze mille livres. La pauvre Minnie en a presque tourné de l'œil.

— Elle ne s'y attendait pas du tout, insista l'autre sœur. Elle n'aurait jamais imaginé qu'une chose pareille puisse lui arriver !

— C'est ce qu'elle vous a déclaré, c'est ça ?

— Oh ! oui, elle nous l'a répété plusieurs fois. Et c'est pourquoi le comportement des autres membres de la famille d'Emily est si cruel – ils lui battent froid et la soupçonnent. Après tout, nous vivons dans un pays libre.

— Le peuple anglais semble en effet victime de cette illusion, murmura Poirot.

— Et j'aurais espéré que chacun pût laisser son argent à la personne de son choix ! J'estime que Mlle Arundell a agi avec beaucoup de sagesse. Manifestement, elle ne faisait pas confiance à sa propre famille, et j'ose dire qu'elle avait ses raisons.

— Ah ? (Poirot se pencha vers elle, l'air intéressé.) Vraiment ?

Encouragée par cette flatteuse attention, Isabel poursuivit :

— Oui. Vraiment. M. Charles Arundell, son neveu, a tout d'un vaurien. C'est connu. Je crois même qu'il est recherché par la police d'un pays étranger. Ce n'est pas du tout un personnage recommandable. Quant à sa sœur, eh bien, en fait je ne lui ai jamais *parlé* personnellement, mais elle a une drôle d'allure. Ultramoderne, pour ne pas dire plus, et atrocement maquillée. Je vous assure, quand j'ai vu ses lèvres, j'ai un instant redouté la nausée. On aurait dit du sang. Et je la soupçonne de se droguer – son comportement est parfois si bizarre ! Elle passe pour être fiancée à ce sympathique jeune Dr Donaldson, mais je parie que lui-même doit être dégoûté parfois. Bien sûr, elle est séduisante à sa façon, mais j'espère qu'il retrouvera ses esprits à temps et qu'il prendra pour femme une gentille petite Anglaise aimant la campagne et la vie au grand air.

— Et les autres membres de la famille ?

— Eh bien, c'est le même problème. Très peu recommandables. Non que j'aie quelque chose à redire à l'encontre de Mme Tanios – c'est une femme charmante, mais complètement idiote et totalement sous la coupe de son mari. C'est un Turc, je crois – c'est plutôt affreux de la part d'une Anglaise d'épouser un Turc, je trouve. Pas vous ? Cela dénote un certain manque de délicatesse. Cela dit, Mme Tanios est une très bonne mère, bien que ses enfants soient singulièrement laids, les pauvres petits.

— Ainsi, tout compte fait, vous estimez qu'il valait mieux que la fortune de Mlle Arundell allât à Mlle Lawson, car elle la méritait davantage que tout le monde ?

— Minnie Lawson est foncièrement bonne, répondit Julia d'un ton serein. Et si détachée des biens de ce monde. Ce n'est pas comme si elle avait jamais pensé à l'argent, non. Elle ne s'est jamais montrée cupide.

— Et pourtant, il ne lui est pas venu à l'idée un instant de refuser l'héritage ? s'étonna Poirot.

Isabel regimba quelque peu.

— Oh ! voyons… Personne n'irait jusque-là !

— Non, peut-être bien que non…, admit Poirot avec un sourire.

— Vous voyez, monsieur Parodie, intervint Julia, elle le considère comme un dépôt – un dépôt sacré.

— Et elle est tout à fait prête à faire un geste pour Mme Tanios ou ses enfants, poursuivit Isabel. Seulement, elle ne veut pas que lui, il touche à cet argent.

— Elle a même dit qu'elle envisageait d'accorder une rente à Theresa.

— Et ça, j'estime que c'est très généreux de sa part – quand on considère la manière cavalière dont cette fille l'a toujours traitée.

— C'est vrai, M. Parodie, Minnie est la plus généreuse des créatures. Mais naturellement, vous la connaissez, bien sûr.

— Oui, répondit Poirot. En revanche, je ne connais toujours pas… son adresse.

— Suis-je bête ! Et où ai-je la tête ? Voulez-vous que je vous l'inscrive ?

— Je peux la noter.

Et Poirot sortit son fameux calepin.

— 17, Clanroyden Mansions, W. 2. Pas très loin de Whiteleys. Vous lui transmettrez notre affection, n'est-ce pas ? Nous n'avons pas eu de ses nouvelles depuis un certain temps.

Poirot se leva et je l'imitai.

— Laissez-moi vous remercier infiniment toutes les deux pour cette conversation des plus charmantes. Et vous avez été fort aimables de m'indiquer l'adresse de mon amie.

— Je m'étonne qu'on ne vous l'ait pas donnée à Littlegreen ! s'exclama Isabel. Ça doit être cette Ellen ! Les domestiques sont si jalouses et si mesquines ! Il leur arrivait parfois d'être grossières avec Minnie.

Julia nous serra la main avec préciosité.

— Votre visite nous a fait très plaisir, roucoula-t-elle. Si j'osais, je…

Elle lança un regard interrogateur à sa sœur.

— Accepteriez-vous… (Le rose vint aux joues d'Isabel.) Auriez-vous la bonté d'accepter de partager notre repas du soir ? Un repas très simple – quelques légumes râpés, du pain complet avec du beurre salé, un fruit peut-être…

— Cela m'a l'air succulent, répondit précipitamment Poirot. Hélas ! Mon ami et moi devons rentrer à Londres.

Après de nouvelles poignées de main et d'autres messages à transmettre à Mlle Lawson, nous prîmes enfin congé.

# 12

## POIROT DISCUTE DE L'AFFAIRE

— Dieu merci, Poirot, m'écriai-je avec ferveur, vous nous avez délivrés des carottes crues ! Quelles horribles créatures !

— Pour nous, ce sera un bon bifteck – avec des frites – et une bonne bouteille de vin. Qu'est-ce que nous aurions eu à boire ici, je me le demande ?

— De l'eau, frissonnai-je, ou du cidre sans alcool. C'est sûrement le genre de la maison. Je parie qu'il n'y a ni baignoire ni sanitaires, juste un trou au fond du jardin.

— C'est drôle de voir à quel point les femmes aiment à vivre sans confort, dit Poirot d'un ton pensif. Et ce n'est pas toujours par manque d'argent, bien qu'elles soient très fortes pour le dissimuler quand elles sont dans la gêne.

— Quels sont vos ordres au chauffeur, cette fois ?, demandai-je tandis que, après avoir négocié le dernier virage d'une succession de petits chemins sinueux, nous débouchions sur la nationale menant à Market Basing. À quelle sommité locale allons-nous rendre visite ? Ou bien retournons-nous chez *George*, pour réinterroger le serveur asthmatique ?

— Vous serez heureux d'apprendre, Hastings, que nous en avons terminé avec Market Basing.

— Formidable !

— Pour le moment seulement. Parce que j'y reviendrai !

— Toujours sur la piste de votre meurtrier malchanceux ?

— Exactement.

— Avez-vous tiré quelque enseignement du ramassis de sottises que nous venons d'entendre ?

— Certains points méritent notre attention, répondit Poirot en choisissant ses mots avec soin. Les différents personnages de notre drame commencent à se préciser. Par certains côtés, cela ressemble à un roman à l'eau de rose, vous ne trouvez pas ? L'humble employée, longtemps méprisée, accède à la richesse et joue le rôle de la grande dame généreuse.

— J'imagine qu'une telle bonté doit être terriblement blessante pour ceux qui se considèrent comme les héritiers légitimes !

— Comme vous dites, Hastings. Oui, c'est parfaitement exact.

Nous roulâmes quelques minutes en silence. Nous avions traversé Market Basing, et nous retrouvions sur la nationale. Je fredonnais l'air de « Petit homme, tu as eu une rude journée ».

— Vous vous êtes bien amusé, Poirot ? demandai-je enfin.

— Je ne comprends pas du tout ce que vous entendez par « bien amusé », Hastings, répliqua-t-il avec froideur.

— Eh bien, expliquai-je, j'ai comme qui dirait l'impression que vous vous êtes offert une excursion à la journée.

— Vous ne me trouvez pas sérieux ?

— Oh ! sérieux, vous l'êtes ! Mais votre engagement m'a tout l'air purement académique. Vous pratiquez ici une sorte de gymnastique intellectuelle gratuite. Si vous voulez le fond de ma pensée, tout ceci n'a rien de réel.

— Au contraire. C'est tout ce qu'il y a de plus réel.

— Je me suis mal exprimé. Voilà où je voulais en venir : s'il s'agissait d'aider notre vieille dame, ou de la protéger contre une nouvelle agression, en ce cas, le jeu en vaudrait mille fois la chandelle. Mais puisque après tout elle est morte, je ne puis m'empêcher de me demander pourquoi nous nous donnons tant de peine.

— Si l'on vous écoutait, mon ami, on n'enquêterait jamais sur aucune affaire de meurtre.

— Mais bien sûr que si ! Ça n'a rien à voir ! Bon sang, les autres fois, on a un cadavre... Oh ! et puis zut !

— Ne vous énervez pas. J'ai très bien compris. Vous établissez une distinction entre un cadavre et une simple mort naturelle. Supposons, par exemple, qu'au lieu de nous quitter bien sagement à la suite d'une longue maladie, Mlle Arundell ait eu une fin brutale et violente – alors vous ne resteriez pas indifférent à mes efforts pour découvrir la vérité ?

— Bien sûr.

— Quelqu'un a quand même tenté de la tuer !

— Oui, mais ce quelqu'un a échoué. C'est là toute la différence.

— Et ça ne vous intéresse absolument pas de savoir qui a voulu l'assassiner ?

— Euh… Si, d'une certaine manière.

— Nous sommes en présence d'un groupe très restreint, dit Poirot, songeur. Ce fil tendu dans l'escalier…

— Ce fil dont vous déduisez simplement l'existence parce que vous avez trouvé un clou planté dans la plinthe ! l'interrompis-je. Qui sait ? Ce clou était peut-être là depuis des années ?

— Non. La peinture était très récente.

— Je continue à croire qu'il peut y avoir toutes sortes d'explications à la présence de ce clou.

— Donnez-m'en une.

Sur le moment, rien de suffisamment plausible ne me vint à l'esprit. Poirot profita de mon mutisme pour poursuivre son raisonnement.

— Oui, un groupe restreint. Ce fil n'a pu être tendu en travers de la première marche qu'une fois tout le monde couché. Nous ne devons donc tenir compte que des occupants de la maison. C'est-à-dire que le coupable se trouve parmi ces sept personnes : le Dr Tanios, Mme Tanios, Theresa Arundell, Charles Arundell, Mlle Lawson, Ellen et la cuisinière.

— On peut certainement laisser les domestiques de côté.

— Ils ont reçu une part d'héritage, mon très cher. Et l'un d'eux avait peut-être d'autres raisons de tuer :

vengeance, querelle qui aurait mal tourné, indélicatesse mise à jour – on ne peut rien affirmer.

— Cela m'étonnerait tout de même.

— C'est en effet peu probable, je vous l'accorde. Mais il ne faut négliger aucune éventualité.

— Dans ce cas, nous sommes obligés de considérer huit suspects et non pas sept.

— Comment ça ?

Je sentis que j'allais marquer un point.

— Il faut ajouter Mlle Arundell. Comment êtes-vous sûr qu'elle n'a pas mis ce fil elle-même en travers des escaliers dans l'intention de faire choir un autre membre de la maisonnée ?

Poirot haussa les épaules.

— Vous venez de proférer une ânerie, mon cher. Si Mlle Arundell avait tendu un piège, elle aurait fait attention de ne pas s'y laisser prendre elle-même ! N'oubliez quand même pas que c'est elle qui est tombée.

J'abandonnai, déconfit.

Poirot poursuivit ses réflexions, d'une voix pensive :

— Le déroulement des événements est parfaitement clair : la chute, la lettre, la visite du notaire. Mais un détail reste obscur. Mlle Arundell a-t-elle volontairement omis de poster cette lettre, parce qu'elle hésitait ? Ou bien se figurait-elle que celle-ci, une fois écrite, avait été envoyée ?

— C'est impossible à dire, fis-je.

— En effet. Nous ne pouvons émettre que des suppositions. À mon avis, elle croyait que sa lettre était partie. Elle a dû être surprise de ne pas recevoir de réponse…

Mes réflexions avaient pris une autre direction.

— D'après vous, ces histoires ridicules de spiritisme jouent-elles un rôle dans l'affaire ?, demandai-je. Pensez-vous que, même si Mlle Peabody a jugé l'idée invraisemblable, Emily ait pu recevoir un message au cours d'une séance, lui ordonnant de modifier son testament et de laisser son argent à la mère Lawson ?

— Cela ne correspond pas vraiment à l'impression générale que je me suis faite du caractère de Mlle Arundell.

— Les sœurs Tripp affirment que Mlle Lawson a été totalement prise au dépourvu à la lecture du testament, rappelai-je.

— C'est ce qu'elle leur a dit, oui, admit Poirot.

— Mais vous ne le croyez pas ?

— Mon bon ami, vous connaissez ma nature méfiante ! Je ne crois jamais rien de ce que l'on me raconte si je n'en ai pas une confirmation par ailleurs.

— C'est vrai, mon vieux, m'attendris-je. Quelle nature adorable, indulgente et confiante !

— « Il dit », « Elle dit », « Ils disent »... Bah ! Qu'est-ce que ça signifie ? Rien du tout : Ça peut être la vérité vraie. Ou un mensonge bien commode. Moi, il n'y a que les faits qui m'intéressent.

— Et quels sont ces faits ?

— Mlle Arundell est tombée. Cela, personne ne le conteste. Et cette chute n'est pas accidentelle – on l'a provoquée.

— La preuve de cela étant qu'Hercule Poirot en a décidé ainsi !

— Pas du tout. La preuve, c'est le clou. La preuve, c'est cette lettre que m'a envoyée Mlle Arundell. La preuve, c'est ce chien qui a passé la nuit dehors. La preuve, ce sont les paroles de Mlle Arundell à propos de « l'image du vase » et de la balle de Bob. Tout ça, ce sont des faits.

— Et le fait suivant, s'il vous plaît ?

— C'est la réponse à la question habituelle : à qui profite la mort de Mlle Arundell ? Réponse : à Mlle Lawson.

— La méchante dame de compagnie ! Mais les autres aussi pensaient que cette disparition allait leur servir. Et à l'époque de l'accident, c'est eux, effectivement, qui auraient récupéré tout l'argent !

— Exact Hastings. C'est pourquoi ils sont tous aussi suspects les uns que les autres. Et il y a un dernier petit fait : Mlle Lawson s'est donné beaucoup de mal pour cacher à Mlle Arundell que le chien avait passé la nuit dehors.

— Vous trouvez ça suspect ?

— Pas du tout. Je le note simplement. C'était peut-être un souci bien normal pour la tranquillité d'esprit de la vieille demoiselle. C'est cela, et de loin, l'explication la plus plausible.

Je jetai un regard de côté à Poirot. Cet homme était si désespérément insaisissable !

— Mlle Peabody a laissé entendre qu'il y avait quelque chose de louche avec ce testament, repris-je. Qu'est-ce qu'elle a voulu dire, d'après vous ?

— Je pense que c'est sa façon à elle d'exprimer divers doutes vagues et informulés.

— Il me semble que l'on peut éliminer les manœuvres captatoires, fis-je, pensif. Et tout indique que Mlle Arundell était beaucoup trop raisonnable pour croire à ces âneries spirites !

— Qu'est-ce qui vous fait dire que le spiritisme est une ânerie, Hastings ?

Je le regardai, stupéfait.

— Mon cher Poirot… Ces femmes épouvantables…

Il sourit.

— Je suis d'accord avec vous en ce qui concerne les demoiselles Tripp. Mais le seul fait qu'elles aient adhéré avec enthousiasme à la science chrétienne, au végétarisme, à la théosophie et au spiritisme ne constitue pas vraiment une preuve accablante contre tout cela ! Si une imbécile vous raconte quantité d'idioties sur un faux scarabée acheté à un escroc, cela ne jette pas forcément le discrédit sur l'ensemble de l'égyptologie !

— Vous voulez dire que vous croyez au spiritisme, Poirot ?

— Je n'ai pas d'idée préconçue sur la question. Je n'ai jamais étudié aucune de ces manifestations, mais il faut admettre qu'un grand nombre de scientifiques et d'érudits sont convaincus de l'existence de phénomènes qui ne sont pas seulement imputables à… dirons-nous, la crédulité d'une Mlle Tripp.

— Alors vous croyez à ces propos incohérents sur une auréole de lumière entourant la tête de Mlle Arundell ?

— Je parlais d'une manière générale – c'est votre attitude de scepticisme irraisonné que je vous reproche. Je répondrai que, m'étant fait une certaine opinion des sœurs Tripp, j'examinerai avec le plus grand soin toute information qu'elles porteront à ma connaissance. Une piquée, mon bon ami, est toujours une piquée, qu'elle parle de spiritisme, de politique, des rapports entre les sexes, ou de la doctrine bouddhiste.

— Pourtant, vous les avez écoutées avec attention.

— C'était mon travail, aujourd'hui – écouter. Entendre ce que tout le monde avait à me dire sur ces sept personnes et surtout, bien sûr, sur les cinq les plus concernées. Nous connaissons déjà un certain nombre de choses sur ces gens. Prenez Mlle Lawson, par exemple. Selon les Tripp, elle est dévouée, généreuse, désintéressée : en somme, quelqu'un de bien. Pour Mlle Peabody, au contraire, elle est crédule, stupide, et pas suffisamment courageuse ni intelligente pour commettre un crime. Le Dr Grainger nous dit qu'elle était maltraitée, qu'elle était dans une position précaire, et il la traite de « pauvre dinde peureuse » ou quelque chose d'approchant. Pour le serveur au restaurant, ce n'était qu'une « personne », et Ellen a précisé que Bob, le chien, la méprisait ! Tout le monde, donc, la considère sous un angle légèrement différent. Et c'est pareil pour les autres. Nul ne semble avoir une haute opinion de la moralité de Charles Arundell, mais néanmoins chacun parle de lui à sa façon. Le Dr Grainger le qualifie avec indulgence de « jeune freluquet qui n'a pas grand-chose dans la tête ». Mlle Peabody prétend qu'il aurait tué père et mère pour des clopinettes mais elle préfère, c'est clair, un vaurien tel que lui à un empoté. Mlle Tripp laisse entendre qu'il est capable d'un crime, et qu'il en a déjà un ou plusieurs à son actif. Tous ces éclairages indirects sont du plus haut intérêt. Ils nous incitent à passer à l'étape suivante.

— Qui est ?

— Regarder de tous nos yeux, mon bon ami.

# 13

## THERESA ARUNDELL

Le lendemain matin, nous nous rendîmes à l'adresse que nous avait donnée le Dr Donaldson.

J'avais suggéré à Poirot qu'une petite visite chez le notaire, M. Purvis, aurait peut-être été une bonne chose, mais il avait fermement rejeté cette idée.

— Non, vraiment, mon ami. Que lui dirions-nous ? Quelle raison pourrions-nous avancer pour lui arracher des informations ?

— Ce ne sont en général pas les raisons qui vous manquent, Poirot ! N'importe quel bon vieux mensonge ferait l'affaire, non ?

— Au contraire, mon cher. Ce ne serait pas « n'importe quel bon vieux mensonge », comme vous dites, qui marcherait. Pas avec un notaire. Nous risquerions – quelle expression employez-vous déjà, vous autres Anglais ? – nous risquerions de nous faire jeter dehors comme des malpropres.

— Seigneur !... Tout mais pas ça ! m'exclamai-je.

Et c'est ainsi, comme je l'ai dit, que nous partîmes pour l'appartement occupé par Theresa Arundell.

Il était situé à Chelsea, dans un immeuble avec vue sur le fleuve. Le mobilier coûteux était de style moderne : chromes étincelants et épais tapis aux dessins géométriques.

On nous fit attendre quelques minutes, puis une jeune femme pénétra dans la pièce et nous observa d'un air interrogateur.

Theresa Arundell devait avoir vingt-huit ou vingt-neuf ans. Elle était grande et mince et faisait penser à une esquisse en noir et blanc, aux traits surchargés. Ses cheveux étaient d'un noir de jais, et son visage très pâle lourdement maquillé. Ses sourcils, épilés selon un angle bizarre, lui donnaient une expression ironique. Seule tache de couleur, ses lèvres écarlates, qui ressemblaient à une balafre entre ses joues au teint crayeux. On avait en outre l'impression – et je n'aurais su dire pourquoi, car son attitude était d'une indifférence languissante – qu'elle avait au bas mot trois fois plus de ressort que le commun des mortels. On sentait en elle comme une énergie contenue. L'image d'un coup de fouet me traversa l'esprit.

Son regard froid et inquisiteur se posa sur moi, puis sur Poirot.

Las de mentir – du moins l'espérais-je –, Poirot lui avait donné sa véritable carte de visite. Elle la retournait dans tous les sens entre ses doigts.

— Vous êtes M. Poirot ? dit-elle.

Poirot se fendit de sa plus belle courbette.

— À votre service, chère et délicieuse mademoiselle. Me permettez-vous d'abuser de votre temps si précieux ?

— Enchanté, monsieur Poirot. Je vous en prie, asseyez-vous, lui répondit-elle en imitant vaguement ses manières cérémonieuses.

Poirot s'installa, non sans quelques indispensables précautions, dans un fauteuil caré, très bas ; pour ma part, j'en choisis un à dossier droit – des sangles sur une armature chromée. Theresa prit négligemment place sur un tabouret bas, devant la cheminée. Elle nous offrit des cigarettes que nous refusâmes, et en alluma une.

— Peut-être me connaissez-vous de réputation, chère mademoiselle ?

Elle acquiesça d'un signe de tête :

— Vous êtes le grand ami de Scotland Yard, c'est bien cela ?

Poirot, je pense, n'apprécia guère cette description. Il répondit, d'un ton condescendant :

— Je me fais un devoir de résoudre bon nombre de problèmes criminels, mademoiselle.

— C'est terriblement fascinant, dit Theresa Arundell d'une voix languide. Quand je pense que j'ai égaré mon carnet d'autographes !

— L'affaire qui me vaut l'honneur d'être ici, poursuivit Poirot, imperturbable, est la suivante : j'ai reçu hier une lettre de votre tante.

Elle écarquilla quelque peu les yeux – de très longs yeux en amandes – et souffla une bouffée de fumée.

— De ma tante, monsieur Poirot ?

— Je viens de vous le dire, chère mademoiselle.

— Désolée de vous priver d'un divertissement prometteur, cher monsieur, mais il y a un os : je n'ai pas ça dans mes relations ! Dieu merci, toutes mes tantes ont passé l'arme à gauche. La dernière est morte il y a deux mois.

— Mlle Emily Arundell ?

— Oui. Mlle Emily Arundell. Les cadavres ne vous bombardent tout de même pas de lettres, monsieur Poirot ?

— Si, parfois.

— Vous êtes divinement macabre !

Il y avait une note nouvelle dans sa voix – elle était soudain plus éveillée, plus attentive.

— Et que vous a dit ma tante, monsieur Poirot ?

— Cela mademoiselle, je ne puis vous le révéler pour le moment. Il s'agissait, voyez-vous, d'une affaire… (il toussota)… d'une affaire quelque peu délicate.

Il y eut un bref silence. Theresa Arundell fuma un moment sans rien dire, puis elle murmura :

— Mystère et boule de gomme, si je comprends bien. Mais qu'ai-je à voir là-dedans, au juste ?

— J'espérais, mademoiselle, que vous accepteriez de répondre à quelques questions.

— Des questions ? À quel propos ?

— Des questions d'ordre familial.

Ses yeux s'agrandirent de nouveau.

— Je vous trouve d'un solennel !… Et si vous me donniez un échantillon de vos fameuses questions ?

— Bien volontiers. Pouvez-vous me communiquer l'adresse actuelle de votre frère Charles ?

Elle plissa les paupières. On aurait dit qu'elle rentrait dans sa coquille. Son énergie semblait s'être résorbée.

— Ça ne me paraît guère possible, non. Nous ne sommes pas du genre à nous écrire. Et j'ai comme l'impression qu'il a quitté l'Angleterre.

— Je vois, murmura Poirot, qui resta alors silencieux un instant.

— Était-ce là tout ce que vous vouliez savoir, monsieur Poirot ?

— Non, j'ai d'autres questions. Un : êtes-vous satisfaite de la façon dont votre tante a disposé de sa fortune ? Deux : depuis combien de temps êtes-vous fiancée au Dr Donaldson ?

— Voilà ce qui s'appelle sauter du coq à l'âne !

— Dois-je me répéter ?

— Inutile. Nous n'avons pas gardé les cochons ensemble. Je répondrai donc en bloc à ces deux questions que ça ne vous regarde pas. *Ça ne vous regarde pas, monsieur Hercule Poirot*, martela-t-elle en français.

Poirot l'observa attentivement un instant, puis, sans paraître déçu le moins du monde, il se leva.

— C'est donc ainsi que vous prenez les choses ! Sans doute n'y a-t-il pas lieu d'être surpris. Permettez-moi, très chère mademoiselle, de vous féliciter pour votre accent français. Et de vous souhaiter une bonne fin de matinée. Venez, Hastings.

Nous étions arrivés à la porte lorsque la jeune femme se manifesta. Son injonction me fit, là encore, penser à un coup de fouet. Elle n'avait pas bougé, mais ses deux mots claquèrent, oui, claquèrent exactement comme un coup de fouet.

— Revenez ici !

Poirot obéit avec lenteur. Il se rassit et l'observa d'un air interrogateur.

— Arrêtons de faire les imbéciles, dit-elle. Il n'est pas totalement exclu que vous puissiez m'être utile, monsieur Hercule Poirot.

— J'en serais ravi, mademoiselle. Mais de quelle façon ?

Entre deux bouffées de sa cigarette, elle répondit très doucement, d'une voix égale :

— Dites-moi comment faire annuler ce testament.

— Un avocat pourrait certainement vous…

— Oui, un avocat, peut-être – si je dénichais l'oiseau rare – ou la brebis galeuse, comme vous préférez. Mais les seuls que je connaisse sont, hélas, honnêtes ! D'après eux, le testament est tout ce qu'il y a de légal, et l'attaquer devant un tribunal reviendrait à jeter l'argent par les fenêtres.

— Mais vous ne les croyez pas.

— Ce que je crois, c'est qu'il y a toujours une solution. Il suffit de faire taire ses scrupules et d'être prêt à y mettre le prix. Eh bien, moi, j'y suis prête.

— Et il va de soi, selon vous, que moi aussi je peux oublier mes scrupules moyennant finances ?

— Je me suis aperçue que c'était vrai de la plupart des gens. Je ne vois pas pourquoi vous seriez une exception à la règle. Bien sûr, tout le monde commence toujours par protester de son honnêteté.

— Exactement. Ça fait partie du jeu, hein ? Mais – dans la mesure où je serais disposé à oublier mes scrupules – que pensez-vous donc que je pourrais faire ?

— Je ne sais pas, moi. Mais vous êtes un homme intelligent. Ce n'est un secret pour personne. Vous pourriez trouver la forme adéquate du système D.

— Laquelle, au juste ?

Theresa Arundell haussa les épaules.

— Ça, c'est votre affaire. Voler le testament et le remplacer par un faux… Kidnapper cet épouvantail de Lawson et lui flanquer la frousse pour lui faire avouer qu'elle a forcé ma tante à le rédiger en sa faveur. Produire un troisième testament écrit sur le lit de mort de la vieille Emily.

— Votre imagination débordante me laisse sans voix, très chère mademoiselle !

— D'accord, mais quelle est votre réponse ? J'ai été suffisamment franche. Si vous m'opposez un refus vertueux, voilà la porte.

— Ce n'est pas un refus vertueux – pas encore, dit Poirot.

Theresa Arundell se mit à rire et me regarda.

— Votre ami, observa-t-elle à l'intention de Poirot, semble choqué. Si nous l'envoyions se promener autour du pâté de maisons ?

Poirot s'adressa à moi avec une pointe d'irritation :

— Hastings, contrôlez, s'il vous plaît, votre belle et droite nature. (Puis, à Theresa :) Je vous prie d'excuser mon ami, exquise mademoiselle. Il est honnête, comme vous l'avez constaté. Mais il est fidèle, aussi, et sa loyauté à mon égard est absolue. En tout cas, laissez-moi insister sur un point. (Il la fixa d'un regard intense.) Quoi que nous fassions, nous resterons dans les limites de la loi.

Les sourcils de Theresa se soulevèrent un tantinet.

— ... La loi, ajouta Poirot d'un ton pensif, nous laissant une bonne marge d'action.

— Je vois, dit-elle avec un petit sourire. Nous considérerons donc cela comme entendu. Voulez-vous que nous discutions de votre part du gâteau – s'il s'avère qu'il y en a un ?

— Là aussi, nous pouvons nous entendre. Quelques jolies petites miettes, c'est tout ce que je demande.

— Marché conclu, dit Theresa.

— Écoutez, très chère petite mademoiselle, reprit Poirot en se penchant en avant, dans quatre-vingt-dix-neuf pour cent des cas, dirons-nous, je suis du côté de la loi. Quant au un pour cent qui reste – eh bien, c'est différent. D'abord, c'est en général bien plus lucratif... Mais il faut s'y prendre avec beaucoup de discrétion, vous l'imaginez. Vraiment beaucoup. Ma réputation ne doit pas en souffrir. Je suis obligé d'être prudent. (Theresa Arundell acquiesça d'un mouvement de tête.) Et il me faut connaître tous les éléments de l'affaire ! Il me faut la vérité ! Vous comprenez que lorsque l'on sait la vérité, on a plus de facilité pour décider quel mensonge raconter au juste !

— Cela semble éminemment raisonnable.

— Dans ce cas, c'est parfait. Voyons, quand les nouvelles dispositions testamentaires ont-elles été prises ?

— Le 21 avril.

— Et les précédentes ?

— Tante Emily les a rédigées il y a cinq ans.

— Et en quoi consistaient-elles ?

— Un legs à Ellen et un autre à une ancienne cuisinière. Le reste de ses biens était partagé entre les enfants de son frère Thomas et de sa sœur Arabella.

— L'argent était-il laissé sous forme de fidéicommis ?

— Non. Nous en avions l'usage immédiat.

— Maintenant, écoutez-moi bien. Étiez-vous tous au courant de cela ?

— Bien sûr, Charles et moi le savions. Et Bella aussi. Tante Emily n'en faisait pas mystère. En fait, chaque fois que l'un d'entre nous lui mendiait un prêt, elle répondait toujours : « Vous aurez tout mon argent quand je serai morte. Contentez-vous de ça. »

— Aurait-elle refusé de vous prêter de l'argent en cas de maladie ou dans des circonstances exceptionnelles ?

— Non, je ne crois pas, répondit doucement Theresa.

— Mais elle estimait que vous en aviez tous assez pour vivre ?

— C'était son opinion, oui.

Il y avait de l'amertume dans sa voix.

— Mais vous n'étiez pas de cet avis ?

Theresa ne répondit pas immédiatement. Puis, elle expliqua :

— Mon père nous a laissé trente mille livres à chacun, à Charles et à moi. Les intérêts de cette somme, qui a fait l'objet de placements sûrs, s'élèvent à environ douze cents livres par an. Une fois les impôts payés, c'est un joli revenu avec lequel on peut vivre très à l'aise. Mais moi, je... (Sa voix changea, son corps mince se raidit, sa tête se renversa légèrement en arrière – toute cette merveilleuse énergie que j'avais sentie en elle ressortait soudain.)... Mais moi, je veux mille fois mieux que cette existence-là ! Je veux ce qu'il y a de meilleur ! Les restaurants les plus gastronomiques, les robes les plus coûteuses et avec le chic en plus – pas seulement des vêtements bêtement à la mode. Je veux vivre à cent à l'heure et m'amuser comme une folle, je veux aller me baigner, l'été, au soleil de la Côte d'Azur, je veux avoir les moyens de m'asseoir à une table de jeu quand l'envie m'en prend et risquer des sommes folles, je veux donner des fêtes – des fêtes sauvages, absurdes, extravagantes –, je veux tout ce qu'offre ce monde déliquescent, et je ne le veux pas dans dix ans... il me le faut tout de suite !

Sa voix sonnait, merveilleusement chaude, entraînante, envoûtante.

Poirot observait son interlocutrice avec infiniment d'attention.

— Et j'imagine que c'est ce qui s'est passé. Vous l'avez eue tout de suite, cette vie ?

— Oui, Hercule, je l'ai eue.

— Et combien vous reste-t-il sur les trente mille livres ?

Elle éclata soudain de rire.

— Deux cent vingt et une livres, quatorze shillings et sept pence. C'est le chiffre exact, sur mon compte. Alors vous voyez, mon petit bonhomme, vous allez être payé aux résultats. Pas de résultats, pas de salaire.

— Dans ce cas, dit Poirot, très terre à terre, il y aura certainement des résultats.

— Vous êtes un superbe petit bonhomme. Hercule. Je suis heureuse qu'on fasse équipe.

Poirot reprit alors, sur un ton très professionnel :

— Il y a quelques menus détails que je dois absolument savoir. Prenez-vous de la drogue ?

— Non, jamais.

— Vous buvez ?

— Pas mal, oui. Mais pas par amour de l'alcool. Mes amis boivent et je fais comme eux, mais je peux arrêter quand je veux.

— Très bien.

Elle se remit à rire :

— Rassurez-vous, Hercule, je ne vendrai pas la mèche un jour où j'aurai un coup dans l'aile !

— Et sur le plan sentimental ? poursuivit Poirot.

— Beaucoup d'aventures, dans le passé.

— Et aujourd'hui ?

— Seulement Rex.

— Le Dr Donaldson ?

— Oui.

— Il paraît pourtant très étranger à la vie que vous décrivez.

— Oh ! il l'est.

— Et cependant, vous tenez à lui. Comment est-ce possible ?

— Qui connaît la raison des choses ? Pourquoi Juliette est-elle tombée amoureuse de Roméo ?

— Avec tout le respect dû à Shakespeare, il se trouve que c'était le premier homme qu'elle rencontrait.

— Je ne peux pas dire que ce soit mon cas avec Rex, murmura Theresa. Il s'en faut de beaucoup. (Elle ajouta, d'une voix encore plus basse :) Mais je crois – je sens – que ce sera le bon.

— Et c'est un homme sans le sou.

Elle acquiesça.

— Il a besoin d'argent, lui aussi ?

— Désespérément. Oh ! pas pour les mêmes raisons que moi. Il ne court pas après le luxe, la beauté ou le plaisir. Non, rien de tout ça. Il serait capable de porter le même complet veston jusqu'à ce qu'il tombe en lambeaux, et de manger tous les jours avec joie une côtelette desséchée, et de se laver dans une baignoire en fer-blanc ébréchée. Avec de l'argent, il achèterait des éprouvettes, et un laboratoire et tout ça. Il est ambitieux. Son travail passe avant tout, et même… avant moi.

— Savait-il que vous alliez hériter, à la mort de Mlle Arundell ?

— Je le lui avais dit. Oh ! après nos fiançailles ! Il ne m'épouse vraiment pas pour ma fortune, si c'est à ça que vous voulez en venir.

— Vous êtes toujours fiancés ?

— Bien sûr que oui.

Poirot n'ajouta rien. Et son silence sembla inquiéter la jeune femme.

— Bien sûr que nous sommes fiancés, répéta-t-elle d'un ton âpre, avant d'ajouter : Vous… Vous l'avez vu ?

— Je l'ai vu hier, à Market Basing.

— Pourquoi ? Qu'est-ce que vous lui avez dit ?

— Je ne lui ai rien dit. Je lui ai simplement demandé l'adresse de votre frère.

— Charles ? (Le ton était redevenu brutal.) Qu'est-ce que vous lui voulez, à Charles ?

— Charles ? Qui demande Charles ?

C'était une nouvelle voix qui posait cette fois la question – une voix masculine particulièrement agréable à l'oreille.

Un jeune homme, bronzé et tout sourire, était entré dans la pièce d'un pas nonchalant.

— On parle de moi ? demanda-t-il. J'ai entendu prononcer mon nom depuis le couloir, mais je n'ai pas collé mon oreille au trou de la serrure. Ils étaient particulièrement pointilleux sur le chapitre des trous de serrure, à Borstal. Bon, maintenant, qu'est-ce qui se passe, Theresa, ma poulette ? Crache le morceau, tu veux ?

## 14

### CHARLES ARUNDELL

Je me dois d'avouer que, dès que je l'aperçus, je ne pus m'empêcher d'éprouver de la sympathie pour Charles Arundell. Il avait l'air si détendu, si désinvolte… Ses yeux pétillaient de malice et j'avais rarement vu sourire plus désarmant.

Il vint s'asseoir sur le bras d'un gros fauteuil rembourré.

— Alors, ma vieille, qu'est-ce qui se passe ? s'enquit-il.

— Je te présente M. Hercule Poirot, Charles. Il est disposé... euh... à faire un sale boulot pour nous en échange d'une modeste rétribution.

— Je proteste ! s'exclama Poirot. Il ne s'agit en aucun cas d'un « sale boulot », comme vous dites. C'est au pire un petit écart sans gravité, destiné à faire respecter les intentions premières de la défunte. Formulons cela ainsi.

— Exprimez-le de la manière que vous voulez, répondit Charles avec amabilité. Je me demande ce qui a poussé Theresa à s'adresser à vous.

— Ce n'est pas elle, se hâta d'expliquer Poirot. Je suis venu ici de mon propre chef.

— Pour proposer vos services ?

— Pas tout à fait. Je cherchais à vous joindre. Votre sœur m'a répondu que vous étiez à l'étranger.

— Theresa est une sœur très prudente, dit Charles. Elle ne commet pratiquement jamais d'erreur. En réalité, elle est méfiante comme une chatte.

Il lui adressa un sourire affectueux, qu'elle ne lui rendit pas. Elle paraissait songeuse, presque inquiète.

— Seulement cette fois-ci, poursuivit Charles, je crains bien que tu ne te sois fourvoyée, comme on dit dans le beau monde. Poirot est connu pour traquer les criminels, certainement pas pour les aider.

— Nous ne sommes pas des criminels, protesta Theresa d'un ton brusque.

— Mais nous sommes tout disposés à le devenir, riposta son frère, toujours affable. J'avais moi-même pensé à une petite contrefaçon – c'est davantage ma spécialité. J'ai été renvoyé d'Oxford à cause d'un léger malentendu à propos d'un chèque. C'était pourtant d'une simplicité enfantine – l'histoire toute bête d'un zéro rajouté. Ensuite, il y a eu une autre entourloupe sans importance avec tante Emily et la banque locale. C'était stupide de ma part, bien sûr. J'aurais dû me rendre compte que notre bien-aimée tantine était maligne comme un singe. Cependant, ce n'étaient là que peccadilles – cinq, dix livres, de cet ordre-là. Seulement, un testament rédigé sur un lit de mort, il faut reconnaître que c'est plus risqué. On devrait mettre la main sur cette enquiquineuse patentée d'Ellen et la… – on dit suborner, je crois ? –, enfin, bon, la persuader de raconter qu'elle a vu Emily l'écrire. Je crains que ce ne soit pas facile, facile. Je pourrais peut-être aller jusqu'à l'épouser… pour qu'elle n'ait plus moyen, ensuite, de témoigner contre moi.

Il adressa à Poirot un sourire désarmant.

— Je suis sûr que vous avez caché un micro quelque part et que, en ce moment, Scotland Yard nous écoute…

— Votre problème m'intéresse, répondit Poirot, d'un ton quelque peu désapprobateur. Évidemment, je ne peux pas être complice d'une action illégale. Mais il y a plus d'une façon de…

Le fait qu'il ne terminât pas sa phrase était éloquent.

Charles Arundell haussa ses élégantes épaules.

— Je ne doute pas, en effet, qu'il y ait de multiples moyens de tourner la loi tout en restant dans la légalité, fit-il remarquer avec amabilité. Vous devez être bien placé pour le savoir.

— Qui a servi de témoin, lors de la rédaction du testament ? J'entends celui du 21 avril.

— Purvis est venu avec son clerc et c'est le jardinier qui a fait office de second témoin.

— Ce document a donc été signé en présence de M. Purvis ?

— Oui.

— Et je suppose que ce Purvis est un homme des plus respectables ?

— L'étude Purvis, Purvis, Charlesworth et encore Purvis est aussi respectable et irréprochable que la Banque d'Angleterre, répondit Charles.

— Ça ne lui a pas vraiment plu de rédiger cet acte, intervint Theresa. Je crois qu'il a même, avec la plus totale correction, tenté de dissuader tante Emily de le faire.

— C'est lui qui t'a dit ça, Theresa ? demanda Charles sèchement.

— Oui, je suis retournée le voir hier.

— Tu as perdu ton temps, ma chérie – et tu le sais aussi bien que moi. Il n'est là que pour se faire du fric au passage.

Theresa haussa les épaules.

— Je vais vous demander, dit Poirot, de me fournir le maximum d'informations sur les dernières semaines de la vie de Mlle Arundell. Et pour commencer, il m'a semblé comprendre que votre frère et vous, ainsi que le Dr Tanios et sa femme, aviez passé les fêtes de Pâques chez elle ?

— Oui, en effet, répondit-elle.

— S'est-il produit un quelconque événement significatif durant ce week-end ?

— Je ne crois pas.

— Rien ? Mais je pensais que…

Interrompant Poirot, Charles lança à sa sœur :

— Ce que tu peux être égocentrique, Theresa ! Rien ne t'est arrivé à toi. Tu nages dans ton roman à l'eau de rose ! Car il faut que je vous dise, monsieur Poirot, que Theresa a un béguin à Market Basing. Un toubib du pays. C'est l'amour qui lui fausse un peu le sens des proportions. En fait, ma tante vénérée a dégringolé la tête la première dans l'escalier et a bien failli passer l'arme à gauche. Si seulement ç'avait pu être le cas ! Ça nous aurait évité toutes ces histoires.

— Elle a fait une chute dans l'escalier ?

— Oui, elle a trébuché sur la balle du chien. L'intelligente bestiole avait abandonné son jouet sur le palier et, en pleine nuit, cette chère tantine a fait la culbute.

— C'était quel jour ?

— Voyons… Mardi… La veille de notre départ.

— Votre tante a-t-elle été gravement blessée ?

— Hélas, elle n'est pas tombée sur la tête. Auquel cas nous aurions pu invoquer un ramollissement cérébral – ou quelque chose d'approchant, je ne connais pas le terme scientifique. Non, elle n'a pratiquement rien eu.

— Quelle déception pour vous ! fit remarquer Poirot, pince-sans-rire.

— Hein ? Oh ! je vois ce que vous voulez dire. Oui, vous avez raison, quelle déception ! Des dures à cuire, ces vieilles biques.

— Et tout le monde est parti le mercredi matin ?

— Exact.

— C'était le mercredi 15. Quand avez-vous revu votre tante, ensuite ?

— Euh… pas le week-end suivant, mais l'autre.

— C'est-à-dire... Laissez-moi réfléchir... le 25. C'est bien ça ?

— Oui, je crois.

— Et votre tante est morte le... ?

— Le vendredi suivant.

— Après être tombée malade le lundi soir ?

— Oui.

— Le lundi où vous êtes partis ?

— Oui.

— Vous n'êtes pas retournés la voir pendant sa maladie ?

— Pas avant le vendredi. Nous ne nous étions pas rendu compte de la gravité de son état.

— Êtes-vous arrivés à temps ? Elle était encore en vie ?

— Non, elle était déjà morte.

Poirot se tourna vers Theresa Arundell.

— Vous étiez avec votre frère, en ces deux occasions ?

— Oui.

— Et au cours du second week-end, la modification du testament n'a pas été évoquée ?

— Non, dit Theresa.

Charles avait répondu en même temps :

— Oh ! que si !

Il s'était exprimé avec la même décontraction que d'habitude, mais sur un ton plus forcé, plus artificiel.

— Ah bon ? fit Poirot.

— Charles ! s'écria Theresa.

Charles évita les yeux de sa sœur et lui parla sans la regarder.

— Tu t'en souviens sûrement, ma belle ? Je t'ai pourtant raconté la scène, non ? Tante Emily a donné dans le style envoi-de-corps-expéditionnaire.

Elle siégeait comme un juge au tribunal. Et elle s'est livrée à une sorte de harangue. Elle a déclaré qu'elle désapprouvait hautement tous les membres de sa famille – à savoir Theresa et moi. Bella, elle la tolérait, elle n'avait rien contre elle, mais d'un autre côté elle ne supportait pas son mari et s'en méfiait comme de la peste. Achetez anglais ! C'était son refrain. Si Bella héritait d'une somme importante, la tantine était convaincue que Tanios trouverait le moyen de mettre la main dessus. Avec un Grec, c'était couru d'avance : « Elle risque beaucoup moins gros comme ça », répétait-elle. Ensuite elle a déclaré qu'on ne pouvait se fier ni à Theresa ni à moi pour les questions d'argent. Nous allions forcément le perdre au jeu ou le jeter par les fenêtres. Et donc, a-t-elle conclu, elle avait rédigé un autre testament et laissait tous ses biens à Mlle Lawson. « Elle est stupide, a-t-elle ajouté ; mais elle, c'est une gourde fidèle. Et je suis certaine qu'elle m'est totalement dévouée. Ce n'est pas de sa faute si elle n'a rien dans le crâne. J'ai estimé que c'était plus honnête de te le dire, Charles, pour que tu saches qu'il ne te sera pas possible d'emprunter de l'argent en te servant de cet héritage comme caution. » Dans le genre coup en vache, c'était servi, vu que c'était justement ce que j'étais en train d'essayer de faire.

— Pourquoi ne m'as-tu parlé de rien, Charles ? demanda Theresa, furieuse.

— Et qu'est-ce que vous lui avez rétorqué, M. Arundell ? s'enquit Poirot.

— Moi ? fit Charles d'un ton désinvolte. Oh ! Je me suis contenté de me tordre de rire. Ça ne sert à rien de se mettre en rogne. C'est la mauvaise méthode. « Comme vous voudrez, tante Emily, lui ai-je répondu. La pilule est un peu dure à avaler, mais après tout, ce fric, c'est le vôtre et vous avez bien le droit d'en disposer comme bon vous semble. »

— Comment votre tante a-t-elle réagi à ça ?

— Oh ! elle l'a bien encaissé, très bien, même. Elle a dit : « Tu es beau joueur ; Charles. » Ce à quoi j'ai répliqué : « Il faut savoir prendre les choses comme elles viennent. D'ailleurs, puisque maintenant je n'ai plus rien à attendre, pourquoi ne me donneriez-vous pas dix livres tout de suite ? » Elle m'a traité d'insolent et de voyou – sur quoi, je suis quand même reparti avec cinq livres en poche.

— Vous avez fort intelligemment dissimulé vos sentiments.

— En réalité, je n'avais pas pris tout tellement au sérieux.

— Vraiment ?

— Je vous jure, sur le moment, j'ai cru qu'il s'agissait de ce qu'on pourrait qualifier de « coup de semonce » de la vieille chouette. Elle voulait ficher la trouille à tout le monde. J'avais l'impression très nette qu'au bout de quelques semaines, de quelques mois tout au plus, elle allait déchirer cette version-là du testament. Elle était très famille, tante Emily. Et en fait, je crois que c'est exactement ce qu'elle aurait fait, si elle n'était pas morte si étrangement vite.

— Tiens ! dit Poirot, voilà une idée intéressante. (Il resta silencieux un instant, puis il reprit :) Se peut-il que quelqu'un, Mlle Lawson, par exemple, ait surpris votre conversation ?

— C'est possible. Nous ne parlions pas spécialement à voix basse. En fait, la mère Lawson traînait devant la porte quand je suis sorti. À mon avis, elle était restée vissée un moment au trou de serrure.

Poirot considéra Theresa d'un air pensif.

— Et vous, vous ne saviez rien de tout ça ?

Charles ne lui laissa pas le temps de répondre :

— Theresa, ma vieille, je suis sûr de te l'avoir raconté – ou au moins d'y avoir fait allusion.

Il y eut un silence étrange. Charles regardait sa sœur fixement, avec une anxiété, une immobilité, qui semblaient disproportionnées par rapport à cette question.

— Si tu m'en avais parlé, répondit lentement Theresa, je ne crois pas que je l'aurais oublié. Qu'en pensez-vous, monsieur Poirot ?

Ses sombres yeux en amande se posèrent sur mon ami, qui répliqua tout aussi lentement :

— Je doute fort, en effet, que vous ayez pu l'oublier, mademoiselle Arundell.

Puis, se tournant brusquement vers Charles :

— Permettez-moi de préciser un point. Emily Arundell vous a-t-elle dit qu'elle allait modifier son testament ou vous a-t-elle expressément annoncé que c'était déjà fait ?

— Elle a été on ne peut plus claire, répondit vivement le jeune homme. D'ailleurs, ce chiffon de papier, elle me l'a montré.

Poirot se pencha en avant et le transperça du regard.

— Ce point est essentiel. Vous dites que Mlle Arundell vous a montré le testament ?

Charles s'agita soudain comme un écolier pris en faute. Le sérieux de Poirot le mettait mal à l'aise.

— Oui, répéta-t-il. Elle me l'a montré.

— Vous pouvez le jurer ?

— Bien sûr ! (Il lui lança un coup d'œil nerveux.) Je ne vois pas pourquoi c'est si important.

Theresa se leva brusquement et s'appuya contre la cheminée. Elle alluma avec fébrilité une autre cigarette.

— Et à vous, mademoiselle ? Votre tante ne vous a-t-elle rien dit d'intéressant pendant ce week-end ?

— N-n-non… Elle s'est montrée… plutôt aimable. Enfin, aussi aimable qu'elle en était capable. Elle m'a un peu fait la morale sur ma façon de vivre… et tout ça. Mais c'était à chaque fois la même chanson. Elle m'a juste semblé un peu plus nerveuse que d'habitude.

— Je suppose, mademoiselle, que votre fiancé vous occupait davantage l'esprit, suggéra Poirot en souriant.

— Il n'était pas là, répondit-elle sèchement. Il s'était rendu à un congrès de médecine.

— Vous ne l'aviez pas vu depuis le week-end de Pâques ? C'était la dernière fois que vous vous étiez trouvés ensemble ?

— Oui. Il était venu dîner la veille de notre départ.

— Au cours de ce dîner, vous ne vous êtes pas… – pardonnez-moi ma question –, vous ne vous êtes pas disputés ?

— Absolument pas.

— Puisqu'il ne s'est pas montré le second week-end, je pensais que…

— Ah ! mais voyez-vous, ce second week-end n'était pas vraiment prévu, l'interrompit Charles. Nous n'avons décidé d'y aller qu'au tout dernier moment.

— Ah bon ?

— Bon ! après tout, pourquoi ne pas dire la vérité ? soupira Theresa d'un ton las. Voyez-vous, Bella et son mari s'y étaient rendus la semaine précédente – ils avaient été aux petits soins avec tante Emily à cause de son accident. Nous avons pensé qu'ils allaient nous couper l'herbe sous le pied.

— Nous nous sommes dit, ajouta Charles avec un sourire, que nous ferions bien de montrer aussi quelque intérêt pour la santé de tante Emily. Mais en réalité, la vieille était bien trop maligne pour être dupe de ces attentions soudaines. Elle savait à quoi s'en tenir. Elle n'était pas née de la dernière pluie, tante Emily.

Theresa éclata de rire.

— Édifiant, n'est-ce pas ? Vous nous imaginez, tous, en train de tirer la langue en attendant son argent !

— C'était le cas aussi pour votre cousine et son mari ?

— Oh ! oui ! Bella est perpétuellement fauchée. C'est pathétique de voir comment elle meurt d'envie de copier mes vêtements pour un huitième de leur prix… Je crois que Tanios a spéculé en bourse avec la fortune de sa femme. Ils ont un mal de chien à joindre les deux bouts. Ils ont eu deux gosses et ils veulent les voir faire leurs études en Angleterre.

— Vous pouvez peut-être m'indiquer leur adresse ? demanda Poirot.

— Ils sont descendus à l'hôtel *Durham*, à Bloomsbury.

— Elle est comment, votre cousine ?

— Bella ? Hum ! Elle est pénible. Pas vrai, Charles ?

— Elle est ennuyeuse comme la pluie. Et c'est une enquiquineuse. Mais une mère attentionnée. Comme la plupart des enquiquineuses.

— Et son mari ?

— Tanios ? Oh ! il a l'air un peu bizarre, mais au fond, c'est un type sympathique. Intelligent, drôle et tout ce qu'il y a de fair-play.

— C'est aussi votre avis, mademoiselle ?

— Je dois avouer que je le préfère à Bella. Je crois aussi que c'est un sacré bon toubib. Il n'empêche que je n'ai pas une très grande confiance en lui.

— Theresa n'a confiance en personne, intervint Charles, en passant le bras autour des épaules de sa sœur. Même pas en moi.

— Seul un débile mental, mon ange, pourrait se fier à toi, rétorqua gentiment Theresa.

Le frère et la sœur s'écartèrent l'un de l'autre et regardèrent Poirot.

Celui-ci les salua et se dirigea vers la porte.

— Je me colle – ainsi que vous diriez – sur l'affaire ! Ce ne sera ni plaisant ni commode, mais mademoiselle a raison. Il y a toujours une solution. Au fait, cette Mlle Lawson serait-elle du genre à perdre son sang-froid au cours d'un interrogatoire au tribunal ?

Charles et Theresa échangèrent un coup d'œil.

— À mon avis, répondit Charles, un avocat qui la secouerait un peu serait capable de lui faire dire que le blanc est noir – et vice versa.

— Voilà un trait de caractère qui pourrait se révéler d'une extrême utilité, conclut Poirot.

Il quitta la pièce d'un pas léger, et je le suivis. Dans le vestibule, il récupéra son chapeau, se dirigea vers la porte d'entrée, l'ouvrit et la referma aussitôt avec bruit. Puis il revint sur la pointe des pieds jusqu'à la porte du salon et colla sans vergogne son oreille dans l'entrebâillement. Quelles écoles il a bien pu fréquenter, je l'ignore – mais l'on n'y condamnait apparemment pas l'indiscrétion. J'étais horrifié par son attitude, mais impuissant. Il ne prêta aucune attention aux gestes pressants que je lui adressai.

Ce fut alors que l'on entendit très nettement la voix profonde et vibrante de Theresa Arundell prononcer un mot, un seul :

— Imbécile !

Puis il y eut un bruit de pas dans le couloir, et Poirot m'empoigna par le bras, ouvrit la porte d'entrée, franchit le seuil en m'entraînant avec lui et referma silencieusement derrière nous.

# 15

## MLLE LAWSON

— Poirot, demandai-je, est-il vraiment indispensable que nous écoutions aux portes ?

— Calmez-vous, mon bon ami. Je suis le seul à l'avoir fait. Ce n'est pas vous qui avez collé votre oreille à celle-là. Au contraire, vous êtes resté debout, au garde-à-vous, comme un vrai petit soldat.

— Mais j'ai aussi bien entendu que vous.

— C'est vrai. On ne peut pas dire que cette aimable jeune personne murmurait.

— Elle croyait que nous avions quitté l'appartement.

— Oui, et là, en effet, nous nous sommes rendus coupables d'une légère indiscrétion, reconnut Poirot.

— Je n'aime pas ce genre de choses.

— Votre moralité est irréprochable ! Mais inutile de nous répéter. Ce n'est pas la première fois que nous avons cette conversation. Vous allez me dire que ce n'est pas jouer franc jeu. Et je vais vous répondre qu'un meurtre n'est pas un jeu.

— Mais il n'est pas question de meurtre, ici…

— N'en soyez pas si sûr.

— L'intention y est peut-être, oui. Mais, après tout, il ne faut pas confondre un assassinat et une tentative d'assassinat.

— Moralement, cela revient au même. Ce que je voulais dire, c'est : êtes-vous bien certain que nous n'avons affaire qu'à une tentative de meurtre ?

Je le dévisageai.

— Mais la mort de la vieille Mlle Arundell est parfaitement naturelle !

— Je répète : en êtes-vous certain ?

— Tout le monde le dit !

— Tout le monde ? Oh ! là, là !

— Le docteur le dit, fis-je remarquer. Le Dr Grainger. Il est bien placé pour le savoir.

— Oui, en effet, il est bien placé, admit Poirot de mauvaise grâce. Mais rappelez-vous, Hastings, il arrive que des corps soient exhumés – et pourtant, à chaque fois, un certificat de décès en bonne et due forme avait été délivré par le médecin traitant.

— Mais dans le cas présent, Mlle Arundell est morte à l'issue d'une longue maladie.

— Il semble bien, oui.

Poirot n'avait toujours pas l'air satisfait. Je l'observai avec attention.

— Poirot, dis-je, moi aussi je vais commencer une phrase par « Êtes-vous bien certain ? ». Êtes-vous bien certain que vous ne vous laissez pas emporter par votre zèle professionnel ? Vous voulez qu'il y ait eu meurtre, et donc vous pensez qu'il faut qu'il y en ait eu un.

Le visage de Poirot était de plus en plus sombre. Il hocha lentement la tête.

— Votre remarque est loin d'être stupide, Hastings. Vous avez mis le doigt sur mon point faible. Le meurtre est mon métier. Je suis comme un grand chirurgien qui se spécialise, disons, dans les opérations de l'appendice ou autres interventions plus délicates. Lorsqu'un patient vient le consulter, il ne le considère que du point de vue de sa spécialité. Y a-t-il une raison de penser que cette personne souffre de telle ou telle maladie… ? Je suis comme ça. Je suis toujours en train de me demander : « Se pourrait-il que ce soit un meurtre ? » Et voyez-vous, mon bon ami, il y a presque toujours une possibilité que ce soit bel et bien le cas.

— Je ne pense pas que cette possibilité existe, ici, remarquai-je.

— Mais elle est morte, Hastings ! Vous ne pouvez nier ce fait. Elle est morte !

— Sa santé était précaire. Elle avait plus de soixante-dix ans… Ce décès me semble donc parfaitement naturel.

— Et vous semble-t-il aussi parfaitement naturel que Theresa Arundell traite son frère d'imbécile avec une telle violence ?

— Qu'est-ce que ça vient faire là-dedans ?

— C'est primordial ! Dites-moi, qu'avez-vous pensé des déclarations de M. Charles Arundell – quand il jure que sa tante lui a montré son dernier testament ?

— Et vous ? répliquai-je en l'observant avec prudence.

Après tout, pourquoi Poirot serait-il toujours le seul à poser des questions ?

— J'ai trouvé cela très intéressant – oui, très intéressant, c'est le mot. Et j'ai apprécié aussi la réaction de Mlle Theresa Arundell à cette affirmation. Leur passe d'armes en disait long, très long.

— Hum…, fis-je, sibyllin.

— Cela nous ouvre deux pistes bien distinctes.

— Le frère et la sœur m'ont tout l'air de faire une fameuse paire de canailles, remarquai-je. Ils sont prêts à tout. La fille est d'une beauté renversante. Quant au jeune Charles, c'est un vaurien dont le charme doit faire des ravages.

Poirot héla un taxi, qui vint se ranger contre le trottoir, et donna une adresse au chauffeur :

— 17 Clanroyden Mansions, Bayswater.

— Alors, c'est au tour de Lawson, observai-je. Et ensuite… les Tanios ?

— Exact, Hastings.

— Quel rôle allez-vous jouer, cette fois ?, demandai-je alors que le taxi s'arrêtait devant Clanroyden Mansions. Le biographe du général Arundell ? L'éventuel locataire de Littlegreen House ? Ou quelque chose d'encore plus mystérieux ?

— Je me présenterai simplement comme Hercule Poirot.

— Quelle horrible déception ! fis-je d'un ton moqueur.

Poirot me foudroya du regard et régla le taxi.

Le n° 17 se trouvait au second étage. Une domestique à l'air effronté nous ouvrit et nous introduisit dans une pièce qui nous parut le comble du grotesque après celle que nous venions de quitter.

L'appartement de Theresa Arundell était dépouillé, presque vide. En revanche, celui de Mlle Lawson était si encombré de meubles et de bibelots chichiteux que l'on pouvait à peine y bouger sans risquer de renverser quelque chose.

La porte s'ouvrit et une femme dans la cinquantaine, assez corpulente, entra. Mlle Lawson correspondait parfaitement à l'image que je me faisais d'elle. Elle avait l'air un tantinet exaltée, l'œil stupide, le cheveu grisonnant mal coiffé et le pince-nez un peu de travers. Elle s'exprimait de manière saccadée et sur un ton haletant.

— Bonjour… Euh… Je ne crois pas…

— Mlle Wilhelmina Lawson ?

— Oui… Oui… C'est bien moi.

— Je m'appelle Poirot, Hercule Poirot. Hier, j'ai visité Littlegreen House.

— Ah, oui ?

La bouche de Mlle Lawson s'ouvrit quelque peu ; notre hôtesse tapota en vain ses cheveux pour essayer d'y mettre un peu d'ordre.

— Ne voulez-vous pas… ne voulez-vous pas vous asseoir ? poursuivit-elle. Prenez ce siège, voulez-vous ? Oh ! mon dieu, cette table… j'ai peur qu'elle vous gêne. Je suis un peu encombrée, ici. C'est difficile ! Ces appartements ! Celui-ci est tellement minuscule. Mais tellement central ! Et j'adore les endroits centraux ? Pas vous ?

Elle s'assit, le souffle court, dans un fauteuil victorien d'allure inconfortable et, le pince-nez toujours de travers, se pencha en haletant de plus belle et lança à Poirot un regard de noyée.

— Je me suis rendu à Littlegreen sous les traits d'un acheteur éventuel, reprit Poirot. Mais je voudrais vous prévenir tout de suite – et ceci à titre strictement confidentiel…

— Oh ! oui, murmura Mlle Lawson, apparemment au comble du ravissement.

— C'est donc à titre strictement confidentiel, continua Poirot, que je suis allé là-bas dans une autre intention. Peut-être l'ignorez-vous, mais, peu de temps avant sa mort, Mlle Arundell m'a écrit…

Il se tut un instant, puis ajouta :

— Je suis un détective privé fort connu.

Diverses expressions passèrent sur le visage légèrement empourpré de Mlle Lawson. Je me demandai laquelle Poirot jugerait révélatrice pour son enquête. Peur, agitation, surprise, perplexité…

— Oh ! fit-elle. (Puis, après un silence, elle répéta :) Oh !

Et, soudain, de manière tout à fait inattendue, elle demanda :

— Est-ce que c'était à propos de l'argent ?

Poirot lui-même en fut un peu étonné. Il avança, hésitant :

— Vous voulez dire l'argent qui…

— Oui, oui. L'argent, dans le tiroir… l'argent qui a disparu ?

Poirot répondit alors avec calme :

— Mlle Arundell ne vous a pas dit qu'elle m'avait écrit au sujet de cet argent ?

— Non, absolument pas. Je n'en avais pas la moindre idée… Mais je… euh… En fait, je dois avouer que… que cela me surprend beaucoup…

— Vous pensiez qu'elle n'en avait parlé à personne ?

— Je n'aurais jamais imaginé… jamais imaginé qu'elle l'ait dit à qui que ce soit. Vous comprenez, elle savait très bien…

Elle se tut de nouveau. Poirot s'empressa de terminer sa phrase à sa place :

— Elle savait très bien qui l'avait pris. C'est ce que vous diriez, n'est-ce pas ?

Mlle Lawson acquiesça d'un signe de tête et poursuivit, le souffle court :

— Et je n'aurais jamais cru... jamais cru qu'elle désirerait... Enfin, je veux dire, elle a dit... Enfin, elle semblait penser...

Poirot, une fois encore, interrompit son discours incohérent :

— ... Que c'était une affaire de famille ?

— Exactement.

— Mais moi, déclara Poirot, je suis spécialisé dans les affaires de famille. Je suis, voyez-vous, extrêmement discret.

Mlle Lawson hocha la tête avec la plus grande énergie.

— Oh ! bien sûr... cela fait... cela fait une différence. Ce n'est pas comme... comme la police.

— Non, non. Je n'ai absolument rien de commun avec la police. Cela n'aurait pas convenu du tout.

— Oh ! c'est bien vrai. Cette chère Mlle Arundell était si altière ! Bien sûr, elle avait déjà eu des problèmes avec Charles, mais tout a toujours été étouffé. Une fois, je crois, il a même été obligé de partir pour l'Australie !

— Exactement, dit Poirot. Donc, dans l'affaire qui nous occupe, les faits sont les suivants, n'est-ce pas ? Mlle Arundell avait une somme d'argent rangée dans un tiroir...

Il se tut. Mlle Lawson s'empressa de confirmer ses dires.

— Oui. De l'argent tout juste sorti de la banque. Pour les affaires, voyez-vous, et les dépenses courantes.

— Et combien manquait-il, au juste ?

— Quatre billets d'une livre. Non, non, je me trompe, trois billets d'une livre et deux de dix shillings. On doit être précis, je sais, très précis, quand il est question d'argent.

Mlle Lawson jeta à Poirot un regard empreint de gravité et, à son insu, son pince-nez glissa encore un peu plus. Ses yeux globuleux semblaient lui sortir de la tête.

— Merci, Mlle Lawson. Je vois que vous avez un excellent sens des affaires.

Elle se rebiffa légèrement et étouffa un petit rire désapprobateur.

— Et Mlle Arundell a soupçonné, sans doute à juste titre, son neveu Charles, d'être l'auteur de ce larcin ? reprit Poirot.

— Oui.

— Bien qu'il n'y ait aucune preuve d'aucun genre permettant de dire qui a dérobé cet argent ?

— Oh ! mais ça ne pouvait être que Charles ! Mme Tanios aurait été incapable d'une aussi vilaine action et son mari, pratiquement étranger à cette maison, ne savait pas où l'on mettait l'argent liquide – Mme Tanios non plus, d'ailleurs. Et je ne crois pas que Theresa aurait pu avoir une idée pareille. Elle est riche et toujours si bien habillée !

— Ç'aurait pu être une des bonnes, suggéra Poirot.

Cette idée parut horrifier son interlocutrice.

— Oh ! non, vraiment, ni Ellen ni Annie n'auraient même pensé à ça ! Ce sont toutes deux des femmes de haute tenue morale et foncièrement honnêtes, j'en jurerais.

Poirot garda le silence un instant, puis il reprit :

— Peut-être pourriez-vous me donner une idée – et je suis certain que vous en êtes capable, car si quelqu'un avait la confiance de Mlle Arundell, c'est bien vous…

— Oh ! je ne sais pas trop, murmura-t-elle, confuse, mais visiblement flattée…

— Oui, je sens que vous allez pouvoir m'aider, insista Poirot.

— Oh ! bien sûr, si je peux… Je ferai tout mon possible…

— Ceci restera entre nous, poursuivit Poirot.

Elle le regarda avec solennité. L'expression magique « entre nous » semblait pour elle une sorte de « Sésame ouvre-toi ».

— Avez-vous la moindre idée de ce qui a poussé Mlle Arundell à modifier son testament ?

— Son testament ? Oh !… Son testament ?

Mlle Lawson paraissait un peu interloquée.

Poirot ajouta, en l'observant attentivement :

— Est-il vrai qu'elle a rédigé un autre testament pas très longtemps avant sa mort, aux termes duquel elle vous laissait toute sa fortune ?

— Oui, mais je n'en savais rien. Rien du tout ! protesta Mlle Lawson d'une voix aiguë. Ça a été pour moi la plus bouleversante des surprises ! Une merveilleuse surprise, bien sûr ! C'était si généreux de la part de Mlle Arundell ! Et elle n'y avait jamais fait allusion. Pas la moindre petite allusion, non. Quand M. Purvis a lu le testament, j'ai été si stupéfaite que je ne savais plus où me mettre ; je me demandais s'il fallait rire ou pleurer ! Je vous assure, monsieur Poirot, ça a été un véritable choc ! Un véritable choc, vous voyez. La bonté – la merveilleuse bonté de cette chère Mlle Arundell ! Évidemment, j'espérais recevoir un petit quelque chose – peut-être un minuscule, tout minuscule legs –, encore que, bien sûr, il n'y avait pas de raison pour qu'elle me laisse quoi que ce soit. Je n'étais pas à son service depuis très longtemps. Mais cela… C'était comme… C'était comme un conte de fées ! Aujourd'hui encore, je ne parviens toujours pas à y croire tout à fait, si vous voyez ce que je veux dire. Et parfois, eh bien parfois, je me sens un peu mal à l'aise à ce sujet. Je veux dire… eh bien, je veux dire…

Elle fit tomber son pince-nez, le ramassa, le manipula avec nervosité, et reprit, encore plus confuse :

— Parfois je sens que… ma foi, les liens du sang sont les liens du sang, après tout, et l'idée que Mlle Arundell ait légué tout son argent à quelqu'un qui n'est pas de sa famille me met mal à l'aise, voilà. Je veux dire, ça ne semble pas juste, n'est-ce pas ? Qu'elle m'ait tout laissé ! Une fortune si importante, aussi ! Personne n'imaginait ça ! Mais… Eh bien… Ça fait qu'on se sent gêné… avec tous ces racontars, vous voyez… Et je vous assure que je n'ai jamais été quelqu'un de mal intentionné ! Je veux dire, il ne me serait jamais venu à l'idée d'influencer Mlle Arundell d'une façon quelconque. D'ailleurs, j'en aurais été bien incapable… À dire le vrai, elle m'a toujours un peu effrayée. Elle était si sévère, vous savez, toujours prête à vous épingler. Et même impolie, parfois. « Ne soyez pas complètement stupide ! », disait-elle d'un ton sec. Et vraiment, après tout, j'ai ma dignité, et des fois j'étais vexée… Et puis voilà que je découvre que pendant tout ce temps, elle m'aimait bien quand même – ma foi, c'était absolument extraordinaire, non ? Sauf que, bien sûr, je vous l'ai dit, on a débité beaucoup de méchancetés, et en réalité, d'une certaine façon, c'est vrai que ça peut paraître – je veux dire, eh bien, ça peut sembler un peu inconfortable, n'est-ce pas, pour certains ?

— Vous préféreriez renoncer à cet argent, c'est ça ? demanda Poirot.

L'espace d'un instant, je crus voir une expression totalement différente passer dans les yeux pâles et sans éclat de Mlle Lawson. J'imaginai, juste une seconde, que j'avais en face de moi quelqu'un de rusé et d'intelligent, au lieu de cette femme aimable et stupide.

Elle répondit avec un petit rire :

— Euh… Bien sûr, il faut voir aussi l'autre aspect des choses… Je veux dire, il y a toujours le pour et le contre, dans une question… Je veux dire que Mlle Arundell voulait que ce soit moi qui aie cet argent. J'entends par là que si je ne le prends pas, je vais contre ses volontés. Et ce ne serait pas bien non plus, n'est-ce pas ?

— C'est un problème délicat, admit Poirot en secouant la tête.

— Oui, en effet, ça m'a beaucoup tourmentée. Mme Tanios – Bella – est une femme si gentille. Et ces chers enfants ! Je veux dire, je suis certaine que Mlle Arundell n'aurait pas voulu qu'elle… J'ai le sentiment, voyez-vous, que cette chère Mlle Arundell a choisi de me laisser toute liberté d'action… Elle n'a pas souhaité léguer de l'argent directement à Bella, parce qu'elle craignait que cet homme ne s'en empare.

— Quel homme ?

— Son mari. Vous savez, monsieur Poirot, la pauvre fille est complètement sous sa coupe. Elle fait rigoureusement tout ce qu'il lui demande. J'oserais même dire qu'elle serait capable d'assassiner quelqu'un s'il le lui ordonnait ! Et elle a peur de lui. Je suis certaine qu'elle a peur de lui. J'ai surpris plusieurs fois son regard – un regard terrifié. Et ça, vraiment, ce n'est pas normal, monsieur Poirot – vous ne pouvez pas dire que c'est normal.

Et Poirot ne dit rien de tel, en effet. Au lieu de quoi, il demanda :

— Ce Dr Tanios, quel genre d'homme est-ce ?

— Eh bien, répondit Mlle Lawson avec hésitation, il est très agréable.

Elle se tut, l'air peu convaincu.

— Mais vous n'avez pas confiance en lui ? insista Poirot.

— Eh bien, je crois que je me méfie un peu des hommes en général ! poursuivit Mlle Lawson avec hésitation. On entend dire tant d'horreurs sur leur compte ! Et quand on songe ce que leurs pauvres épouses doivent supporter ! C'est terrifiant, terrifiant ! Bien sûr, le Dr Tanios fait semblant d'être très attaché à sa femme, et il affecte d'être charmant avec elle. Il a d'ailleurs des manières exquises. Mais les étrangers, je ne m'y fie pas. Ils sont si rusés ! Et je suis sûre et certaine que la chère Mlle Arundell ne voulait pas qu'il mette le grappin sur son argent !

— Mais c'est affreux aussi pour Theresa et Charles Arundell d'être déshérités, suggéra Poirot.

Le visage de Mlle Lawson se colora quelque peu.

— Je crois que Theresa a autant d'argent qu'il lui en faut ! répondit-elle d'un ton acerbe. Elle dépense des centaines de livres rien que pour ses vêtements. Quant à ses sous-vêtements – c'est un scandale ! Quand on pense que tant de jeunes filles méritantes et bien élevées sont obligées de travailler pour vivre…

Poirot compléta doucement cette dernière phrase :

— Vous considérez que ça ne lui ferait pas de mal d'en faire autant ?

— Ça lui ferait même le plus grand bien, déclara-t-elle en lui jetant un regard solennel. Ça lui mettrait un peu de plomb dans la cervelle. L'adversité est une bonne école.

Poirot hocha lentement la tête en signe d'acquiescement. Il observait toujours son interlocutrice de très près.

— Et Charles ?

— Charles ne mérite pas un sou, dit-elle avec brusquerie. Si Mlle Arundell l'a déshérité, il ne l'a pas volé – après les horribles menaces qu'il a proférées.

— Des menaces ? répéta Poirot en écarquillant les yeux.

— Oui, des menaces.

— Quelles menaces ? Quand a-t-il fait ça ?

— Voyons, c'était... Oui, bien sûr, c'était à Pâques. En fait, c'était le dimanche de Pâques... Ce qui aggrave encore son cas !

— Que lui a-t-il dit au juste ?

— Il lui a demandé de l'argent et elle a refusé de lui en donner. Et alors, il lui a dit que c'était imprudent de sa part. Et que si elle persistait dans cette voie, il – attendez, comment a-t-il formulé ça, déjà ? une expression américaine très vulgaire – oh ! oui, il a dit qu'il la liquiderait.

— Il a menacé de la *liquider* ?

— Oui.

— Et qu'a répondu Mlle Arundell ?

— Elle a dit : « Je crois que tu vas découvrir que je suis capable de me défendre. »

— Vous vous trouviez dans la pièce, à ce moment-là ?

— Pas exactement dans la pièce, répondit Mlle Lawson, après un bref silence.

— Je comprends, je comprends, s'empressa d'ajouter Poirot. Et Charles, comment a-t-il réagi ?

— Il a ajouté : « N'en soyez pas si sûre. »

— Mlle Arundell a-t-elle pris cet avertissement au sérieux ? demanda lentement Poirot.

— Eh bien, je ne sais pas... Elle ne m'en a pas parlé... Mais, de toute façon, s'inquiéter n'était pas son genre.

— Bien sûr, poursuivit Poirot avec calme, vous saviez qu'elle allait modifier son testament ?

— Non, non. Je vous l'ai dit. Ça a été une surprise totale. Je n'aurais jamais imaginé...

— Vous ne connaissiez pas le détail des nouvelles dispositions, l'interrompit Poirot. Mais vous étiez au courant des faits – qu'elle était en train de modifier ses dernières volontés.

— Euh... Je m'en doutais. Je veux dire... Elle a appelé le notaire alors qu'elle gardait le lit.

— Exactement. C'était juste après sa chute dans les escaliers, n'est-ce pas ?

— Oui, Bob – Bob, c'est le chien – avait laissé traîner sa balle sur le palier. Elle a trébuché dessus et elle est tombée.

— Un vilain accident.

— Oh ! oui ! Pensez donc ! Elle aurait pu facilement se casser une jambe ou un bras. C'est ce qu'a dit le médecin.

— Elle aurait tout aussi bien pu se tuer.

— Oui, en effet.

Elle avait répondu, semblait-il, sur un ton parfaitement naturel et avec une totale franchise.

— Je crois que j'ai vu maître Bob à Littlegreen, dit Poirot en souriant.

— Oh ! oui, vous avez dû le voir. C'est un brave petit toutou, un bon petit Bobbychounet.

Rien ne m'était plus insupportable que d'entendre traiter un superbe terrier de « brave petit toutou et de Bobbychounet ». Pas étonnant, pensai-je, que Bob méprisât Mlle Lawson et refusât de lui obéir.

— Et il est très intelligent ? poursuivit Poirot.

— Oh ! oui, très.

— Il serait très triste s'il savait qu'il a failli tuer sa maîtresse ?

Mlle Lawson ne répondit pas. Elle se contenta de secouer la tète en soupirant.

— Croyez-vous possible que cette chute explique que Mlle Arundell ait modifié son testament ? demanda Poirot.

Je me dis que, là, nous approchions dangereusement du cœur du problème, mais Mlle Lawson parut trouver cette question normale.

— Vous savez, ça ne m'étonnerait pas que vous ayez raison. Ça lui a fait un choc – c'est sûr. Les personnes âgées n'ont jamais aimé penser à leur mort. Mais un accident comme celui-là fait réfléchir. Ou peut-être a-t-elle eu la prémonition que sa disparition était proche.

Poirot demanda alors, l'air de rien :

— Elle était en assez bonne santé, je crois ?

— Oh ! oui ! Elle allait bien.

— Sa maladie a dû se déclarer très brusquement ?

— Oh ! oui ! Ça nous a tous pris par surprise. Nous avions reçu quelques amies, ce soir-là…

Mlle Lawson se tut.

— Vos amies, les demoiselles Tripp. Je les ai rencontrées. Elles sont charmantes.

— Oui, n'est-ce pas ? s'exclama-t-elle, rougissant de plaisir. Des femmes si cultivées ! Elles s'intéressent à tant de choses. Et si mystiques ! Elles ont sans doute évoqué... nos séances ? Je suppose que vous manifestez un certain scepticisme, mais vraiment, j'aimerais réussir à vous faire comprendre la joie inexprimable qu'il y a à communiquer avec nos chers disparus !

— J'en suis persuadé. Persuadé.

— Vous savez, monsieur Poirot, ma mère m'a parlé... et plus d'une fois. C'est un tel plaisir de savoir que les défunts que nous aimons pensent encore à nous et qu'ils veillent sur nous.

— Oui, oui, je le conçois sans peine, dit Poirot avec douceur. Est-ce que Mlle Arundell était aussi une adepte ?

Le visage de Mlle Lawson se rembrunit un peu.

— Elle ne demandait qu'à être convaincue, répondit-elle d'un ton mal assuré. Mais je ne crois pas qu'elle ait toujours abordé la question avec l'état d'esprit convenable. Elle était sceptique – et à une ou deux reprises son attitude incrédule a attiré une catégorie d'esprits fort indésirables ! Nous avons reçu des messages très grivois – tous dus, j'en suis certaine, au comportement de Mlle Arundell.

— Je le crois aussi bien volontiers, admit Poirot.

— Mais, au cours de cette dernière séance, reprit Mlle Lawson – peut-être qu'Isabel et Julia vous l'ont raconté ? –, il y a eu des phénomènes très nets. À vrai dire, le début d'une matérialisation. Un ectoplasme – peut-être savez-vous ce qu'est un ectoplasme ?

— Oui, oui, je suis au courant.

— Cela sort de la bouche du médium, voyez-vous, comme un ruban et cela prend forme peu à peu. À présent, je suis certaine, monsieur Poirot, que Mlle Arundell était médium, mais qu'elle ne s'en doutait pas. Ce soir-là, j'ai vu distinctement un ruban lumineux naître entre les lèvres de cette chère Mlle Arundell ! Et ensuite, un brouillard phosphorescent a enveloppé sa tête.

— C'est très intéressant !

— Et puis, hélas ! Mlle Arundell s'est sentie mal tout à coup, et il a fallu interrompre la séance.

— Vous avez appelé le médecin… quand ça, au juste ?

— C'est la première chose que nous ayons faite le lendemain matin.

— A-t-il considéré que la situation était grave ?

— Il a fait venir une infirmière, dans la soirée, mais à mon avis il pensait que Mlle Arundell s'en tirerait.

— Excusez-moi, mais n'a-t-on pas prévenu la famille ?

— Si, dès que possible, répondit Mlle Lawson en rougissant. C'est-à-dire dès que le Dr Grainger a déclaré que ses jours étaient en danger.

— Qu'est-ce qui a provoqué cette crise ? Quelque chose qu'elle avait mangé ?

— Non, je ne pense pas que ce soit quelque chose de particulier. Le Dr Grainger a expliqué qu'elle n'avait pas suivi son régime comme elle aurait dû. Il estimait, je crois, que son attaque avait été provoquée par un coup de froid. Le temps était traître, à ce moment-là.

— Theresa et Charles étaient venus pour le week-end, n'est-ce pas ?

— Oui, confirma Mlle Lawson avec une moue.

— La visite ne s'est pas très bien passée, suggéra Poirot en l'observant.

— Ah, ça non ! répondit-elle sur un ton venimeux. Mlle Arundell savait bien pourquoi ils étaient là !

— C'est-à-dire ? demanda Poirot, sans cesser de la regarder.

— L'argent ! dit Mlle Lawson avec brusquerie. Et ils ne l'ont pas eu.

— Non ? fit Poirot.

— Et je crois que c'est aussi ce après quoi courait le Dr Tanios, poursuivit-elle.

— Le Dr Tanios ? Il n'est pas venu ce week-end-là, non ?

— Mais si. Il est arrivé le dimanche. Mais il n'est resté qu'une petite heure.

— Il me semble que tout le monde en voulait à l'argent de cette pauvre Mlle Arundell..., hasarda Poirot.

— Je sais. Ce n'est pas une pensée très agréable, n'est-ce pas ?

— En effet, murmura Poirot. Ce week-end-là, Charles et Theresa Arundell ont dû ressentir un sacré choc lorsqu'ils ont découvert que leur tante les avait déshérités !

Mlle Lawson fixa Poirot, qui ajouta :

— Ce n'est pas vrai ? Elle ne leur a pas annoncé la nouvelle ?

— Ça, je ne saurais dire. Moi, je n'ai rien entendu. Mais pour autant que je sache, il n'y a pas eu esclandre, ni rien de tel. Charles et sa sœur semblaient plutôt de bonne humeur quand ils sont partis.

— Peut-être ai-je été mal renseigné. En fait, Mlle Arundell conservait son testament chez elle, n'est-ce pas ?

Mlle Lawson laissa tomber son pince-nez ; elle se pencha pour le ramasser.

— Je ne peux pas vraiment dire. Non, je pense qu'il était chez M. Purvis.

— Qui était l'exécuteur testamentaire ?

— M. Purvis.

— Après le décès, il est venu à Littlegreen House pour consulter les papiers de la morte ?

— Oui, exactement.

Poirot lui jeta un regard pénétrant et lui posa soudain une question inattendue :

— Appréciez-vous M. Purvis ?

Mlle Lawson se troubla.

— Si je l'apprécie ? Eh bien, en réalité, c'est difficile à dire, n'est-ce pas ? Enfin, je suis sûre que c'est un homme très intelligent – je veux dire par là que c'est un bon notaire. Mais il a des manières assez brutales ! Ma foi, ce n'est pas toujours agréable d'entendre quelqu'un vous parler comme si… Euh, vraiment, j'ai du mal à l'expliquer… Il était la courtoisie même, mais en même temps, quasiment grossier, si vous voyez ce que je veux dire…

— Ça a dû vous être très pénible, dit Poirot, compatissant.

— Oui, vraiment ! répondit Mlle Lawson, soupirant et secouant la tête.

Poirot se leva :

— Merci beaucoup, très chère mademoiselle, pour votre gentillesse et pour l'aide que vous nous avez apportée.

Mlle Lawson se leva elle aussi. Elle paraissait un peu troublée, de nouveau.

— Il n'y a pas de quoi. Je n'ai presque rien fait pour vous ! Ravie si je vous ai rendu service. S'il y a quelque chose d'autre ?

Poirot, qui était déjà à la porte, revint sur ses pas et ajouta en baissant la voix :

— Je crois, Mlle Lawson, qu'il y a une information que vous devez connaître. Charles et Theresa Arundell ont l'intention de contester ce testament.

Les joues de Mlle Lawson s'empourprèrent subitement.

— Ils ne peuvent pas faire ça ! s'écria-t-elle d'un ton sec. Mon avocat me l'a affirmé.

— Ah ! dit Poirot, vous avez donc consulté un avocat ?

— Certainement. Pourquoi ne l'aurais-je pas fait ?

— Vous avez raison. Très sage décision. Bonne journée, très chère mademoiselle.

Lorsque nous quittâmes Clanroyden Mansions et que nous nous retrouvâmes dans la rue, Poirot aspira une longue bouffée d'air et dit :

— Hastings, mon bon ami, ou bien cette femme est exactement ce qu'elle paraît être, ou bien c'est une formidable actrice.

— Elle est certaine que la mort de Mlle Arundell est naturelle, ça se voit, remarquai-je.

Poirot ne répondit pas. Il lui arrive parfois d'être sourd – quand cela l'arrange. Il héla un taxi.

— Hôtel *Durham*, Bloomsbury, dit-il au chauffeur.

## 16

## MME TANIOS

— Un monsieur souhaiterait vous voir, madame.

La femme qui écrivait, assise à une table, dans l'un des petits salons de l'hôtel *Durham*, tourna la tête, se leva et vint à notre rencontre d'un pas hésitant.

Mme Tanios pouvait avoir n'importe quel âge au-dessus de trente ans. Elle était grande et mince, avec des cheveux noirs, des yeux un peu protubérants de la couleur des groseilles à maquereau, et un visage soucieux. Elle portait un chapeau à la mode, mais d'une façon qui manquait de chic, et une robe de coton plutôt défraîchie.

— Je ne pense pas…, commença-t-elle d'une voix incertaine.

Poirot s'inclina pour la saluer et expliqua :

— Je sors à l'instant de chez votre cousine, Mlle Theresa Arundell.

— Oh ? De chez Theresa ? Oui ?

— Peut-être nous serait-il possible d'avoir quelques minutes d'entretien en privé ?

Mme Tanios regarda autour d'elle d'un air un peu perdu. Poirot lui suggéra un canapé de cuir, à l'autre bout de la pièce.

Alors que nous nous dirigions vers le divan, une petite voix aiguë dit :

— Maman, où vas-tu ?

— Je suis là-bas, juste à côté. Finis ta lettre, ma chérie.

L'enfant, une fillette d'environ sept ans, maigrichonne et l'air souffreteux, se remit à sa tâche – un travail manifestement laborieux. Un petit bout de langue pointait entre ses lèvres, tant elle était concentrée.

L'autre extrémité du salon était presque déserte. Mme Tanios s'assit et nous l'imitâmes. Elle lança alors un regard interrogateur à Poirot.

— Il s'agit du décès de feu votre tante, Mlle Emily Arundell..., commença celui-ci.

Était-ce le fruit de mon imagination, ou vis-je vraiment une lueur d'inquiétude traverser soudain les yeux pâles et protubérants de Mme Tanios ?

— Oui ?

— Mlle Arundell a modifié son testament très peu de temps avant sa mort. Elle a légué toute sa fortune à Mlle Wilhelmina Lawson. J'aimerais savoir, madame Tanios, si vous allez vous joindre à vos cousins, Theresa et Charles Arundell, pour essayer de faire annuler ces nouvelles dispositions ?

— Oh ! (Mme Tanios prit une profonde inspiration.) Mais je ne crois pas que ce soit possible ! Je veux dire, mon mari a consulté un avocat ; et celui-ci semblait estimer qu'il valait mieux s'abstenir.

— Les avocats, chère madame, sont des gens prudents. Ils conseillent en général d'éviter au maximum les litiges – et nul doute qu'ils soient le plus souvent dans le vrai. Mais parfois, le jeu peut en valoir la chandelle. Je ne suis pas moi-même avocat, et je vois donc la question sous un angle différent. Mlle Arundell – Mlle Theresa Arundell, je veux dire – est prête à se battre. Et vous ?

— Je... Oh ! Vraiment je ne sais pas. (Elle se tordait les doigts avec nervosité.) Il faudrait que je consulte mon mari.

— Bien sûr que vous devez en parler avec votre mari avant d'entreprendre quoi que ce soit de définitif. Mais puis-je avoir votre avis personnel sur la question ?

— Eh bien, vraiment, je ne sais pas. (Mme Tanios paraissait de plus en plus inquiète.) Cela dépend tellement de mon époux…

— Mais vous-même, qu'en pensez-vous, chère madame ?

Elle fronça les sourcils, puis répondit lentement :

— Je ne crois pas que j'aime beaucoup cette idée. Cela semble – cela semble plutôt indécent, n'est-ce pas ?

— Vous trouvez, chère madame ?

— Oui. Après tout, si tante Emily a décidé de ne pas léguer ses biens à sa famille, j'imagine que nous devons nous résigner.

— Vous ne vous sentez pas lésée dans l'affaire, alors ?

— Oh ! si, bien sûr ! (Une rougeur colora ses joues un instant.) Je trouve cela tout à fait injuste ! Tout à fait injuste ! Et si inattendu. Cela ressemble si peu à tante Emily. Et les enfants ne méritaient pas ça.

— Vous dites que Mlle Emily Arundell n'a jamais agi de cette façon ?

— Je pense que c'est tout à fait extraordinaire de sa part.

— Est-il possible, alors, qu'elle ait pris cette décision contre sa volonté ? Pensez-vous qu'on ait pu lui suggérer ce testament ?

Mme Tanios fronça de nouveau les sourcils. Puis elle répondit, presque à contrecœur :

— Le problème, c'est que je vois mal tante Emily influencée par qui que ce soit ! C'était une vieille dame si décidée !

Poirot acquiesça d'un air approbateur.

— Oui, vous avez raison. Et Mlle Lawson n'est pas ce que l'on pourrait appeler une femme de tête…

— En effet. C'est une créature adorable – plutôt gourde, peut-être – mais très, très gentille. C'est un peu pour cela que je crois que…

— Oui, chère madame ? dit Poirot, lorsqu'elle s'interrompit.

Mme Tanios recommença à se tordre nerveusement les doigts et poursuivit :

— … Eh bien, que ce serait mesquin de contester le testament. Je suis sûre que Mlle Lawson n'a rien à voir dans cette modification. Et qu'elle est incapable d'intriguer ou de manigancer quoi que ce soit…

— Là encore, je partage votre opinion, chère madame.

— Et c'est pourquoi je crois que faire appel à la justice… Ma foi, ce serait indigne et malveillant. Et en plus, cela nous coûterait les yeux de la tête, n'est-ce pas ?

— Ce serait cher, oui.

— Et probablement inutile, ajouta-t-elle. Mais il faut que vous en parliez à mon mari. Il est bien plus doué que moi pour les affaires.

Poirot attendit un instant avant de demander :

— Pour quelle raison, selon vous, a-t-elle modifié son testament ?

Les joues de Mme Tanios se colorèrent fugacement tandis qu'elle murmurait :

— Je n'en ai pas la moindre idée.

— Chère madame, je vous ai dit que je n'étais pas avocat. Mais vous ne m'avez pas demandé quelle était ma profession.

Elle lui lança un regard interrogateur.

— Je suis détective. Et, peu de temps avant sa mort, Mlle Arundell m'a écrit une lettre.

Mme Tanios se pencha en avant, les mains serrées.

— Une lettre ? À propos de mon mari ?

Poirot l'observa une minute en silence, puis il dit lentement :

— Je n'ai pas la liberté de répondre à cette question.

— Alors, c'était bien à propos de mon mari. (Elle haussa légèrement la voix.) Que disait tante Emily ? Je peux vous assurer, monsieur… Euh… je ne connais pas votre nom.

— Je m'appelle Poirot. Hercule Poirot.

— Je peux vous assurer, monsieur Poirot, que si elle a dit quoi que ce soit dans cette lettre contre mon mari, c'est totalement faux ! Et je sais, aussi, qui lui a donné l'idée de l'écrire ! C'est une autre raison pour laquelle je préfère ne rien avoir affaire avec n'importe quelle action que pourraient intenter Theresa et Charles. Theresa n'a jamais aimé mon mari. Elle a fait de ces racontars ! Je sais qu'elle a fait des racontars ! Tante Emily avait des préjugés contre mon époux parce qu'il n'était pas anglais et elle a donc très bien pu croire ce que Theresa lui a débité sur lui. Mais rien n'est vrai, monsieur Poirot, vous avez ma parole !

— Maman… J'ai fini ma lettre.

Mme Tanios se retourna vivement. Avec un sourire affectueux, elle prit la feuille de papier que la fillette lui tendait.

— C'est très bien, ma chérie, vraiment très bien… Et ton dessin de Mickey est superbe.

— Qu'est-ce que je vais faire, maintenant, maman ?

— Tu as envie d'acheter une jolie carte postale avec une photo dessus ? Tiens, voilà de la monnaie. Va voir le monsieur, dans le hall, et choisis celle que tu veux. Tu pourras l'envoyer à Selim.

L'enfant s'éloigna. Je me souvenais des paroles de Charles Arundell. Manifestement, Mme Tanios était une mère et une épouse « attentionnée ». Mais il n'avait pas tort : elle avait l'air « ennuyeuse comme la pluie ».

— C'est votre seul enfant, madame ?

— Non, j'ai aussi un petit garçon. Il est sorti avec son père pour l'instant.

— Vous ne les emmeniez pas avec vous quand vous alliez à Littlegreen House ?

— Oh ! si, parfois, mais vous comprenez, ma tante était assez âgée et les enfants avaient tendance à la fatiguer. Mais elle était très gentille avec eux, et leur envoyait toujours de très beaux cadeaux de Noël.

— Dites-moi, la dernière fois que vous avez vu Mlle Emily Arundell, c'était quand au juste ?

— À peu près dix jours avant sa mort, il me semble.

— Ce jour-là, vous étiez tous à Littlegreen House, vous, votre mari, Charles et Theresa, n'est-ce pas ?

— Oh ! non, ça c'était la semaine d'avant, à Pâques.

— Et votre mari et vous, vous êtes retournés à Littlegreen House le week-end suivant ?

— Oui.

— Mlle Arundell était en bonne santé ?

— Oui, elle paraissait aller aussi bien que d'habitude.

— Elle n'était pas alitée ?

— Elle était restée couchée à cause d'une chute, mais elle est descendue pendant notre séjour.

— Vous a-t-elle parlé des modifications qu'elle avait apportées à son testament ?

— Non, absolument pas.

— Et son comportement envers vous était toujours le même ?

Cette fois, elle marqua un temps d'arrêt un peu plus long avant de répondre :

— Oui.

Je fus certain qu'à cet instant, Poirot et moi avions la même conviction.

Mme Tanios mentait !

Poirot attendit un instant, puis il ajouta :

— Peut-être devrais-je préciser que lorsque je vous pose cette question, je ne parle pas de « vous » tous, mais de « vous » en particulier.

— Oh ! je vois, répondit vivement Mme Tanios. Tante Emily a été très gentille avec moi. Elle m'a fait cadeau d'une petite broche avec une perle et un diamant, et elle a donné dix shillings pour chacun des enfants.

À présent, il n'y avait plus de gêne dans son attitude. Les mots lui venaient librement, par à-coups.

— Et vis-à-vis de votre mari ? Pas de changement non plus ?

De nouveau, Mme Tanios fut immédiatement sur ses gardes. Elle répondit en évitant le regard de Poirot :

— Non, bien sûr que non… Pourquoi y en aurait-il eu ?

— Mais puisque vous suggérez que votre cousine Theresa Arundell a essayé de distiller son poison dans l'esprit de votre tante…

— Elle l'a fait. Je suis sûre qu'elle l'a fait. (Elle se pencha vivement en avant.) Vous avez tout à fait raison. Il y avait un changement ! Tante Emily s'est soudain montrée beaucoup plus froide envers lui. Et elle a eu un comportement bizarre. Il lui avait conseillé une préparation digestive spéciale, et il avait même fait l'effort de la lui apporter – il avait dû aller chez le pharmacien pour la faire faire. Elle l'a remercié, bien sûr, mais assez froidement, et, un peu plus tard, je l'ai vue qui vidait la bouteille dans l'évier !

Elle s'était exprimée d'un ton indigné.

Poirot cligna des yeux.

— C'est très étrange, en effet, dit-il d'une voix volontairement neutre.

— Pour moi, c'est d'une ingratitude terrible ! s'écria-t-elle avec véhémence.

— Comme vous dites, il arrive que les vieilles dames se méfient des étrangers, murmura Poirot. Je suis sûr qu'elles sont persuadées que les médecins anglais sont les seuls au monde. Question d'insularité, pour une bonne part.

— Oui, je suppose que cela vient de là.

Mme Tanios paraissait un peu lasse.

— Quand repartez-vous pour Smyrne, chère madame ?

— Dans quelques semaines. Mon mari… ah ! mais le voilà, avec notre fils Edward.

# 17

## LE DR TANIOS

Il me faut avouer que je ressentis un choc la première fois que je vis le Dr Tanios. Mon imagination l'avait affublé d'une infinité de sinistres attributs. Je me le représentais comme un étranger sombre, barbu et basané, à l'allure équivoque.

Au lieu de quoi, je découvris un homme rond et jovial, au cheveu brun et à l'œil marron. Et s'il portait effectivement la barbe, elle n'avait rien de satanique, et lui conférait un petit air artiste.

Il parlait un anglais parfait ; sa voix avait un timbre agréable et s'accordait à merveille avec son visage avenant et enjoué.

— Nous voici, dit-il en souriant à sa femme. Edward a été enthousiasmé par sa découverte du métro. Il n'avait pris que des autobus, jusqu'à présent.

Edward n'était pas le contraire de son père, mais, comme sa sœur, il avait vraiment tout d'un étranger. Je comprenais maintenant ce que Mlle Peabody avait voulu dire en parlant de leur « teint plus ou moins olivâtre ».

La présence de son mari sembla accentuer la nervosité de Mme Tanios. Elle lui présenta Poirot en bredouillant un peu. Elle m'ignora délibérément.

Le Dr Tanios releva le nom avec intérêt.

— Poirot ? *Monsieur Hercule Poirot ?* Mais je ne connais que ce nom-là ! Et qu'est-ce qui vous amène, monsieur Poirot ?

— Il s'agit du cas d'une vieille demoiselle récemment décédée, Mlle Emily Arundell, répondit Poirot.

— La tante de ma femme ? Oui… Et alors ?

— Certains éléments liés à sa mort…, commença lentement Poirot.

Mais Mme Tanios l'interrompit soudain :

— C'est à propos du testament, Jacob. M. Poirot s'est entretenu avec Theresa et Charles.

Le Dr Tanios sembla se détendre un peu. Il se laissa tomber dans un fauteuil.

— Ah, le testament ! Un testament d'une monstrueuse injustice – mais au fond, ça ne me regarde pas.

Poirot rapporta les grandes lignes de sa conversation avec les deux Arundell (il n'y eut pas un mot de vrai dans ses allégations, j'ai honte de l'avouer) et suggéra avec force circonlocutions que toute chance de faire annuler le texte en question n'était pas exclu.

— Vous m'intéressez beaucoup, monsieur Poirot. Je dois dire que je suis de votre avis. Il y aurait quelque chose à faire. J'ai moi-même été jusqu'à consulter un homme de loi sur la question, mais ses conseils n'ont guère été encourageants. Alors…

Il haussa les épaules.

— Les avocats, ainsi que je l'ai dit à votre épouse, sont des gens prudents. Ils n'aiment pas prendre des risques. Mais moi, ce n'est pas mon style ! Et vous, quel est le vôtre ?

Le Dr Tanios éclata de rire – un rire profond et joyeux.

— Oh ! je suis tout prêt à tenter ma chance ! Cela m'est souvent arrivé, n'est-ce pas, Bella, ma grande ?

Il lui adressa un sourire, qu'elle lui retourna – mais de façon plutôt mécanique, estimai-je.

Puis il fit face de nouveau à Poirot.

— Je ne suis pas avocat, reprit-il, mais pour moi il est parfaitement clair que ce testament a été rédigé à un moment où la vieille demoiselle n'était plus responsable de ses actes. Cette Lawson est intelligente et roublarde.

Mme Tanios s'agitait sur son siège, mal à l'aise. Poirot l'observa et demanda :

— Vous n'êtes pas d'accord, chère madame ?

— Elle a toujours été très gentille, répondit-elle faiblement. Mais je n'irais pas jusqu'à la dire intelligente.

— Gentille, elle l'était avec toi, intervint le Dr Tanios, parce qu'en l'occurrence elle n'avait rien à craindre, ma chère Bella. On peut si facilement te rouler dans la farine !

Il avait parlé sur un ton jovial, mais sa femme rougit.

— Avec moi, c'était différent, poursuivit-il. Elle ne m'aimait pas, et ne se gênait pas pour le montrer ! Laissez-moi vous donner un exemple. La vieille demoiselle est tombée dans l'escalier, pendant que nous étions à Littlegreen House. J'ai insisté pour revenir prendre de ses nouvelles le week-end suivant. Mlle Lawson a fait de son mieux pour nous en empêcher. Elle n'a pas réussi, mais j'ai bien vu sa contrariété. La raison en était évidente. *Elle voulait la vieille demoiselle pour elle toute seule.*

Poirot se tourna une nouvelle fois vers Bella Tanios :

— Vous êtes de cet avis, chère madame ?

Son mari ne lui laissa pas le temps de répondre :

— Bella a trop bon cœur..., expliqua-t-il. Vous ne parviendrez jamais à lui faire voir les mauvaises intentions de quiconque. Mais je suis persuadé d'avoir raison. Et il y a autre chose, monsieur Poirot : le secret de son pouvoir sur la vieille Mlle Arundell, c'était le spiritisme ! C'est comme ça qu'elle a fait son coup, j'en suis sûre !

— Vous pensez ?

— J'en suis certain, mon cher ami. J'ai vu beaucoup de cas semblables. Ça ne lâche plus les gens. Vous seriez surpris ! Et spécialement quelqu'un de l'âge de Mlle Arundell. Je suis prêt à parier que c'est de cette façon qu'elle a été influencée. Un esprit – probablement celui de son père défunt – lui aura donné l'ordre de modifier son testament et de tout laisser à la Lawson. Elle était malade… Crédule…

Mme Tanios s'agita quelque peu. Poirot la considéra :

— Vous croyez que c'est possible, chère madame – oui ?

— Réponds, Bella, fit son mari. Donne-nous ton opinion.

Il lui lança un regard encourageant, auquel elle répliqua par un coup d'œil étrange. Elle hésita, puis elle dit enfin :

— Je m'y connais si peu dans ce domaine… Tu dois avoir raison, Jacob.

— Hé oui ! j'ai raison ! N'est-ce pas, monsieur Poirot ?

Poirot acquiesça d'un mouvement de tête.

— C'est possible – en effet. Vous vous êtes rendu à Market Basing, je crois, le week-end précédant la mort de Mlle Arundell ?

— Nous y sommes allés à Pâques et encore le week-end d'après, c'est exact.

— Non, non, je parle du week-end suivant, celui du 26. Vous êtes passé à Littlegreen House le dimanche, il me semble ?

— Oh ! Jacob, c'est vrai ? demanda Mme Tanios à son mari, en le regardant avec de grands yeux étonnés.

Il se tourna vivement vers elle.

— Mais oui, tu te rappelles ? J'y ai juste fait un saut en coup de vent dans l'après-midi. Je t'en ai parlé.

Poirot et moi, nous observâmes Mme Tanios. D'un geste nerveux, elle repoussa un peu son chapeau en arrière.

— Tu t'en souviens certainement, Bella, insista Jacob. Quelle mauvaise mémoire tu as !

— Bien sûr ! s'excusa-t-elle alors avec un faible sourire. C'est vrai que j'ai une mémoire lamentable ! Surtout que ça fait près de deux mois, maintenant !

— Charles et Theresa Arundell étaient également présents ce jour-là, je crois ? ajouta Poirot.

— Peut-être, répondit benoîtement Tanios. Je ne les ai pas vus.

— Alors vous n'êtes pas resté très longtemps ?

— Oh ! non. Une demi-heure environ.

Le regard interrogateur de Poirot semblait le mettre un peu mal à l'aise.

— Après tout, pourquoi ne pas l'avouer ? ajouta-t-il soudain, l'œil malicieux. J'espérais obtenir un prêt – mais je suis reparti bredouille. La tante de ma femme, j'en ai peur, ne m'appréciait pas autant qu'elle aurait pu. Dommage, parce que moi, je l'aimais bien. C'était une sacrée bonne femme !

— Puis-je vous poser une question un peu directe, docteur Tanios ?

Je me demandai s'il n'y avait pas eu une brève lueur d'appréhension dans le regard du médecin.

— Mais bien sûr, monsieur Poirot.

— Que pensez-vous de Charles et de Theresa Arundell ?

Tanios parut soulagé.

— Charles et Theresa ? (Il gratifia sa femme d'un sourire affectueux.) Bella, ma chérie, j'imagine que tu ne m'en voudras pas si je suis franc à propos de ta famille ?

Elle fit non de la tête, avec un pâle sourire.

— Alors, mon opinion c'est qu'ils sont tous deux pourris jusqu'à la moelle ! Curieusement, c'est encore Charles que je préfère. C'est une fripouille, mais une fripouille sympathique. Il n'a aucun sens moral, mais ce n'est pas de sa faute. Il y a des gens qui naissent comme ça.

— Et Theresa ?

Il hésita.

— Je ne sais pas. C'est une fille étonnamment séduisante. Mais elle est impitoyable. Elle tuerait de sang-froid, si cela arrangeait ses affaires. En tout cas, c'est mon avis. Vous avez peut-être entendu dire que sa mère a été jugée pour meurtre ?

— Et acquittée, répliqua Poirot.

— Et acquittée, comme vous dites, s'empressa d'ajouter Tanios. Mais tout de même… cela donne parfois à réfléchir.

— Vous avez rencontré le jeune homme auquel elle est fiancée ?

— Donaldson ? Oui, il est venu dîner à Littlegreen House, un soir.

— Que pensez-vous de lui ?

— Un type doué. Je crois qu'il ira loin – si on lui donne sa chance. Ça coûte cher, une spécialisation.

— Vous voulez dire qu'il est doué, dans sa profession ?

— C'est ce que je veux dire, oui. Un cerveau ! (Il sourit.) Mais pas très brillant en société, cependant. Tatillon et guindé. Theresa et lui forment un couple bizarre. L'attirance des contraires. C'est une mondaine alors qu'il vit en ermite.

Les deux enfants tournaient autour de leur mère.

— Maman, est-ce qu'on peut manger ? J'ai faim. On va rater le service.

Poirot jeta un coup d'œil à sa montre et s'exclama :

— Mille pardons ! Je vous empêche de passer à table.

Mme Tanios regarda son mari, et proposa d'une voix hésitante :

— Peut-être pourrions-nous vous offrir de…

— Vous êtes trop aimable, chère madame, s'empressa de répondre Poirot, mais on m'attend pour déjeuner et je suis déjà en retard.

Il serra la main aux Tanios et à leurs enfants. Je l'imitai.

Nous nous attardâmes un moment dans le hall de l'hôtel. Poirot voulait téléphoner. Je l'attendis à la réception. J'étais là à faire le pied de grue lorsque je vis Mme Tanios pénétrer dans le hall en regardant autour d'elle. Elle avait l'air traquée, harcelée. Dès qu'elle m'aperçut, elle se précipita vers moi.

— Votre ami… Poirot… j'imagine qu'il est parti ?

— Non, il est au téléphone.

— Oh !

— Vous vouliez lui parler ?

Elle acquiesça d'un signe de tête. Elle semblait de plus en plus nerveuse.

Poirot sortit de la cabine à cet instant précis et nous vit ensemble. Il s'empressa de nous rejoindre.

— Monsieur Poirot, commença-t-elle immédiatement d'une voix basse et précipitée, il y a quelque chose que j'aimerais vous dire... que je dois vous dire...

— Oui, madame.

— C'est important... Très important... Voyez-vous, je...

Elle s'interrompit. Le Dr Tanios et les deux enfants venaient de sortir du petit salon. Ils approchaient.

— Tu as encore un mot à dire à M. Poirot, Bella ?

Il était tout sourire et parlait d'un ton enjoué.

— Oui, répondit-elle, après une hésitation. Bon, c'est tout, monsieur Poirot. Je voulais juste que vous assuriez à Theresa que nous la soutiendrons dans tout ce qu'elle entreprendra. Entre parents, on doit se serrer les coudes.

Elle nous salua de la tête, puis, prenant le bras de son mari, se dirigea vers la salle à manger de l'hôtel.

Je saisis Poirot par l'épaule.

— Ce n'est pas ce qu'elle avait commencé à nous dire, Poirot !

Il dodelina de la tête tout en regardant le couple s'éloigner.

— Elle a changé d'avis, ajoutai-je.

— Oui, mon bon ami, elle a changé d'avis.

— Pourquoi ?

— J'aimerais le savoir, murmura-t-il.

— Elle nous le dira une autre fois..., fis-je, avec optimisme.

— Je me le demande. Je crains, au contraire… qu'elle ne le puisse pas…

# 18

## ANGUILLE SOUS ROCHE

Nous déjeunâmes dans un petit restaurant, non loin de là. J'étais curieux de connaître les conclusions de Poirot sur les divers membres de la famille Arundell.

— Alors, Poirot ? demandai-je d'une voix pressante.

Avec un air de reproche, il concentra toute son attention sur le menu. Lorsqu'il eut passé commande, il se laissa aller contre le dossier de sa chaise, coupa son petit pain en deux, et articula enfin, sur un ton moqueur :

— Alors, Hastings ?

— Que pensez-vous d'eux, maintenant que vous les avez tous rencontrés ? demandai-je.

— Ma foi, dit-il lentement, ils forment une équipe fort intéressante ! Vraiment, cette affaire est un régal pour l'esprit ! Elle a tout d'un… – comment dites-vous déjà ? – d'un sac à malices ! Vous avez vu ? Chaque fois que j'annonce « Mlle Arundell m'a écrit juste avant sa mort », il se passe quelque chose. Mlle Lawson me parle de l'argent disparu. Mme Tanios s'écrie aussitôt : « À propos de mon mari ? » Pourquoi à propos de son mari ? Pourquoi Mlle Arundell m'aurait-elle écrit à moi, Hercule Poirot, pour me parler du Dr Tanios ?

— Cette femme a une idée derrière la tête, murmurai-je.

— Oui, elle sait quelque chose. Mais quoi ? Mlle Peabody nous dit que Charles Arundell éliminerait père et mère pour des clopinettes, Mlle Lawson affirme que Mme Tanios assassinerait n'importe qui si son mari le lui demandait. Le Dr Tanios assure que Charles et Theresa sont « pourris jusqu'à la moelle », laisse entendre que leur mère était une meurtrière et déclare, sans avoir l'air d'y toucher, que Theresa pourrait tuer de sang-froid.

» Ils ont une bien piètre opinion les uns des autres, tous ces gens ! Le Dr Tanios pense, ou prétend penser, qu'il y a eu des manœuvres captatoires. Avant son arrivée, sa femme n'était manifestement pas de cet avis. Au début de notre entretien, elle refuse de contester la validité du testament, puis elle fait volte-face. Voyez-vous, Hastings, c'est une marmite qui bouillonne, et de temps en temps un fait significatif remonte à la surface. Il y a quelque chose au fond de cette marmite – oui, il y a quelque chose. J'en suis sûr, parole d'Hercule Poirot, j'en suis sûr !

Son sérieux m'impressionna malgré moi.

— Vous avez peut-être raison, dis-je au bout d'un moment. Mais cela me paraît trop vague… Trop flou.

— Mais vous admettez avec moi qu'il y a bien quelque chose là-dessous ?

— Oui, répondis-je d'une voix hésitante. Je crois que oui.

Poirot se pencha vers moi par-dessus la table et plongea son regard dans le mien.

— Vous avez changé, mon cher. Vous n'êtes plus amusé, ni péremptoire, vous ne souriez plus avec indulgence de mes plaisirs académiques. Qu'est-ce donc qui vous a convaincu ? Ce n'est pas l'excellence de mon raisonnement – non, ce n'est pas ça ! Mais quelque chose – quelque chose qui n'a rien à voir avec moi – vous a marqué. Dites-moi, mon bon ami, qu'est-ce qui vous a convaincu soudain de prendre cette affaire au sérieux ?

— Je crois, répondis-je lentement, que c'est Mme Tanios. Elle avait l'air effrayée.

— Par moi ?

— Non, non, pas par vous. Par quelqu'un d'autre. Au début, elle était si calme et si raisonnable. Bien sûr, elle déplorait les termes de ce testament et en manifestait une certaine amertume – d'ailleurs bien naturelle. Mais elle semblait accepter la situation et être décidée à laisser les choses en l'état. Attitude à laquelle on pouvait s'attendre de la part d'une femme bien élevée et plutôt apathique. Et puis, brusque revirement, elle adopte avec enthousiasme le point de vue de son mari. Quant à la façon dont elle nous a suivis dans le hall – cette façon presque furtive.

Poirot hocha la tête, comme pour m'encourager.

— Et il y a encore un autre petit détail que vous n'avez peut-être pas remarqué…

— Rien ne m'échappe !

— Je veux parler de la visite du Dr Tanios à Littlegreen House, ce dernier dimanche. Je jurerais qu'elle n'en savait rien, que ç'a été pour elle une complète surprise. Et pourtant elle est entrée immédiatement dans son jeu, elle a prétendu qu'il le lui avait dit et qu'elle avait oublié. J'en ai eu froid dans le dos, Poirot.

— Vous avez parfaitement raison, Hastings. C'était très significatif.

— Cela m'a laissé une vilaine impression, une impression de… de peur.

Poirot hocha doucement la tête.

— Vous avez ressenti la même chose ? demandai-je.

— Oui. La peur était dans l'air, nettement. (Il se tut une seconde.) Et pourtant, Tanios vous a plu, n'est-ce pas ? Vous l'avez trouvé agréable, sincère, affable. Malgré vos préjugés insulaires contre les Argentins, les Portugais et les Grecs, il vous a séduit, vous a paru sympathique ?

— C'est vrai, dus-je admettre.

Dans le silence qui suivit, j'observai Poirot, puis je demandai enfin :

— À quoi pensez-vous, Poirot ?

— Je songe à plusieurs personnes. Au jeune et beau Norman Gale. À Evelyn Howard, directe et joviale. Au charmant Dr Sheppard. À Knighton, si calme et si sérieux…

Je ne compris pas immédiatement qu'il s'agissait des acteurs principaux d'affaires criminelles célèbres.

— Et alors ? fis-je.

— Ils avaient tous, eux aussi, des personnalités très attachantes…

— Mon Dieu, Poirot, vous ne croyez tout de même pas que Tanios…

— Non, non. Pas de conclusions hâtives, Hastings. Je veux juste vous faire remarquer que nos réactions personnelles face aux individus que nous rencontrons sont singulièrement peu fiables. Il ne faut pas se laisser guider par ses sentiments, mais par les faits.

— Hum…, grommelai-je. Les faits ne sont pas

notre point fort. Non, non, Poirot, vous n'allez pas les récapituler une fois de plus !

— Je serai bref, mon ami, n'ayez crainte. D'abord, nous avons très certainement affaire à une tentative de meurtre. Vous admettez enfin cela, n'est-ce pas ?

— Oui, répondis-je lentement.

Jusqu'alors, j'avais été quelque peu sceptique vis-à-vis de sa reconstitution fantaisiste (du moins le croyais-je) des événements de la nuit du mardi pascal. Je devais reconnaître, cependant, que ses déductions étaient logiques.

— Eh bien, bravo. Ceci posé, qui dit tentative de meurtre dit meurtrier. L'une des personnes présentes cette nuit-là est donc un assassin – sinon de fait, du moins en intention.

— Je vous l'accorde.

— Voici donc notre point de départ : un meurtrier. Nous nous renseignons un peu – comme vous dites chez vous : nous remuons la boue – et qu'obtenons-nous ? Plusieurs accusations très intéressantes, proférées apparemment comme si de rien n'était au cours de conversations variées.

— Vous pensez qu'elles n'étaient pas fortuites, ces accusations ?

— Impossible à savoir pour le moment ! La façon toute innocente dont Mlle Lawson nous a appris que Charles avait menacé sa tante n'était peut-être pas aussi innocente que ça. Les remarques du Dr Tanios sur Theresa Arundell n'étaient sans doute pas malintentionnées et ne reflétaient probablement que l'opinion sincère d'un médecin… mais allez savoir au juste ! De son côté, Mlle Peabody a évoqué sans arrière-pensée manifeste les frasques de Charles Arundell – mais, après tout, qui nous le prouve ? Et ainsi de suite... Il y a une expression, n'est-ce pas – anguille sous roche ? Eh bien, c'est exactement ce que je trouve ici, sauf que sous notre roche à nous se cache un assassin et non une anguille.

— J'aimerais connaître le fin fond de votre pensée, Poirot.

— Hastings... Hastings... Je ne m'autorise pas à « penser », du moins, pas dans le sens où vous employez ce terme. Pour l'instant, je me contente de faire certaines réflexions.

— C'est-à-dire ?

— Je m'interroge sur le mobile. Quels pourraient être les mobiles vraisemblables de l'assassinat de Mlle Arundell ? Le plus évident, c'est l'argent, d'accord. Qui aurait tiré profit de la mort de Mlle Arundell – si elle était morte dans la nuit, le mardi de Pâques ?

— Tout le monde, sauf Mlle Lawson.

— Exactement.

— Eh bien, en tout cas, voilà quelqu'un d'automatiquement écarté de la liste des suspects.

— Oui, dit Poirot, songeur. On dirait bien. Mais le plus intéressant, c'est que la personne qui n'y aurait rien gagné si cette mort s'était produite ce jour-là, rafle la mise lorsque ladite mort survient quinze jours plus tard.

— Où voulez-vous en venir, Poirot ? demandai-je, un tantinet perplexe.

— La cause et l'effet, mon ami. La cause et l'effet.

Je l'observai, indécis.

— Soyez logique ! poursuivit-il. Que s'est-il passé au juste après l'accident ?

Je n'aimais pas Poirot lorsqu'il était de cette humeur-là. Tout ce que l'on pouvait avancer était faux ! Je répondis donc avec une prudence extrême :

— Mlle Arundell doit s'aliter.

— Exact. Et elle a tout son temps pour réfléchir. Et ensuite ?

— Elle vous écrit.

Poirot acquiesça d'un signe de tête.

— Oui, elle m'écrit. Mais la lettre n'est pas postée. Ce qui est vraiment dommage !

— Vous soupçonnez quelque chose de louche dans le fait que la lettre n'ait pas été envoyée ?

Poirot fronça les sourcils.

— Là, Hastings, je suis forcé d'avouer que je n'en sais rien. Je crois – à la lumière de tout ce dont je suis presque sûr – qu'elle a été vraiment égarée par hasard. Je crois aussi – mais je n'en jurerais pas – que personne ne connaissait l'existence de cette lettre. Continuez… que se passe-t-il ensuite ?

— La visite du notaire, suggérai-je, après réflexion.

— Oui. Elle l'envoie chercher et il arrive en temps utile.

— Et elle modifie son testament, poursuivis-je.

— Exactement. Un testament très inattendu. À ce propos, nous devons considérer avec grand soin une déclaration d'Ellen. Elle nous a dit, si vous vous en souvenez, que Mlle Lawson avait veillé à ce que sa patronne n'apprenne pas l'escapade nocturne de Bob…

— Mais… Oh ! je vois… Et puis non, je ne vois pas… Ou bien, est-ce que je commence à avoir une idée de ce que vous suggérez ?…

— J'en doute ! dit Poirot. Mais si c'est le cas, vous percevez, j'espère, l'importance capitale de cette affirmation d'Ellen ?

À ces mots, il me fixa d'un regard perçant.

— Bien sûr, bien sûr, m'empressai-je de répondre.

— Et ensuite, poursuivit Poirot, divers autres événements se produisent. Charles et Theresa viennent pour le week-end, et Mlle Arundell montre à Charles le testament modifié – ou, du moins, c'est ce qu'il prétend.

— Vous ne le croyez pas ?

— Je ne crois que les allégations que je peux vérifier. Mlle Arundell ne fait pas voir le document à Theresa.

— Parce qu'elle pensait que Charles en parlerait à sa sœur.

— Mais il ne lui dit rien. Pourquoi ne dit-il rien à Theresa ?

— Selon lui, il l'a fait.

— Theresa a formellement déclaré que non – petite divergence aussi intéressante que révélatrice. Et lorsque nous partons, elle le traite d'imbécile.

— Je perds pied, Poirot, dis-je d'un ton plaintif.

— Reprenons le déroulement des événements. Le dimanche, le Dr Tanios vient à Littlegreen House, sans doute à l'insu de sa femme.

— Je dirais : certainement à l'insu de sa femme.

— Contentons-nous d'un probablement. Continuons ! Le lundi, départ de Charles et de Theresa. Mlle Arundell va bien. Elle fait un bon dîner et s'installe dans l'obscurité avec les sœurs Tripp et Lawson. Vers la fin de la séance, elle est prise d'un malaise. Elle se couche, meurt quatre jours plus tard et Mlle Lawson hérite de tous ses biens – quant au capitaine Hastings, il assure que son décès a des causes naturelles !

— Tandis qu'Hercule Poirot prétend qu'elle a été empoisonnée pendant le repas, alors qu'il n'a aucune preuve du tout !

— J'ai une preuve, Hastings. Souvenez-vous de notre conversation avec les sœurs Tripp. Et d'une phrase, dans les propos quelque peu décousus de Mlle Lawson.

— Vous voulez parler du curry qu'elle a mangé ? Le curry masquerait le goût d'un poison, c'est ce que vous voulez dire ?

— Oui, le curry a sans doute une certaine importance, répondit lentement Poirot.

— Mais, dis-je alors, si ce que vous avancez – au mépris de toutes les évidences médicales – est exact, seule Mlle Lawson ou l'une des domestiques peut l'avoir assassinée.

— Je me le demande.

— Ou les Tripp ? Ridicule. Je n'y crois pas. Tous ces gens respirent l'innocence !

Poirot haussa les épaules.

— Rappelez-vous ceci, Hastings : la stupidité – et même, dans cette affaire, la bêtise – peut aller de pair avec une véritable duplicité. Et n'oubliez pas la première tentative de meurtre. Ce n'était pas l'œuvre d'un cerveau particulièrement génial, mais un petit meurtre tout bête, suggéré par Bob et sa manie de laisser traîner sa balle en haut des escaliers. L'idée de tendre un fil en travers de la première marche était simplissime – même un enfant aurait pu y songer !

Je fronçai les sourcils.

— Vous voulez dire que…

— Je veux dire que nous ne cherchons rien d'autre chez nos suspects que la volonté de tuer. Sans plus.

— Mais le poison devait être très élaboré, lui, pour ne laisser aucune trace, affirmai-je. Il fallait que ce soit au minimum une substance que monsieur Tout-le-monde aurait du mal à se procurer. Oh ! bon sang de bonsoir Poirot ! Je n'arrive tout bêtement pas à y croire, voilà ce qui se passe. Je n'arrive pas à croire que vous puissiez savoir quoi que ce soit. Ce que vous formulez, ce ne sont que des hypothèses.

— Vous vous trompez, mon ami. C'est le résultat de nos diverses conversations de ce matin. J'ai maintenant une idée précise pour aller de l'avant. Certaines indications minimes, mais sûres. Le seul problème, c'est… c'est que j'ai peur.

— Peur ? De quoi ?

— De réveiller le chat qui dort, dit-il d'un ton grave. C'est un de vos proverbes, non ? Il ne faut pas réveiller le chat qui dort. C'est ce que notre assassin est en train de faire, en ce moment : il dort tranquillement au soleil. Mais l'expérience ne nous a-t-elle pas appris, à vous comme à moi, Hastings, que s'il se sent menacé, un meurtrier est capable de se retourner et de tuer une seconde, voire une troisième fois ?

— Vous craignez qu'une chose pareille se produise ?

— Oui, je le crains. S'il y a assassin sous roche – et je suis intimement persuadé que tel est le cas, Hastings –, oui, oh ! oui, je crains bien que nous ne tardions pas à être confrontés au pire…

# 19

## VISITE À M. PURVIS

Poirot demanda l'addition et la régla.

— Et maintenant, que faisons-nous ? m'enquis-je.

— Ce que vous avez suggéré, un peu plus tôt dans la matinée. Nous partons pour Harchester interroger M. Purvis. C'est la raison de mon coup de téléphone depuis l'hôtel *Durham*.

— Vous avez appelé Purvis ?

— Non. Theresa Arundell. Je l'ai priée de me donner une lettre d'introduction. Pour approcher ce notaire avec quelque chance de succès, nous avons besoin d'être accrédités par la famille. Elle m'a promis de me la faire porter. À l'heure qu'il est le pli doit être arrivé.

La lettre en question nous attendait en effet chez Poirot – ainsi que Charles Arundell qui s'était déplacé en personne pour nous l'apporter.

— C'est charmant, chez vous, monsieur Poirot, remarqua-t-il en parcourant le salon des yeux.

À cet instant, mon regard fut attiré par un tiroir du bureau. Mal fermé, il était bloqué par une feuille qui en dépassait légèrement.

Imaginer Poirot laissant un tiroir ainsi était proprement incroyable. J'observai Charles d'un air pensif. Il était resté seul dans cette pièce avant notre arrivée. Et il avait tué le temps à fouiller dans les papiers de Poirot, cela ne faisait pas l'ombre d'un doute… Quelle espèce de fripouille ! J'en bouillais d'indignation.

Charles, lui, était d'excellente humeur.

— Voilà, dit-il en tendant la lettre à Poirot. C'est en bonne et due forme – et j'espère que vous aurez plus de chance que nous avec le vieux Purvis.

— Il ne vous a guère laissé d'espoir, n'est-ce pas ?

— Une vraie douche froide. À son avis, cette vieille toupie de Lawson a réussi son coup et elle est maintenant tout à fait hors de portée.

— Votre sœur et vous, vous n'avez pas songé à en appeler au bon cœur de la dame ?

Charles sourit :

— Oh ! que si, j'y ai songé ! Mais j'ai eu beau me mettre en quatre… rien à faire ! J'ai prêché dans le désert. L'histoire pathétique de la brebis galeuse déshéritée – brebis pas si galeuse que ça au demeurant, du moins ai-je essayé de l'en convaincre – n'a pas réussi à soutirer une larme à ce petit cœur sec ! Elle n'a jamais pu me voir en peinture ! (Il se mit à rire.) Pourtant, les quinquagénaires ont plutôt tendance à me prendre dans leur giron. Elles estiment d'ordinaire que personne ne m'a jamais compris et que l'on n'a pas su me donner ma chance !

— Point de vue fort profitable, je n'en doute pas.

— Il m'a beaucoup servi, jusqu'à présent, merci. Mais, comme je le disais, avec mamie Lawson, ça n'a pas fontionné. Je crois qu'elle a une dent contre les hommes. Je l'imagine très bien au bon vieux temps d'avant 14, en train de s'enchaîner à toutes les grilles possibles et inimaginables et d'agiter son petit drapeau de suffragette.

— Ma foi, fit Poirot en hochant la tête, si les méthodes simples échouent…

— Il faudra bien en venir au crime, conclut Charles joyeusement.

— Tiens ! tiens ! s'exclama Poirot, puisque l'on parle crime, jeune homme, est-il exact que vous ayez menacé votre tante – que vous lui ayez dit que vous la « liquideriez » ou quelque chose d'approchant ?

Charles se laissa tomber dans un fauteuil, étendit les jambes et dévisagea Poirot.

— Allons bon ! Qui est-ce qui vous a raconté ça ? demanda-t-il.

— Peu importe. Est-ce exact ?

— Il y a un peu de vrai là-dedans, d'accord.

— Allons, allons, racontez-moi cette histoire. Mais j'aimerais autant que vous me disiez tout de suite la vérité.

— Sans problème, mon bon monsieur. Il n'y a pas de quoi fouetter un chat. J'avais effectué quelques travaux d'approche, si vous voyez ce que je veux dire.

— Tout à fait.

— Et puis, ça ne s'est pas passé comme prévu. Tante Emily m'a envoyé sur les roses et a décrété que toute tentative pour lui arracher trois sous serait toujours vouée à l'échec ! Bon, je ne me suis pas énervé, mais je n'ai pas mâché mes mots non plus : « Écoutez, tante Emily, j'aime autant vous prévenir que vos façons d'agir finiront par vous jouer des tours, et qu'un de ces quatre vous risquez de vous faire liquider ! » Elle m'a demandé, avec un mépris écrasant, ce que j'entendais par là. « Rien de plus que ce que j'ai dit, tantine. Vos amis et vos parents sont tous fauchés comme les blés, à vous tournicoter autour, l'espoir au cœur et la langue pendante. Et vous, qu'est-ce que vous faites, pendant ce temps-là ? Vous vous prélassez sur votre magot et vous refusez de partager. C'est comme ça que les gens se font assassiner. Croyez-moi, s'il prend à quelqu'un l'envie de vous liquider, vous l'aurez bien cherché. »

» Elle m'a regardé par-dessus ses lunettes, selon sa vieille habitude. Un regard plutôt vachard. Et elle m'a répondu d'un ton cassant : « Alors, c'est ça ce que tu penses, hein ? » « C'est ça, ai-je acquiescé. Soyez un peu plus coulante, c'est le conseil que je vous donne. » « Merci Charles, pour ce conseil avisé, mais tu ne tarderas pas à t'apercevoir que je suis capable de veiller au grain. » « Comme il vous plaira, ma tante. » J'étais tout sourire et je me demande si elle n'était pas moins fâchée qu'elle ne voulait le paraître. « Vous ne pourrez pas dire que je ne vous ai pas prévenue », ai-je ajouté. « Je m'en souviendrai », a-t-elle encore crâné.

Il se tut un instant.

— Voilà, c'est tout.

— Sur quoi, fit Poirot, vous vous êtes contenté de quelques billets trouvés dans un tiroir.

Charles le dévisagea, puis éclata de rire.

— Là, je vous tire mon chapeau ! s'exclama-t-il. Vous êtes fortiche, dites donc ! Comment avez-vous appris ça ?

— C'est vrai, alors ?

— Bien sûr, que c'est vrai ! J'étais complètement à sec. Il fallait que je dégote de l'argent quelque part. Je suis tombé sur une jolie petite liasse dans un tiroir, et j'ai prélevé quelques livres. Très peu – je croyais que personne ne s'apercevrait de la soustraction, ou alors qu'on accuserait les bonnes.

— Si tel avait été le cas, ç'aurait pu être très grave pour elles, fit sèchement remarquer Poirot.

Charles haussa les épaules.

— Chacun pour soi, murmura-t-il.

— Et Dieu pour tous..., ajouta Poirot. C'est votre devise, n'est-ce pas ?

Charles l'observa avec curiosité.

— Je ne savais même pas que la vieille bique s'en était rendu compte. Comment l'avez-vous appris, vous ? Et comment avez-vous eu vent de cette conversation avec ma tante ?

— C'est Mlle Lawson qui me l'a rapportée.

— L'espèce de vieux chameau ! (Il ne me parut que très légèrement troublé.) Elle ne m'aime pas, et elle n'aime pas Theresa non plus. Vous ne pensez pas que… qu'elle a d'autres atouts dans sa manche ?

— Lesquels ?

— Ça, je n'en sais rien. C'est juste qu'elle me fait l'effet d'être rusée comme un vieux renard. (Il se tut un instant, puis ajouta :) Elle déteste Theresa…

— Saviez-vous, monsieur Arundell, que le Dr Tanios est venu chez votre tante le dimanche précédant sa mort ?

— Comment ? Le dimanche où nous y sommes allés, Theresa et moi ?

— Oui. Vous ne l'avez pas vu ?

— Non. Nous nous sommes promenés, dans l'après-midi. J'imagine qu'il est passé à ce moment-là. C'est drôle que tante Emily ne nous ait pas parlé de cette visite. Qui vous a mis au courant ?

— Mlle Lawson.

— Encore et toujours cette toupie de Lawson ! C'est une vraie mine de renseignements, celle-là ! (Un silence, puis :) Je vous assure, Tanios est un type sympathique. Je l'aime bien. C'est le parfait bon vivant, toujours le mot pour rire.

— Il a une personnalité attachante, en effet, dit Poirot.

Charles sauta sur ses pieds.

— À sa place, il y a belle lurette que j'aurais trucidé cette rabat-joie de Bella ! Vous ne trouvez pas que c'est le type même de l'éternelle victime ? Vous savez, je ne serais pas surpris si on la découvrait un beau jour coupée en rondelles dans une malle, à Margate ou ailleurs !

— Vous ne prêtez pas là des intentions louables à son mari, ce médecin si sympathique, dit Poirot d'un ton grave.

— Non, c'est vrai, répondit Charles, songeur. Et pourtant je crois sincèrement que Tanios ne ferait pas de mal à une mouche. Il est beaucoup trop bonne pâte pour ça.

— Et vous ? Seriez-vous capable de tuer, si le jeu en valait la chandelle ?

Charles éclata de rire – un rire franc et sonore.

— Vous cherchez un moyen de chantage, monsieur Poirot ? Rien à faire. Je suis prêt à jurer que je n'ai pas versé… (Il s'interrompit brusquement, puis reprit :)… une rasade de strychnine dans la soupe de tante Emily.

Et sur un geste désinvolte de la main, il s'en fut.

— Vous avez essayé de lui faire peur, Poirot ? Si tel est le cas, j'ai l'impression très nette que vous avez fait chou blanc. Il n'a pas manifesté le moindre signe de culpabilité.

— Non ?

— Non. Il m'a semblé imperturbable.

— Curieux quand même, cette façon qu'il a eue de s'interrompre, murmura Poirot.

— De s'interrompre ?

— Oui. Il a marqué une pause avant « une rasade de strychnine ». Presque comme s'il allait dire autre chose et qu'il avait soudain changé d'avis.

Je haussai les épaules.

— Il cherchait sans doute le nom d'un bon poison – un nom bien évocateur.

— C'est possible. C'est possible. Mais mettons-nous en route. Je pense que nous passerons la nuit chez *George*, à Market Basing.

Dix minutes plus tard, on nous vit traverser Londres à toute vitesse, une fois de plus en direction de la campagne.

Nous arrivâmes à Harchester vers 4 heures de l'après-midi, et nous rendîmes directement à l'étude Purvis, Purvis, Charlesworth & Purvis.

M. Purvis était le type même du bon gros notable à la silhouette rebondie, aux cheveux blancs et aux joues roses. Il faisait penser à un châtelain campagnard. Ses manières étaient courtoises, mais réservées.

Il lut notre lettre d'introduction, puis nous observa par-dessus son bureau. Il avait le regard perspicace et quelque peu inquisiteur.

— Je connais votre nom bien entendu, monsieur Poirot, préluda-t-il poliment. Que Mlle Arundell et son frère aient fait appel à vos services dans cette affaire, je l'admets sans peine. Mais comment vous pouvez envisager de leur être utile, voilà où je me perds en conjectures…

— Admettons sans aller plus avant, monsieur Purvis, que j'aie l'intention de me livrer à une enquête approfondie sur les tenants et aboutissants de cette histoire.

Le notaire fut très sec.

— Mlle Arundell et son frère connaissent déjà mon opinion quant à l'aspect juridique de la question. Les faits sont parfaitement clairs et ne présentent aucune ambiguïté.

— Je n'en disconviens pas, je n'en disconviens pas, répliqua Poirot avec vivacité. Mais vous ne verrez pas d'inconvénient, je gage, à les repasser simplement en revue avec moi, afin que je puisse me faire une idée précise de la situation ?

Le notaire inclina la tête.

— Je suis à votre disposition.

— Mlle Arundell vous a écrit le 17 avril, je crois, pour vous communiquer ses instructions ? commença Poirot.

M. Purvis consulta quelques papiers posés devant lui sur la table.

— Oui, c'est exact.

— Puis-je savoir ce qu'elle vous disait ?

— Elle me demandait de rédiger un testament. Il devait comporter des legs à deux domestiques et à trois ou quatre œuvres de charité. Le reste de ses biens allait en totalité à Wilhelmina Lawson.

— Pardonnez-moi, monsieur Purvis, mais ces dispositions vous ont-elles surpris ?

— Je dois admettre que… oui, elles m'ont surpris.

— Mlle Arundell avait déjà fait son testament ?

— Oui. Cinq ans plus tôt.

— Ce testament initial, hormis certains legs de peu d'importance, laissait sa fortune à son neveu et ses nièces ?

— Le gros de ses biens devait être divisé, en parts égales, entre les enfants de son frère Thomas et la fille d'Arabella Biggs, sa sœur.

— Qu'est devenu ce document ?

— À la demande de Mlle Arundell, je l'ai apporté avec moi lorsque je me suis rendu chez elle, à Littlegreen House, le 21 avril.

— Je vous serais très obligé, monsieur Purvis, de me décrire dans le détail tout ce qui s'est produit à cette occasion.

Le notaire resta silencieux un instant, puis il répondit, avec une grande précision :

— Je suis arrivé à Littlegreen House à 3 heures de l'après-midi. L'un de mes clercs m'accompagnait. Mlle Arundell m'a reçu au salon.

— Quelle impression vous a-t-elle faite ?

— Elle m'a paru en bonne santé, même si elle marchait avec une canne – conséquence, si j'ai bien compris, d'une chute qu'elle avait faite quelques jours plus tôt. Comme je vous l'ai dit, elle semblait en bonne santé. Un peu nerveuse et agitée, toutefois.

— Mlle Lawson était là ?

— Elle était avec elle à mon arrivée, mais elle s'est retirée aussitôt.

— Et ensuite ?

— Mlle Arundell m'a demandé si j'avais suivi ses instructions et si je lui avais apporté le testament à signer.

» Je lui ai répondu que oui. Je… Euh… (Il hésita un instant, avant de poursuivre avec raideur :)… Autant avouer que, dans les limites de la bienséance, je me suis permis quelques observations. Je lui ai signalé que les dispositions de ce testament pourraient sembler d'une injustice criante vis-à-vis de ses neveux qui étaient, après tout, du même sang qu'elle.

— Que vous a-t-elle répondu ?

— Elle m'a demandé si l'argent était à elle ou non et si elle pouvait en disposer comme elle l'entendait. Je lui ai assuré que c'était bien entendu le cas. « Alors, c'est parfait », a-t-elle dit. Je lui ai rappelé qu'elle ne connaissait Mlle Lawson que depuis peu de temps, et j'ai voulu savoir si elle était sûre du bien-fondé de l'injustice qu'elle allait commettre envers sa famille. Sa réponse fut : « Mon cher ami, je sais parfaitement ce que je fais. »

— Elle était agitée, m'avez-vous dit ?

— Je crois pouvoir l'affirmer, en effet, mais comprenez-moi bien, monsieur Poirot, elle était en pleine possession de ses facultés. Elle était, dans tous les sens du terme, parfaitement compétente pour s'occuper de ses affaires. Bien que mes sympathies soient entièrement acquises à la famille de Mlle Arundell, je serais dans l'obligation de maintenir ces déclarations devant n'importe quel tribunal.

— Cela va sans dire. Poursuivez, je vous prie.

— Mlle Arundell a relu son premier testament, puis elle a pris celui que je venais de rédiger. J'aurais préféré lui soumettre dans un premier temps un brouillon, je l'avoue, mais elle avait insisté pour que je lui apporte le document tout prêt à signer. Cela ne présentait aucune difficulté, car les dispositions en étaient très simples. Elle l'a lu, a hoché la tête et dit qu'elle voulait le signer sur-le-champ. J'ai estimé de mon devoir de protester une dernière fois. Elle m'a écouté jusqu'au bout avec patience, puis a répété que sa décision était irrévocable. J'ai donc appelé mon clerc. C'est le jardinier et lui qui ont servi de témoins. L'acte mentionnant les deux bonnes comme légataires, elles ne pouvaient bien entendu tenir ce rôle.

— Vous a-t-elle ensuite confié ce testament pour que vous le gardiez en lieu sûr ?

— Non. Elle l'a rangé dans un tiroir de son bureau, qu'elle a fermé à clé.

— Qu'a-t-elle fait du premier testament ? L'a-t-elle détruit ?

— Non. Elle l'a mis sous clé avec l'autre.

— Après sa mort, où a-t-on trouvé son testament ?

— Dans ce même tiroir. En tant qu'exécuteur testamentaire, j'avais ses clés. J'ai étudié tous ses papiers personnels.

— Les deux testaments étaient-ils toujours dans le tiroir ?

— Oui. À l'endroit exact où elle les avait rangés ce jour-là.

— L'avez-vous interrogée sur les motifs d'une décision si surprenante ?

— Oui. Mais je n'ai pas obtenu de réponse satisfaisante. Elle m'a simplement répété « qu'elle savait ce qu'elle faisait ».

— Toutefois, cette manière d'agir vous a étonné ?

— Beaucoup. Car Mlle Arundell, je me dois de le préciser, avait toujours manifesté un grand sens de la famille.

Poirot garda un instant le silence, puis il demanda :

— Je suppose que vous n'avez rien évoqué de tout cela avec Mlle Lawson ?

M. Purvis sembla choqué par cette simple suggestion.

— Certainement pas. Cela aurait été tout à fait déplacé !

— Mlle Arundell a-t-elle dit quelque chose pouvant indiquer que sa dame de compagnie était au courant de l'existence d'un testament en sa faveur ?

— Non. Je lui ai demandé si Mlle Lawson savait qu'elle était désignée comme héritière, et elle m'a répondu d'un ton brusque que celle-ci en ignorait tout. Convaincu qu'il était préférable qu'il en fût ainsi, j'ai fait une allusion dans ce sens, et Mlle Arundell a semblé partager mon opinion.

— Pourquoi avez-vous insisté sur ce point, monsieur Purvis ?

Le vieux notaire lui jeta un regard plein de dignité.

— À mon sens, mieux vaut ne pas discuter de ces choses-là. En outre, cela aurait pu être la cause d'une déception ultérieure.

— Ah ! dit Poirot en inspirant profondément, si je comprends bien, vous estimiez que Mlle Arundell pouvait changer d'avis dans un futur proche ?

Le notaire acquiesça d'un signe de tête.

— Exactement. Je pensais que Mlle Arundell avait eu une violente altercation avec sa famille et que lorsqu'elle se serait calmée, elle reviendrait sur cette décision irréfléchie.

— Dans ce cas, qu'aurait-elle fait ?

— Elle m'aurait donné des instructions pour la rédaction d'un autre testament.

— Elle aurait pu aussi détruire tout bonnement le dernier. Du coup, le testament original aurait été de nouveau valable.

— Ce point est discutable. Les dernières volontés de la testatrice précisaient que tous ses testaments précédents étaient automatiquement annulés par ces ultimes dispositions.

— Mais Mlle Arundell ne possédait pas assez de connaissances juridiques pour en être consciente. Elle aura pensé qu'en détruisant le dernier, celui d'avant redevenait valable…

— C'est possible.

— En fait, si elle était morte intestat, ses biens seraient allés à sa famille ?

— Oui. Une moitié à Mme Tanios et l'autre, à diviser entre Charles et Theresa Arundell. Il n'en reste pas moins, cependant, qu'elle n'a pas changé d'avis ! Elle est morte sans modifier sa décision.

— Mais c'est là que j'entre en jeu, dit Poirot.

Le notaire lui lança un regard interrogateur.

Poirot se pencha en avant.

— Supposons, reprit-il, que sur son lit de mort, Mlle Arundell ait voulu détruire ce second testament. Supposons qu'elle ait cru l'avoir bel et bien détruit… mais qu'en réalité, elle ait seulement déchiré le premier.

M. Purvis secoua la tête.

— Non, les *deux* documents étaient intacts.

— Alors, supposons qu'en croyant déchirer le vrai elle en ait détruit un faux. Elle était très malade, souvenez-vous, et la tromper n'eût guère posé de problèmes.

— Il faudrait apporter des preuves de ce que vous avancez, répliqua le notaire d'un ton acerbe.

— Oh ! cela va de soi ! Évidemment !

— Y a-t-il, si vous me permettez cette question, quelque raison de croire qu'un tel acte ait été commis ?

Poirot se recula un peu.

— À ce stade de l'enquête… je ne voudrais pas trop m'engager.

— Bien sûr, bien sûr ! répondit M. Purvis, d'accord avec une formule qui lui était familière.

— Cependant, et, strictement entre nous, j'estime que cette affaire présente des aspects bien curieux.

— Ah bon ? Vraiment ?

M. Purvis se frotta les mains, impatient d'en savoir davantage.

— Ce que j'attendais de vous, je l'ai obtenu, poursuivit Poirot. D'après vous, Mlle Arundell aurait tôt ou tard changé d'avis et serait revenue à de meilleurs sentiments envers sa famille ?

— Ce n'est là, bien entendu, qu'une opinion toute personnelle, fit remarquer le notaire.

— Je comprends, mon cher maître. Mlle Lawson n'est pas votre cliente, me suis-je laissé dire ?

— Je lui ai conseillé de consulter un homme de loi étranger à l'affaire, répondit M. Purvis, glacial.

Poirot lui serra la main en le remerciant pour sa gentillesse et les informations qu'il nous avait fournies.

# 20

## SECONDE VISITE À LITTLEGREEN HOUSE

Tout en parcourant la vingtaine de kilomètres qui séparaient Harchester de Market Basing, nous discutâmes de la situation.

— La suggestion que vous venez de faire, Poirot, a-t-elle quelque fondement ?

— Quand j'ai dit que Mlle Arundell avait peut-être cru avoir détruit ce deuxième testament ? Non, mon bon ami – franchement, non. Mais il m'appartenait, vous devez bien le comprendre, d'émettre une hypothèse ! M. Purvis est un homme intelligent. Si je n'avais pas lancé quelque suggestion de ce genre, il se serait demandé quel pouvait bien être mon rôle dans cette histoire.

— Savez-vous à qui vous me faites penser, Poirot ?

— Non, mon ami.

— À un jongleur manipulant des balles colorées qui se retrouvent toutes en l'air en même temps !

— Ces balles, ce sont les mensonges que je débite, n'est-ce pas ?

— C'est à peu près ça, oui.

— Et vous pensez qu'un jour tout va s'écrouler ?

— Vous ne pourrez pas jongler éternellement.

— C'est vrai, mais viendra le grand moment où je rattraperai les balles l'une après l'autre, avant de faire ma révérence et de quitter la scène.

— Sous un tonnerre d'applaudissements.

— C'est possible, oui, répondit Poirot en me jetant un regard en coin.

Je préférai abandonner ce terrain dangereux.

— Nous n'avons pas appris grand-chose de M. Purvis, remarquai-je.

— Non, mais il a confirmé les grandes lignes de notre analyse.

— Et aussi l'affirmation de Mlle Lawson – à savoir qu'elle ignorait tout de ce testament jusqu'à la mort de la vieille demoiselle.

— Personnellement, Hastings, je ne vois pas ce qui vous fait dire cela.

— Mais Purvis a conseillé à Mlle Arundell de ne rien lui confier, et celle-ci lui a répondu qu'elle n'en avait pas la moindre intention.

— Oui, ça, c'est bel et bon. Mais il y a les trous de serrure… Et les clés qui ouvrent les tiroirs les mieux fermés.

— Croyez-vous vraiment que Mlle Lawson soit capable d'écouter aux portes et de farfouiller dans les tiroirs ? demandai-je, plutôt choqué.

Poirot sourit.

— Mlle Lawson n'a pas bénéficié de votre éducation puritaine, très cher. Nous savons déjà qu'elle a écouté une conversation qu'elle n'était pas censée entendre – je fais référence à celle où Charles et sa tante ont parlé de certains parents sans le sou capables de la « liquider ».

Je dus admettre qu'il avait raison.

— Aussi, voyez-vous, Hastings, elle peut très bien avoir entendu une partie de la discussion entre M. Purvis et Mlle Arundell. Notre notaire a une voix sonore et qui porte.

» Pour ce qui est de « farfouiller » dans les affaires des autres, poursuivit Poirot, c'est une pratique beaucoup plus courante que vous ne l'imaginez. Les gens timides et effarouchables de l'espèce de Mlle Lawson prennent souvent toutes sortes d'habitudes plus ou moins inavouables qui les aident à passer le temps.

— Vraiment, Poirot ! protestai-je.

— Mais si, Hastings. Mais si.

Nous arrivâmes chez *George* où nous prîmes deux chambres. Puis nous partîmes à pied pour Littlegreen House.

Dès notre coup de sonnette, Bob se mit à aboyer furieusement. Il ne fit qu'un bond à travers le vestibule et se rua contre la porte d'entrée.

« Je vais vous étriper ! gronda-t-il. Vous déchiqueter ! Ça vous apprendra à essayer d'entrer dans cette maison ! Attendez un peu de goûter à mes crocs ! »

Un murmure apaisant vint se mêler à ces terribles menaces.

— Allons, allons, mon petit. Tu es un brave toutou, un bon chien-chien ! Viens par ici !

Tiré par le collier, Bob fut enfermé malgré sa résistance dans le petit salon.

« Il faut toujours qu'on vienne vous gâcher le travail ! semblait-t-il dire. C'était la première fois depuis une éternité que je pouvais flanquer la frousse à quelqu'un ! Je meurs d'envie de planter les dents dans une jambe de pantalon. Qu'est-ce que vous feriez sans moi pour vous protéger ? »

La porte du petit salon se referma sur lui ; puis Ellen tira verrous et barres et entrebâilla la porte d'entrée.

— Oh ! c'est vous, monsieur !, s'exclama-t-elle.

Elle ouvrit en grand. Une expression de ravissement se peignait sur son visage.

— Entrez donc, monsieur, je vous en prie…

Nous pénétrâmes dans le vestibule. De derrière une porte, à notre gauche, nous parvenaient de violents reniflements entrecoupés de grondements. Bob essayait de nous localiser.

— Vous pouvez le lâcher, suggérai-je.

— D'accord, monsieur. Il n'y a pas de problème, avec lui, vraiment, mais les gens ont peur, car il fait beaucoup de bruit et il se précipite sur eux… C'est un excellent chien de garde, en tout cas.

Elle libéra l'animal, qui jaillit comme un boulet de canon.

« Qui c'est ? Où sont-ils ? Ah ! les voilà. Saperlipopette, je crois me rappeler… (Sniff… Sniff… Sniff… Longs grognements…) Bien sûr ! Nous nous sommes déjà rencontrés ! »

— Salut, mon vieux, dis-je. Comment ça va ?

Il remua la queue pour la forme.

« Très bien, merci. Laissez-moi voir… (Il reprit ses recherches.) Vous avez parlé à un épagneul, dernièrement, me dit mon nez. Ces chiens-là sont des imbéciles, si vous voulez mon avis. Qu'est-ce que c'est, ça ? Un chat ? Voilà qui est intéressant ! Dommage qu'il ne soit pas là. On se serait offert une jolie petite partie de chasse. Hum… Pas mal, ce bull-terrier. »

Ayant conclu à juste titre que j'avais récemment rendu visite à quelques-uns de ses collègues, il s'occupa de Poirot, renifla une bouffée d'essence et s'éloigna, d'un air réprobateur.

— Bob ! Bob ! appelai-je.

Il me jeta un coup d'œil par-dessus son épaule.

« Ça va. Je sais ce que je fais. Je reviens en moins de deux ».

— La maison est fermée, dit Ellen. J'espère que vous excuserez…

Elle se précipita dans le petit salon et commença à ouvrir les volets.

— Parfait. C'est parfait, murmura Poirot.

Il la suivit et s'assit. Comme j'allais le rejoindre, Bob revint de quelque endroit mystérieux, sa balle dans la gueule. Il grimpa à toute allure en haut de l'escalier et se mit en position sur la première marche, la balle entre les pattes de devant. Sa queue remuait doucement.

« Allons, dit-il. Allons. Jouons un peu. »

Oubliant mon intérêt pour les enquêtes policières, je passai un moment avec lui. Puis, saisi de scrupules, je m'empressai de gagner le petit salon.

Ellen et Poirot discutaient maladies et remèdes.

— Quelques petits comprimés blancs, monsieur, c'était tout ce qu'elle avait l'habitude de prendre. Deux ou trois après chaque repas. C'étaient les ordres du Dr Grainger. Oh ! oui, elle s'y conformait, comme vous dites. Des pilules minuscules. Et puis, il y avait un autre médicament. Mlle Lawson ne jurait que par lui. Des cachets, c'était les cachets pour le foie du Dr Loughbarrow. Il y a des réclames pour ça affichées partout.

— Elle en prenait aussi ?

— Oui. C'est Mlle Lawson qui les lui avait fait connaître, et Mlle Arundell trouvait qu'ils lui faisaient du bien.

— Le Dr Grainger était-il au courant ?

— Oh ! ça ne le gênait pas, monsieur. « Avalez ça si vous pensez que ça vous fait du bien », qu'il lui avait dit. Et elle lui avait répondu : « Ma foi, moquez-vous si ça vous chante, mais ils me font vraiment du bien. Bien plus que n'importe laquelle de vos drogues ! » Et le Dr Grainger avait éclaté de rire et ajouté que la foi était le meilleur médicament jamais inventé.

— Elle prenait encore autre chose ?

— Non. Le mari de Mlle Bella, le docteur étranger, est allé une fois lui chercher une bouteille d'un machin… Mais même si elle l'a remercié bien poliment, elle l'a versée dans l'évier. Ça, je le sais ! Et elle a eu raison, à mon avis. On ne sait jamais trop, avec ces produits qui viennent d'ailleurs.

— Mme Tanios a vu sa tante la vider, n'est-ce pas ?

— Oui, et je crois que ça lui a fait de la peine, à la pauvre femme. Et ça m'a désolée, moi aussi, parce que le docteur, il avait certainement fait ça par gentillesse.

— Sans doute, sans doute. Je suppose qu'après la mort de Mlle Arundell, on s'est débarrassé de tous les médicaments qui se trouvaient dans la maison ?

Ellen parut légèrement surprise par la question.

— Oh ! bien sûr, monsieur. L'infirmière en a jeté une partie et Mlle Lawson a trié ceux de l'armoire à pharmacie de la salle de bains...

— C'était là que l'on rangeait les... euh... cachets pour le foie du Dr Loughbarrow ?

— Non. Ils étaient dans le placard d'angle de la salle à manger. Comme ça, Mlle Arundell les avait à portée de main après chaque repas.

— Qui était l'infirmière de Mlle Arundell ? Pouvez-vous me donner son nom et son adresse ?

Ellen les lui indiqua immédiatement.

Poirot continua alors à lui poser des questions sur la dernière maladie de sa patronne.

Ellen se fit une joie de lui fournir tous les détails – elle lui décrivit l'affection, les douleurs, les premiers symptômes de jaunisse, le délire final. J'ignore si Poirot fut satisfait d'une telle énumération. Il l'écouta assez patiemment, posant parfois une question pertinente, la plupart du temps au sujet de Mlle Lawson et de ce qu'elle faisait au chevet de sa maîtresse. Il se montra aussi fort intéressé par le régime alimentaire de la malade, le comparant à celui de quelque parent à lui – imaginaire –, aujourd'hui disparu.

Constatant qu'ils prenaient tous deux grand plaisir à leur discussion, je retournai discrètement dans le vestibule. Bob s'était endormi sur le palier, à l'étage, sa balle sous le menton.

Je le sifflai et il se redressa, aussitôt sur le qui-vive. Cette fois, cependant – j'avais sans doute offensé sa dignité en l'abandonnant un peu plus tôt –, il s'amusa longtemps à faire semblant de m'envoyer la balle et à la rattraper au tout dernier moment.

« Déçu, n'est-ce pas ? Bon, peut-être que je vais vraiment te la laisser attraper, ce coup-ci. »

Lorsque je revins au petit salon, Poirot parlait de la visite surprise du Dr Tanios le dimanche précédant la mort de la vieille dame.

— Oui, monsieur. M. Charles et Mlle Theresa étaient sortis pour une promenade. On n'attendait pas le Dr Tanios, je le sais. La maîtresse était couchée et elle a été très étonnée quand je lui ai annoncé qui c'était. « Le Dr Tanios ? a-t-elle dit. Est-ce que sa femme l'accompagne ? » Je lui ai répondu que non, que ce monsieur était venu seul. Alors elle m'a demandé de le prévenir qu'elle descendrait dans une minute.

— Est-il resté longtemps ?

— Pas plus d'une heure, monsieur. Quand il est reparti, il n'avait pas l'air très content.

— Avez-vous une idée… euh… de la raison de sa visite ?

— Non, monsieur, je n'en sais rien.

— Vous n'avez rien entendu, par hasard ?

Ellen devint toute rouge.

— Oh ! non, monsieur ! Je n'ai jamais été du genre à écouter aux portes, pas comme certaines personnes – qui pourtant devraient savoir se conduire !

— Vous vous méprenez sur le sens de mes paroles, s'excusa Poirot avec chaleur. J'ai pensé, simplement, que vous auriez pu servir le thé pendant que ce monsieur était là, et, dans ce cas, vous n'auriez pas pu éviter d'entendre ce dont il parlait avec votre maîtresse.

Elle se calma.

— Je suis désolée, monsieur. Je n'avais pas compris, en effet. Non, le Dr Tanios n'est pas resté pour le thé.

Poirot la regarda et lui fit un petit clin d'œil malicieux :

— Et si je veux connaître le but de sa visite… peut être bien que Mlle Lawson ne serait pas si mal placée pour me répondre, qu'est-ce que vous en pensez ?

— Si elle, elle ne le sait pas, monsieur, alors personne ne le sait ! répliqua Ellen d'un ton pincé.

— Voyons…, reprit Poirot, qui fronça les sourcils comme pour essayer de se souvenir. La chambre de Mlle Lawson se trouvait à côté de celle de Mlle Arundell ?

— Non, monsieur. La chambre de Mlle Lawson est à droite, en haut des escaliers. Je peux vous montrer, monsieur.

Poirot accepta. Il gravit les marches en se tenant près du mur, et juste au moment où il arrivait sur le palier, il poussa une exclamation et se pencha pour examiner le bas de son pantalon.

— Zut ! Je viens de m'accrocher. Ah ! mais oui… Il y a un clou, ici, dans la plinthe.

— Oui, c'est vrai, monsieur. C'est une pointe qui a dû sortir un peu, ou quelque chose comme ça. Moi aussi j'y ai pris ma robe, une ou deux fois.

— Ça fait longtemps qu'il est là ?

— Eh bien, un certain temps, hélas, monsieur. La première fois que je l'ai remarqué, c'était quand la patronne était au lit – après son accident, monsieur. J'ai essayé de l'arracher, mais je n'y suis pas arrivée.

— On a dû y attacher un fil, à un moment quelconque, je pense.

— C'est exact, monsieur. Je me souviens d'y avoir vu un petit bout de fil. Je me demande bien pourquoi, d'ailleurs.

Mais il n'y avait aucun soupçon dans la voix d'Ellen. Pour elle, c'était juste une de ces petites choses qui arrivent dans une maison sans que l'on prenne la peine de les expliquer !

Poirot était entré dans la chambre. C'était une pièce de dimensions moyennes. Deux fenêtres nous faisaient face. Il y avait une coiffeuse dans un coin et, entre les deux fenêtres, une armoire avec un grand miroir. Le lit était à droite de la porte, face aux fenêtres. Contre le mur gauche se trouvait une grosse commode en acajou et une table de toilette avec un dessus en marbre.

Poirot examina la pièce d'un air songeur, puis ressortit sur le palier. Il longea le couloir, dépassa deux autres portes et pénétra dans la vaste chambre à coucher de Mlle Arundell.

— L'infirmière était dans la petite pièce à côté, expliqua Ellen.

Poirot acquiesça d'un signe de tête pensif.

Tandis que nous redescendions, il lui demanda s'il pouvait aller faire le tour du jardin.

— Oh ! oui, monsieur, bien sûr. Il est très beau, en ce moment.

— Vous avez encore un jardinier ?

— Angus ? Oh ! oui, Angus est toujours là. Mlle Lawson veut que tout soit bien entretenu. Elle pense que comme ça, elle vendra plus facilement.

— C'est faire preuve de sagesse. Laisser un endroit à l'abandon n'est pas de bonne politique.

Le jardin était superbe et respirait la paix, avec ses larges bordures de lupins, de pieds-d'alouette, et d'énormes pavots écarlates. Les pivoines étaient en boutons. Nous promenant de-ci de-là, nous atteignîmes une serre, devant laquelle s'affairait un gros homme d'un certain âge, l'air bourru. Il nous salua respectueusement et Poirot engagea la conversation.

Lorsque mon compagnon lui dit qu'il avait vu Charles le matin même, le vieil homme se dérida et se fit volubile.

— Ç'a toujours été un sacré loustic, ça oui alors ! Y'a des jours, j'le voyais rappliquer ici tout courant avec la moitié d'une tarte aux groseilles – et la cuisinière qui battait les buissons à la recherche de son voleur. Ensuite, il rentrait à la maison avec un air si innocent que – bon sang de bonsoir ! – ils pouvaient accuser qu'le chat – comme si qu'on a déjà vu un chat qui bouffe d'la tarte aux groseilles ! Oh ! oui, un sacré phénomène, not' M. Charles !

— Il est venu en avril, non ?

— Oui. Deux week-ends, qu'il est venu. Juste avant la mort d'la maîtresse.

— Vous l'avez beaucoup vu ?

— Pas mal, oui, que j'l'ai vu. Y'a jamais eu beaucoup d'occupations pour un jeune homme, dans l'coin. Personne pourra dire le contraire. Il allait faire un petit tour chez *George*, histoire de boire un coup. Ensuite, il venait traîner par ici, à me poser des questions sur tout un tas d'choses.

— Sur les fleurs ?

— Ouais, les fleurs. (Le vieil homme gloussa.) Et puis les mauvaises herbes aussi.

— Les mauvaises herbes ?

La voix de Poirot s'était soudain faite insidieuse. Il tourna la tête et son regard parcourut les étagères. Il s'arrêta sur une boîte en fer-blanc.

— Peut-être voulait-il savoir comment on fait pour s'en débarrasser ? ajouta-t-il.

— Exactement !

— Je suppose que c'est le produit que vous utilisez ? dit Poirot en faisant lentement tourner la boîte pour lire l'étiquette.

— Ouais, répondit Angus. Un produit tout ce qu'il y a de pratique et d'efficace.

— Dangereux ?

— Pas si on l'utilise comme il faut. C'est d'l'arsenic, pour sûr. On a un peu plaisanté avec ça, M. Charles et moi. Il disait comme ça que quand y s'rait marié et qu'y pourrait plus voir sa femme en peinture, il viendrait m'voir, histoire d'prendre un peu d'ce machin-là pour s'en débarrasser. « Mais p't'être bien, qu'j'ai dit, que ce s'ra elle qui voudra se débarrasser de vous. » Ah ! Celle-là, elle l'a bien fait rigoler, ça oui ! Elle était bonne, non ?

Nous nous efforçâmes de rire comme il se devait. Poirot souleva le couvercle de la boîte.

— Presque vide, murmura-t-il.

Le vieux jardinier y jeta un coup d'œil à son tour.

— Aïe ! il en reste moins que c'que je croyais. J'avais pas idée d'en avoir utilisé autant. Va falloir qu'j'en r'commande.

— Oui, dit Poirot en souriant. Je crains qu'il ne vous en reste plus assez pour que vous puissiez m'en donner un peu pour ma femme !

Nous éclatâmes de nouveau de rire à ce trait d'esprit.

— Vous, m'sieur, z'êtes pas marié, je parie !

— Non.

— C'est toujours ceux qui l'sont pas qui peuvent s'permettre d'en rigoler. Ceux qui savent pas l'problème qu'c'est !

— Je suppose que votre épouse…

Poirot s'interrompit avec tact.

— Elle est bien vivante ! C'est l'moins qu'on puisse dire.

L'idée semblait le déprimer un peu.

Après l'avoir complimenté sur son jardin, nous lui fîmes nos adieux.

# 21

## LE PHARMACIEN, L'INFIRMIÈRE, LE MÉDECIN

La boîte de désherbant m'avait donné à réfléchir. C'était le premier élément véritablement suspect que je rencontrais. L'intérêt que Charles lui avait porté, la surprise évidente du jardinier découvrant qu'elle était presque vide, tout cela semblait indiquer la direction dans laquelle avancer…

Mais, comme toujours lorsque je m'emballe, Poirot se montra des plus réservés.

— Même si quelqu'un a bel et bien dérobé du désherbant, il n'y a aucune preuve que ce soit l'œuvre de Charles, Hastings.

— Mais il en a parlé avec le jardinier !

— Ce qui n'était pas très raisonnable s'il avait eu l'intention d'en prendre, non ? (Il changea de sujet :) Quel est le premier poison qui vous vient à l'esprit si on vous demande d'en citer un très vite ?

— L'arsenic, je suppose.

— Oui. Vous comprenez alors pourquoi Charles s'est interrompu si nettement avant de prononcer le mot « strychnine », lorsqu'il a discuté avec nous, aujourd'hui.

— Vous croyez que…

— Qu'il était sur le point de dire une rasade « d'arsenic dans la soupe » et qu'il s'est tu.

— Ah ! murmurai-je. Et pourquoi s'est-il tu ?

— Bravo, Hastings ! Pourquoi, en effet ! C'est pour trouver la réponse à cette intéressante question que je suis allé faire un tour dans le jardin à la recherche d'un éventuel désherbant.

— Et vous l'avez trouvé !

— Et je l'ai trouvé.

Je secouai la tête.

— Ça commence à sentir le roussi pour le jeune Charles. Vous avez longuement discuté avec Ellen de la maladie de la vieille demoiselle. Ses symptômes ressemblaient-ils à ceux d'un empoisonnement à l'arsenic ?

Poirot se frotta le nez.

— C'est difficile à dire. Il y avait une douleur abdominale, des nausées…

— Pas de doute ! C'est bien ça !

— Hum ! je n'en suis pas aussi certain que vous.

— Cela évoque pour vous quel poison, alors ?

— En réalité, mon cher ami, cela fait moins penser à un empoisonnement qu'à une maladie de foie mortelle !

— Oh ! Poirot ! m'écriai-je, ça ne peut pas être une mort naturelle ! C'est certainement un meurtre !

— Tout doux, mon ami ! Ne dirait-on pas que nous avons échangé nos rôles tous les deux ?

Nous passions devant une pharmacie, et il y entra soudain. Après une longue discussion à propos de ses problèmes gastriques, il acheta une petite boîte de pastilles digestives. Puis, une fois son médicament empaqueté et alors qu'il s'apprêtait à sortir de la boutique, son attention fut attirée par un fort engageant paquet de cachets pour le foie du Dr Loughbarrow.

— Oui, monsieur, c'est un excellent remède. (Le pharmacien, dans la cinquantaine, était d'humeur loquace.) Je vous garantis que vous le trouverez très efficace.

— Mlle Arundell en prenait, si je me souviens bien. Mlle Emily Arundell…

— C'est exact, monsieur. Mlle Arundell, de Littlegreen House. Une vieille demoiselle très distinguée, une de ces personnes comme on n'en fait plus, hélas ! Elle était de mes clientes.

— Achetait-elle beaucoup de spécialités pharmaceutiques ?

— Pas vraiment, monsieur. Pas autant que beaucoup de vieilles personnes que je pourrais citer. Quant à Mlle Lawson, sa dame de compagnie, celle qui a hérité de sa fortune…

Poirot acquiesça d'un signe de tête.

— Elle, en revanche, elle prenait tout ce qui lui tombait sous la main. Comprimés, pastilles, pilules contre les maux d'estomac, potions pour la digestion, potions pour la circulation… Elle n'aimait rien tant qu'être environnée de fioles en tout genre. (Il eut un petit sourire triste.) Si seulement j'avais davantage de clientes comme elle ! De nos jours, les gens ne consomment plus autant de médicaments qu'avant. Enfin, nous vendons beaucoup d'articles de toilette, et ceci compense cela.

— Mlle Arundell utilisait-elle régulièrement ces cachets pour le foie ?

— Oui, je pense qu'elle a dû commencer à en prendre trois mois avant sa mort.

— Un jour, un de ses proches, le Dr Tanios, est venu vous commander une préparation, n'est-ce pas ?

— Ah ! oui, bien sûr, le monsieur grec qui a épousé la nièce de Mlle Arundell. Oui, c'était une préparation très intéressante. Je ne la connaissais pas.

(Il en parlait comme s'il s'agissait d'un spécimen botanique rare.)

» Ça change, monsieur, lorsqu'on vous demande de faire quelque chose de nouveau. Remarquable combinaison de médicaments, cela me revient maintenant que nous en parlons. Évidemment, le monsieur était médecin. Il était très sympathique – très affable.

— Sa femme est-elle venue aussi acheter quelque chose chez vous ?

— Voyons… Je ne me rappelle pas. Ah, si ! Un somnifère – du chloral, je m'en souviens, maintenant. L'ordonnance indiquait le double de la dose normale. C'est toujours un peu difficile, pour nous, avec les hypnotiques. Voyez-vous, la plupart des médecins n'en prescrivent d'ordinaire pas de grosses quantités à la fois.

— Qui avait établi cette ordonnance ?

— Son mari, je crois. Bien sûr, tout était parfaitement en règle, mais de nos jours, il faut faire attention. Peut-être l'ignorez-vous, mais si un médecin se trompe dans une prescription et que nous la délivrons quand même en toute bonne foi – eh bien, s'il y a problème chez le patient, c'est nous qui sommes responsables, pas le médecin.

— C'est très injuste, non ?

— Ça donne parfois froid dans le dos, je l'avoue. Mais, bah ! je n'ai pas à me plaindre. Moi, je n'ai jamais eu d'ennuis – touchons du bois.

Du bout des doigts, il tapota son comptoir.

Poirot décida d'acheter un paquet de cachets pour le foie du Dr Loughbarrow.

— Merci, monsieur. La boîte de vingt-cinq, de cinquante ou de cent ?

— Je suppose que la grande boîte est plus économique, mais enfin…

— Prenez celle de cinquante, monsieur. C'était celle-là qu'achetait toujours Mlle Arundell. Huit shillings et six pence, s'il vous plaît.

Poirot acquiesça de la tête, paya les huit shillings et les six pence demandés, et prit son paquet.

Nous quittâmes la pharmacie.

— Ainsi, Mme Tanios est venue chercher un somnifère ! m'exclamai-je, dès que nous fûmes dans la rue. Un surdosage qui tuerait n'importe qui, n'est-ce pas ?

— Sans le moindre problème.

— Croyez-vous que la vieille Mlle Arundell…

Je repensais aux paroles de Mlle Lawson : « *J'oserais même dire qu'elle serait capable d'assassiner quelqu'un s'il le lui demandait.* »

Poirot hocha la tête.

— Le chloral est un narcotique et un hypnotique. On l'utilise comme antalgique et comme somnifère. Il peut en outre y avoir effet d'accoutumance.

— Vous pensez que c'est le cas de Mme Tanios ?

Poirot secoua cette fois la tête d'un air perplexe.

— Non. Ça m'étonnerait. Mais c'est bizarre. J'ai bien une explication, mais cela voudrait dire…

Il se tut et regarda sa montre.

— Venez. Voyons si nous pouvons rencontrer cette Carruthers, l'infirmière qui s'est occupée de Mlle Arundell lors de sa dernière maladie.

Mme Carruthers se révéla une femme d'âge moyen, à l'air fort sensé.

Cette fois encore, Poirot adopta un nouveau rôle, et s'inventa un autre parent imaginaire – une vieille mère pour laquelle il tenait beaucoup à trouver une infirmière sympathique.

— Vous comprenez... Je vais être tout à fait franc avec vous. Ma mère est quelqu'un de peu commode. Nous avons eu d'excellentes infirmières, de jeunes femmes très compétentes, mais leur jeunesse a toujours joué contre elles. Ma mère déteste les jeunes femmes, elle les insulte, elle est brutale et hargneuse, elle peste contre les fenêtres ouvertes et l'hygiène moderne. C'est extrêmement pénible.

Il poussa un profond soupir.

— Je connais cela, dit Mme Carruthers sur un ton compatissant. C'est parfois très éprouvant. Il faut avoir beaucoup de tact. Inutile de contrarier les malades. Il vaut mieux leur céder le plus possible. Et souvent, lorsqu'ils se rendent compte que l'on ne cherche pas à leur imposer notre volonté, ils se détendent et deviennent doux comme des agneaux.

— Ah ! je vois que vous seriez pour elle l'infirmière idéale. Vous avez l'air de comprendre les personnes âgées.

— J'en ai déjà soigné quelques-unes dans ma carrière, répondit-elle en riant. Avec un peu de patience et de bonne humeur, on obtient de très bons résultats.

— Voilà qui est sagement parlé. Vous vous êtes occupée de Mlle Arundell, je crois ? Elle n'a pas dû être toujours commode ?

— Oh ! je ne sais pas. Elle était très volontaire, c'est vrai, mais je ne l'ai pas trouvée difficile du tout. Cela dit, je ne suis pas restée très longtemps chez elle. Elle est morte quatre jours après mon arrivée.

— J'ai discuté avec sa nièce, Mlle Theresa Arundell, pas plus tard qu'hier.

— Vraiment ? Ça c'est drôle ! Comme je le dis toujours, le monde est petit !

— Vous la connaissez, j'imagine ?

— Bien sûr. Elle s'est précipitée ici lorsque sa tante est morte, et elle a assisté aux funérailles. Et, bien entendu, je l'avais vue avant, quand elle venait passer quelques jours. C'est une très jolie femme.

— Oui, en effet, Mais trop maigre – nettement trop maigre.

L'infirmière Carruthers, consciente de ses confortables rondeurs, se rengorgea.

— Bien sûr, dit-elle, ce n'est pas bon d'être trop maigre.

— Pauvre fille, continua Poirot. Elle me fait de la peine. Tout à fait entre nous… (Se penchant en avant, il ajouta, sur le ton de la confidence :)… le testament de sa tante a été un terrible choc, pour elle.

— Je comprends ça, répondit l'infirmière. En tout cas, je sais qu'il a beaucoup fait jaser.

— Je n'arrive pas à imaginer ce qui a poussé Mlle Arundell à déshériter ainsi toute sa famille. C'est une façon d'agir bien extraordinaire.

— Bien extraordinaire, je suis de votre avis. Évidemment, la rumeur prétend que ça cache quelque chose.

— Avez-vous jamais eu une idée de la raison de cette décision ? La vieille Mlle Arundell n'en a rien dit ?

— Non. Pas à moi, en tout cas.

— Mais à quelqu'un d'autre ?

À mon avis, elle a dû parler de quelque chose avec Mlle Lawson, parce que j'ai entendu la dame de compagnie qui lui disait : « Oui, mademoiselle, mais voyez-vous, il est chez le notaire. » Et Mlle Arundell a répondu : « Je suis sûre qu'il est en bas dans le tiroir. » Et Mlle Lawson : « Non, vous l'avez envoyé à M. Purvis, vous ne vous en souvenez pas ? » Ensuite, ma malade a été reprise par ses nausées et Mlle Lawson a quitté la pièce pendant que je m'occupais d'elle. Mais par la suite, je me suis souvent demandé si, ce jour-là, elles ne parlaient pas du testament.

— Cela semble très probable.

— Si c'est le cas, reprit l'infirmière, j'imagine que Mlle Arundell était inquiète et qu'elle voulait peut-être le modifier… mais à partir de là, elle a été si mal, la pauvre, qu'elle n'était plus en état de penser à rien.

— Mlle Lawson vous aidait-elle à la soigner ?

— Oh ! mon Dieu, non ! Elle n'était pas douée pour ça ! Trop maniaque, voyez-vous. Elle ne faisait qu'irriter ma patiente.

— Vous vous chargiez donc de tout toute seule ? C'est formidable, ça !

— La bonne – comment s'appelait-elle, déjà ? Ah oui ! Ellen – me donnait un coup de main. Elle savait s'y prendre. Elle était habituée aux problèmes de santé de sa maîtresse et s'occupait d'elle depuis longtemps. On se débrouillait plutôt bien, à nous deux. En fait, le Dr Grainger devait nous envoyer une infirmière de nuit, le vendredi, mais Mlle Arundell est décédée avant son arrivée.

— Peut-être Mlle Lawson vous aidait-elle à préparer les repas de la malade ?

— Non. Elle ne faisait strictement rien. Et il n'y avait d'ailleurs pas grand-chose à préparer. J'avais les remèdes et le cognac – ainsi que le fortifiant, le glucose et tout ça. Tout ce à quoi Mlle Lawson était bonne, c'était à courir en gémissant dans toute la maison et à se fourrer dans les jambes de tout le monde.

Il y avait de l'aigreur dans le ton de l'infirmière.

— Je vois, dit Poirot en souriant, que vous n'avez pas une très haute opinion de l'utilité de Mlle Lawson.

— Les dames de compagnie ne valent souvent pas grand-chose, à mon avis. Elles n'ont aucune formation, voyez-vous, en aucun domaine. Ce ne sont que des amateurs. Des femmes qui, la plupart du temps, sont incapables de quoi que ce soit d'autre.

— Vous avez l'impression que Mlle Lawson était très attachée à Mlle Arundell ?

— Elle semblait l'être. Sa mort l'a bouleversée. Elle a très mal pris la nouvelle. Plus que la famille, si vous voulez mon opinion, conclut l'infirmière avec une moue pincée.

— Peut-être, alors, dit Poirot en hochant la tête avec une certaine solennité, Mlle Arundell savait-elle ce qu'elle faisait en disposant ainsi de sa fortune ?

— C'était une vieille demoiselle très intelligente, répondit l'infirmière. Il n'y avait pas grand-chose qu'elle ne comprenne pas ou qu'elle ne sache pas, ça j'en suis persuadée.

— A-t-elle parlé de Bob, le chien ?

— C'est drôle que vous posiez cette question ! Elle en a beaucoup parlé, en effet, pendant son délire. Quelque chose à propos de la chute qu'elle avait faite et de la balle du chien… Ce Bob, c'est une brave bête. J'adore les chiens. Il a été bien malheureux, le pauvre, à la mort de sa maîtresse. Merveilleux animaux, non ? Presque humains.

Nous prîmes congé après ces considérations sur l'humanité des chiens.

— En voilà une qui n'a visiblement aucun soupçon, remarqua Poirot après notre départ.

Il semblait quelque peu découragé.

Nous dînâmes – fort mal – chez *George*. Poirot ronchonna beaucoup, surtout à cause du potage.

— Quand on pense qu'il est si facile de préparer une bonne soupe, Hastings... Le pot-au-feu...

Je réussis – mais non sans peine – à éviter un discours sur l'art culinaire.

Après dîner, nous eûmes une surprise.

Nous étions installés au « salon », que nous avions d'ailleurs accaparé. Il y avait eu un autre convive – un représentant de commerce, selon toute apparence – mais il était sorti. Je feuilletais distraitement un vieux numéro de la *Gazette de l'Éleveur* ou d'un quelconque périodique similaire lorsque j'entendis soudain prononcer le nom de Poirot.

La voix venait du hall.

— Où est-il ? Là-dedans ? C'est bon, je saurai bien le trouver !

La porte s'ouvrit violemment, et le Dr Grainger, visage apoplectique et sourcils froncés sous l'effet de la colère, entra à grands pas dans la pièce. Il referma le battant derrière lui, puis marcha droit sur nous d'un air furibond.

— Ah ! vous voilà ! Dites donc, monsieur Hercule Poirot, que diable vous a-t-il pris d'être venu me débiter ce tissu de mensonges ?

— Une des balles du jongleur ? murmurai-je, taquin.

— Mon cher docteur, répondit Poirot de sa voix la plus mielleuse, permettez-moi de vous expliquer…

— Vous permettre ? Vous permettre ? Bon Dieu de bois, je vais vous obliger à vous expliquer, oui ! Vous êtes un détective, voilà ce que vous êtes ! Un détective fouineur et indiscret. Vous arrivez chez moi et vous me servez vos bobards sur la biographie du général Arundell ! Quel gogo j'ai été de gober vos boniments à la noix !

— Qui vous a révélé mon identité ? demanda Poirot.

— Qui ? Mlle Peabody. Elle, au moins, elle vous a percé à jour !

— Mlle Peabody… oui, répéta Poirot, songeur. J'aurais plutôt pensé…

Le Dr Grainger l'interrompit avec colère.

— Maintenant, monsieur, j'attends vos explications !

— Bien sûr. Mes explications seront très simples : tentative de meurtre.

— Quoi ? Qu'est-ce que c'est encore que cette histoire ?

— Mlle Arundell a fait une chute, n'est-ce pas ? poursuivit Poirot sans se départir de son calme. Une chute dans les escaliers, peu de temps avant sa mort.

— Oui, et alors ? Elle a glissé sur la balle de ce satané animal.

Poirot secoua la tête.

— Non, docteur. Elle n'a pas glissé. Un fil avait été tendu en travers de la première marche et c'est cela qui l'a fait basculer.

Le Dr Grainger écarquilla les yeux.

— Dans ce cas, pourquoi ne me l'a-t-elle pas dit ? Elle ne m'en a jamais soufflé mot.

— C'est sans doute compréhensible – si c'est bien un membre de sa famille qui a placé le fil à cet endroit !

— Hum... Je vois. (Grainger lança un regard perçant à Poirot, puis se laissa tomber dans un fauteuil.) Eh bien ? ajouta-t-il. Comment avez vous été mêlé à cette affaire ?

— Mlle Arundell m'a écrit, en me demandant une discrétion absolue. Hélas ! sa lettre a été... retardée.

Poirot lui donna alors quelques détails – choisis avec circonspection –, et lui raconta la découverte du clou planté dans la plinthe.

Le médecin l'écouta, l'air grave. Sa colère s'était calmée.

— Vous imaginez combien ma position était difficile, conclut Poirot. J'ai été engagé, voyez-vous, par une personne décédée... Mais j'ai estimé que je n'en avais pas moins des obligations.

Le Dr Grainger réfléchissait, sourcils froncés.

— Et vous n'avez aucune idée de l'identité de la personne qui a tendu ce fil en haut des escaliers ? demanda-t-il.

— Je n'ai pas de preuve. Mais je mentirais en prétendant que je n'ai aucune idée.

— Sale affaire, marmonna Grainger, le visage sombre.

— Oui. Et vous admettrez, je l'espère, qu'au début j'ai pu ignorer s'il y avait eu récidive ou non.

— Hein ? Récidive ? Que voulez-vous dire ?

— Il semble que Mlle Arundell soit morte de mort naturelle. Oui, mais peut-on en être certain ? On a attenté une fois à sa vie. Comment serais-je sûr que l'on n'a pas recommencé ? Et avec succès ?

Grainger hocha la tête, songeur.

— J'imagine que vous êtes bien certain, Dr Grainger – et je vous en prie, ne le prenez pas en mauvaise part –, bien certain, disais-je, que la mort de Mlle Arundell est naturelle ? Il se trouve cependant que j'ai aujourd'hui découvert des indices…

Il relata alors sa conversation avec le vieil Angus, l'intérêt de Charles pour le désherbant, et enfin la surprise du jardinier découvrant que sa boîte était presque vide.

Grainger l'écouta avec la plus vive attention. Lorsque Poirot eut terminé, il dit avec calme :

— Je vois où vous voulez en venir. Nombre d'empoisonnements à l'arsenic ont jusqu'ici été pris pour des gastro-entérites aiguës et les permis d'inhumer délivrés normalement – surtout lorsque le décès ne s'accompagnait pas de circonstances suspectes. En outre, l'empoisonnement à l'arsenic présente certaines difficultés de diagnostic – il rend tellement de formes ! Il peut être aigu, subaigu, nerveux ou chronique. Il peut y avoir vomissements et douleurs abdominales – ou pas du tout. La victime peut s'écrouler brusquement et mourir peu de temps après. Parfois, il y a aussi narcose et paralysie. Les symptômes varient énormément.

— Compte tenu des faits nouveaux, quelle est votre opinion ? demanda Poirot.

Le Dr Grainger resta un instant silencieux, puis répondit lentement :

— En considérant l'ensemble de ces éléments, et en toute objectivité, mon opinion est qu'aucune forme d'empoisonnement à l'arsenic ne correspond aux symptômes présentés par Mlle Arundell. Elle est morte, j'en suis convaincu, d'une atrophie aiguë du foie. Comme vous le savez, je la soigne depuis des années, et elle a déjà souffert de crises semblables à celle qui, cette fois, l'a emportée. Voici, après mûre réflexion, mon opinion, monsieur Poirot.

L'affaire semblait entendue.

Aussi eûmes-nous l'impression pénible de retomber sur terre et de repartir de zéro lorsque, avec l'air de s'excuser, Poirot exhiba le paquet de cachets pour le foie acheté à la pharmacie.

— Mlle Arundell en prenait, je crois ? dit-il. J'imagine que ça ne pouvait lui faire aucun mal ?

— Ça ? Absolument aucun mal. C'est de l'aloès et de la podophylline... Tout ce qu'il y a d'anodin. Ça lui faisait plaisir de prendre ce genre de trucs. Je n'y voyais pas d'inconvénient.

Il se leva.

— Vous-même, vous lui prescriviez certains médicaments ? demanda encore Poirot.

— Oui. Un comprimé pas bien fort à prendre après chaque repas. Pour le foie. (Un éclair malicieux passa dans ses yeux.) Elle aurait pu en avaler une boîte entière sans le moindre danger. Je n'ai pas l'habitude d'empoisonner mes patients, monsieur Poirot.

Puis il nous serra la main en souriant, et nous quitta.

Poirot ouvrit son paquet. C'étaient des cachets transparents, emplis aux trois quarts d'une poudre brun foncé.

— On dirait un médicament contre le mal de mer que j'ai pris une fois, fis-je remarquer.

Poirot ouvrit un cachet, examina son contenu et le goûta avec précaution du bout de la langue. Il grimaça.

— Eh bien, dis-je, me laissant aller en bâillant contre le dossier de mon fauteuil, tout ceci me paraît bien inoffensif. Qu'il s'agisse de la spécialité du Dr Loughbarrow ou des comprimés du Dr Grainger ! Par-dessus le marché, ce bon docteur m'a tout l'air de réfuter totalement la théorie de l'arsenic. Êtes-vous enfin convaincu, ma brave tête de mule de Poirot ?

— C'est vrai que je suis têtu comme une mule… oui, comme une mule, répéta mon compagnon, l'air songeur.

— Et donc, même en ayant le pharmacien, l'infirmière et le médecin contre vous, vous restez persuadé que Mlle Arundell a été assassinée ?

— C'est ce que je crois, répondit Poirot avec calme. Non… En fait non, je ne le crois pas… J'en suis *certain*, Hastings.

— Il y a une façon de le prouver, j'imagine, dis-je lentement. L'exhumation.

Poirot acquiesça d'un signe de tête.

— Est-ce là notre prochaine étape ? ajoutai-je.

— Mon bon ami, je dois agir avec prudence.

— Pourquoi ?

— Parce que… (Il baissa la voix.)… Parce que je crains une autre tragédie.

— Vous voulez dire… ?

— Je le crains, Hastings, je le crains. Restons-en là.

# 22

## LA FEMME DANS LES ESCALIERS

Le lendemain matin on nous apporta un message. L'écriture, un peu molle et hésitante, remontait en bout de lignes.

*Cher monsieur Poirot,*

*J'apprends par Ellen que vous étiez hier à Littlegreen House. Je vous serais très obligée de passer me voir un moment aujourd'hui.*

*Sincèrement vôtre,*

*Wilhelmina Lawson*

— Ainsi, elle est là, observai-je.

— Oui.

— Je me demande bien pourquoi elle est venue.

— Je ne crois pas que ce soit forcément avec de mauvaises intentions, dit Poirot en souriant. Après tout, la maison lui appartient…

— Oui, c'est exact, bien sûr. Vous savez, Poirot c'est ça le pire avec le jeu que nous jouons. Dès que quelqu'un bouge le petit doigt, nous lui prêtons les plus noirs desseins.

— Il est vrai que c'est moi qui vous ai enseigné la devise : « Tous suspects ».

— Le pensez-vous toujours ?

— Non. Pour moi, maintenant, les choses se résument à ceci : je soupçonne une personne en particulier.

— Laquelle ?

— Étant donné qu'il ne s'agit pour l'instant que de simples soupçons et que je ne possède aucune preuve, je préfère vous laisser parvenir à vos propres déductions, Hastings. Mais ne négligez pas l'aspect psychologique – ... c'est très important. La nature du meurtre – qui requiert de l'assassin un tempérament particulier – est un indice essentiel sur le crime.

— Comment voulez-vous que je tienne compte du caractère du meurtrier si je ne sais pas de qu'il s'agit ?

— Non, non, vous n'avez pas écouté ce que je viens de vous dire. Si vous réfléchissez suffisamment à la nature... la nature intrinsèque du meurtre, alors, vous saurez qui est le meurtrier !

— Vous le connaissez vraiment, Poirot ? demandai-je avec curiosité.

— Je ne peux prétendre le connaître, car je n'ai pas de preuves, je vous le répète. C'est pourquoi il m'est impossible de vous donner davantage de précisions pour le moment. Mais je suis sûr de moi – oui, mon ami, j'ai l'intime conviction de ne pas me tromper.

— Eh bien, dis-je en riant, attention que ce ne soit pas à vous qu'il fasse son affaire ! Ça ce serait une tragédie !

Poirot sursauta légèrement. Il ne prit pas la chose comme une plaisanterie ; bien au contraire, il murmura :

— Vous avez raison. Je dois me montrer prudent – extrêmement prudent.

— Si vous endossiez une cotte de mailles ? blaguai-je. Et si vous engagiez un goûteur pour éviter de vous faire empoisonner ? En fait, vous devriez embaucher une équipe de mercenaires armés jusqu'aux dents pour vous protéger.

— Vous êtes mille fois trop bon, Hastings, je m'en remettrai plutôt aux ressources de mon cerveau !

Il écrivit alors un mot à Mlle Lawson, pour l'informer qu'il passerait à Littlegreen House à 11 heures.

Nous prîmes ensuite notre petit déjeuner et allâmes nous promener sur la grand-place. Il était environ 10 heures et quart. La matinée était chaude et orageuse.

Je contemplais, dans la vitrine d'un magasin d'antiquités, une très belle paire de fauteuils Hepplewhite lorsque je reçus soudain dans les côtes un coup qui me plia en deux tandis qu'une voix aussi aiguë que tonitruante me vrillait les oreilles.

— Dites donc, vous !

Je me retournai, indigné, pour me retrouver nez à nez avec Mlle Peabody. Elle tenait à la main l'arme dont elle s'était servie pour m'attaquer : une solide ombrelle à bout pointu.

Visiblement insensible à la violente douleur qu'elle venait de m'infliger, elle observa d'une voix satisfaite :

— Ah ! Je pensais bien que c'était vous. Ce n'est pas souvent que je me trompe.

Je fis preuve de quelque froideur.

— Euh… Bonjour. Que puis-je pour vous ?

— Vous pouvez me dire comment votre ami s'en tire avec son mirifique bouquin – « La Vie du général Arundell » ?

— Il n'a pas, en fait, commencé à le rédiger, dis-je.

Mlle Peabody partit d'un petit rire silencieux, mais qui venait apparemment du fond du cœur et qui la secoua comme de la gelée. Son accès de gaieté calmé, elle ajouta :

— Et j'imagine que c'est pas demain la veille qu'il s'y mettra !

— Ainsi vous n'avez pas été dupe de notre supercherie ? fis-je en souriant.

— Vous m'avez prise pour quoi ? Pour une andouille ? J'ai vu tout de suite où votre ami voulait en venir, le filou ! Il voulait me faire parler ! Ma foi, ça ne m'a pas gênée. J'aime bavarder. Et ce n'est pas facile par les temps qui courent, de trouver une oreille attentive. Je me suis bien amusée, cet après midi-là.

Elle me gratifia d'un regard malicieux.

— Qu'est-ce que vous mijotez, hein ? Qu'est-ce que vous mijotez ?

Je me demandais ce que j'allais bien pouvoir lui répondre lorsque Poirot nous rejoignit. Il la salua bien bas.

— Bonjour, très chère mademoiselle. Enchanté de vous rencontrer.

— Bonjour, répondit Mlle Peabody. Vous êtes qui, ce matin : Parodie ou Poirot, hein ?

— C'était fort perspicace de votre part de m'avoir si rapidement percé à jour, répondit Poirot en souriant.

— Comme si la perspicacité avait quoi que ce soit à voir là-dedans ! Des comme vous, on n'en rencontre guère sous le pas d'un cheval, pas vrai ? Que ce soit une bonne chose ou une mauvaise, ça, je n'en sais trop rien. Difficile à dire.

— Je préfère pour ma part, très chère mademoiselle, être unique.

— Votre vœu a été exaucé, si vous voulez mon avis, fit Mlle Peabody, pince-sans-rire. Mais parlons franc, monsieur Poirot. Je vous ai raconté, l'autre jour, tous les potins que vous vouliez entendre. Maintenant, à moi de poser des questions. Que mijotez-vous et que se passe-t-il au juste ?

— Ne m'interrogeriez-vous pas, par hasard, sur quelque chose dont vous connaissez déjà la réponse ?

— Je n'en sais rien. (Elle lui jeta un rapide coup d'œil.) Qu'y a-t-il ? Un problème avec le testament ? Ou autre chose ? Vous allez déterrer Emily ? C'est ça ?

Poirot resta silencieux.

Mlle Peabody hocha lentement la tête, d'un air pensif, comme si elle avait eu la réponse qu'elle attendait.

— Je me suis souvent demandé, dit-elle d'une manière quelque peu décousue, quel effet ça ferait de… En lisant les journaux, vous voyez… Demandé si on serait obligé un jour d'exhumer quelqu'un à Market Basing… Mais je n'aurais jamais cru que ce serait Emily Arundell.

De nouveau, elle lui jeta un bref coup d'œil perçant.

— Elle n'aurait pas apprécié du tout, vous savez. Je suppose que vous y avez pensé, hein ?

— Oui, j'y ai pensé.

— Ça ne m'étonne pas. Vous n'êtes pas un imbécile. Et je ne crois pas non plus que vous soyez trop tatillon.

Poirot s'inclina.

— Merci, charmante mademoiselle.

— Et c'est bien plus que n'en diraient la plupart des gens – en voyant votre moustache. Pourquoi une moustache pareille ? Ça vous plaît ?

En proie au fou rire, je me détournai.

— En Angleterre, on néglige lamentablement le culte de la moustache, répliqua Poirot, tandis que ses doigts caressaient subrepticement le splendide ornement au-desssus de ses lèvres.

— Ah, je vois ! C'est tordant ! fit Mlle Peabody. J'ai connu une femme qui avait un goitre et qui en était fière ! Ça n'est pas facile à croire et pourtant, c'est la vérité ! Enfin, comme je le dis toujours, bienheureux qui est satisfait avec ce que le bon Dieu lui a donné. En général ce serait plutôt le contraire.

Elle secoua la tête et soupira.

— Jamais je n'aurais cru qu'il y aurait un meurtre dans ce trou perdu.

Elle jeta soudain un nouveau regard perçant à Poirot.

— Lequel d'entre eux a fait le coup ?

— Suis-je censé vous crier la réponse en pleine rue ?

— Ça veut probablement dire que vous n'en savez rien. Ou alors que vous ne le savez que trop ! Qaund le sang est mauvais...

— Vous croyez à l'hérédité ?

— Je préférerais que ce soit Tanios, dit soudain Mlle Peabody. Un étranger ! Mais les souhaits ne sont pas des chevaux, hélas ! Bon, je vous laisse ! Je vois bien que vous ne me direz rien... Pour qui travaillez-vous, au fait ?

— Je travaille pour la défunte, très chère mademoiselle, répondit Poirot avec le plus grand sérieux.

J'ai le regret de dire que Mlle Peabody prit cette nouvelle avec un soudain éclat de rire. Mais elle se ressaisit bien vite.

— Excusez-moi. J'ai cru entendre Isabelle Tripp... Quelle horrible bonne femme ! Et Julia est encore pire, à mon avis. Indécrottablement gamine. Ne vous habillez jamais trop jeune pour votre âge ! Allez, au revoir. Vous avez vu le Dr Grainger ?

— À ce propos, chère mademoiselle, j'ai un compte à régler avec vous ! Vous avez trahi mon secret.

Mlle Peabody s'abandonna à son gloussement très particulier.

— Les hommes sont d'une naïveté renversante. Dire qu'il a gobé le grotesque tissu de mensonges que vous lui avez servi ! Quand je le lui ai dit, il est devenu fou furieux. Il m'a quittée en écumant. S'il vous trouve, il vous fera un mauvais parti.

— Il m'a trouvé hier soir.

— Que n'aurais-je pas donné pour assister à ça !

— Que n'aurais-je pas donné moi-même, mademoiselle, pour que vous y fussiez ! répondit galamment Poirot.

Mlle Peabody éclata de rire et s'éloigna en se dandinant. Par-dessus son épaule, elle me lança :

— Au revoir, jeune homme ! N'achetez pas ces fauteuils. Ce sont des faux !

Et elle partit en gloussant.

— Voilà une vieille demoiselle très intelligente, remarqua Poirot.

— Même si elle n'a pas admiré votre moustache ?

— L'intelligence est une chose, répliqua Poirot froidement. Le bon goût en est une autre.

Nous entrâmes dans la boutique, et passâmes une vingtaine de minutes fort agréables à examiner les antiquités. Nous en repartîmes sans bourse délier et nous dirigeâmes vers Littlegreen House.

Ellen, le visage plus rouge que d'habitude, nous ouvrit la porte et nous introduisit au salon. Nous entendîmes bientôt des pas dans l'escalier, et Mlle Lawson entra. Elle paraissait quelque peu hors d'haleine et agitée. Ses cheveux étaient relevés dans un foulard de soie.

— J'espère que vous me pardonnerez de vous recevoir dans cette tenue, monsieur Poirot… J'étais en train de ranger des placards qui étaient toujours fermés à clé… toutes ces affaires !… les vieilles personnes ont tendance à amasser, j'en ai peur… cette chère Mlle Arundell ne faisait pas exception à la règle. Et on se retrouve avec de la poussière plein les cheveux… c'est incroyable, vous savez, ce que les gens peuvent conserver. Vous vous rendez compte… deux douzaines de sachets d'aiguilles ! Je vous assure, deux douzaines !

— Vous voulez dire que Mlle Arundell avait acheté deux douzaines de sachets d'aiguilles ?

— Oui, et elle les avait mis de côté, puis oubliés… Et, bien sûr, toutes les aiguilles sont rouillées maintenant. Quel dommage ! Elle avait l'habitude d'en offrir aux bonnes, à Noël.

— Elle était très distraite, n'est-ce pas ?

— Très. Surtout quand elle rangeait ses affaires. Comme un chien qui oublie où il a enterré son os, voyez-vous. C'était ainsi que nous en parlions, entre nous. Je lui disais : « Allons bon ! Vous n'allez pas encore oublier où vous avez enterré votre os ! »

Elle se mit à rire, puis, tirant un petit mouchoir de sa poche, éclata brusquement en sanglots.

— Mon Dieu, murmura-t-elle en reniflant. Ça paraît si horrible de ma part de rire ainsi.

— Vous êtes trop sensible, remarqua Poirot. Les choses vous touchent trop.

— C'est ce que me disait toujours ma mère, monsieur Poirot. « Tu prends les choses trop à cœur,

Minnie, tu prends les choses trop à cœur. » C'est un terrible handicap d'être sensible comme ça, monsieur Poirot. Spécialement lorsqu'il faut gagner sa vie.

— Ce n'est que trop vrai. Mais c'est du passé, tout cela. Maintenant, vous êtes votre propre maîtresse. Vous pouvez vous amuser, voyager. Vous n'avez plus ni souci ni problème.

— Vous avez sans doute raison, dit Mlle Lawson, l'air peu convaincu.

— Bien sûr, que j'ai raison ! À propos de la distraction de Mlle Arundell, je comprends mieux, à présent, pourquoi sa lettre a mis si longtemps à me parvenir.

Il lui expliqua alors les circonstances de la découverte de cette lettre. Les joues de Mlle Lawson s'empourprèrent. Elle s'exclama sèchement :

— C'est à moi qu'Ellen aurait dû en parler ! Vous faire parvenir cette lettre sans m'en informer, c'est d'une impertinence ! Elle aurait dû me consulter avant ! C'est d'une *grave* impertinence, je vous le dis tout net. Je n'ai jamais su un mot de toute cette histoire. C'est scandaleux !

— Oh ! chère mademoiselle, je suis sûr qu'elle ne pensait pas à mal !

— Eh bien, moi, je trouve cela très étrange ! Très étrange ! Les domestiques n'en font vraiment plus qu'à leur tête. Ellen aurait dû se souvenir que c'est moi qui suis désormais la maîtresse de maison.

Elle se redressa d'un air important.

— Ellen était très dévouée à sa patronne, n'est-ce pas ? demanda Poirot.

— Oh ! je sais bien qu'il est inutile de récriminer une fois que le mal est fait, mais je crois tout de même qu'il conviendrait de dire à Ellen qu'elle n'a pas à prendre des initiatives sans m'en parler.

Elle s'interrompit, les joues en feu.

Poirot resta silencieux un moment, puis il reprit :

— Vous vouliez me voir, si j'ai bien compris ? Que puis-je pour votre service ?

La contrariété de Mlle Lawson disparut aussi vite qu'elle était apparue. La digne personne était de nouveau troublée et incohérente :

— Eh bien, en fait… Voyez-vous, je me demandais tout bonnement si… Enfin, à dire vrai, monsieur Poirot, je suis arrivée hier et, bien sûr, Ellen m'a expliqué que vous étiez passé, et je me suis tout bonnement demandé… ma foi, comme vous ne m'aviez pas prévenue que vous seriez là. Ma foi, ça m'a paru plutôt bizarre… Je n'ai pas compris…

Poirot termina la phrase à sa place :

— Vous n'avez pas compris ce que je faisais encore ici, c'est ça ?

— Je… Enfin, oui, c'est exactement ça. Je n'arrivais pas à comprendre…

Elle l'observa, écarlate, mais l'air interrogateur.

— Je vous dois un petit aveu, répondit Poirot. Je me suis, je l'avoue, permis de vous laisser quelque peu dans l'erreur. Vous pensiez que la lettre de Mlle Arundell concernait le problème de la modeste somme d'argent dérobée – selon toute vraisemblance – par M. Charles Arundell…

Mlle Lawson fit oui de la tête.

— Mais, voyez-vous, ce n'était pas le cas… En réalité, c'est par vous que j'ai entendu parler pour la première fois de cet argent volé… Si Mlle Arundell m'a écrit, c'est au sujet de son accident.

— Son accident ?

— Oui. Elle a fait une chute dans les escaliers, si j'ai bien compris.

— Oh ! bien sûr, bien sûr…

Mlle Lawson semblait perplexe. Elle observa Poirot d'un air perdu. Puis elle poursuivit :

— Mais… excusez-moi… c'est sûrement idiot de ma part… mais pourquoi vous a-t-elle écrit à vous ? Je crois – en fait vous me l'avez dit vous-même – que vous êtes détective ? Seriez-vous également médecin ? Ou guérisseur, peut-être ?

— Non, je ne suis ni médecin ni guérisseur. Mais, tout comme un médecin, je suis parfois amené à m'occuper de morts prétendument accidentelles.

— Des morts accidentelles ?

— J'ai dit des morts prétendument accidentelles. Il est vrai que Mlle Arundell n'est pas morte dans cette chute – mais elle aurait pu !

— Oh ! mon Dieu, oui ! Le docteur l'a dit, mais je ne comprends pas…

Mlle Lawson semblait toujours aussi déconcertée.

— On a supposé que l'accident a été provoqué par la balle du petit Bob, n'est-ce pas ?

— Oui, oui, exactement. C'était la balle de Bob.

— Oh ! que non ! Ce n'était pas la balle de Bob.

— Mais, excusez-moi, monsieur Poirot, je l'ai vue de mes propres yeux, quand nous nous sommes tous précipités…

— Vous l'avez vue… oui, peut-être. Mais ce n'était pas la cause de l'accident. La cause de l'accident, Mlle Lawson, c'est un fil de couleur sombre tendu à une trentaine de centimètres du sol en haut des escaliers !

— Mais… mais un chien ne peut…

— Exactement, s'empressa de dire Poirot. Un chien ne peut pas faire une chose pareille... Il n'est pas suffisamment intelligent – ou, si vous préférez, pas suffisamment malfaisant pour ça. C'est un être humain qui a placé ce fil à cet endroit...

Mlle Lawson était maintenant d'une pâleur mortelle. Elle porta à son visage une main tremblante.

— Oh ! monsieur Poirot... je ne peux pas y croire... vous ne voulez pas dire que... mais c'est horrible... vraiment horrible... Vous prétendez qu'on l'a fait exprès ?

— Oui, on l'a fait exprès.

— Mais c'est monstrueux ! C'est presque comme... comme tuer quelqu'un.

— Si cela avait réussi, quelqu'un aurait été tué ! En d'autres termes... ç'aurait été un meurtre !

Mlle Lawson laissa échapper un petit cri aigu.

— Quelqu'un a planté un clou dans la plinthe afin d'y attacher un fil, poursuivit Poirot avec la même gravité. Le clou a été peint pour passer inaperçu. Dites-moi, est-ce que vous ne vous souviendriez pas, par hasard, d'avoir senti une odeur de peinture que vous n'avez pas pu situer ?

Mlle Lawson laissa échapper un cri.

— Oh ! mais c'est incroyable ! Maintenant que j'y pense ! Mais bien sûr ! Et dire que je n'aurais jamais songé... Jamais imaginé... Mais enfin, comment aurais-je pu ? Pourtant, ça m'a effectivement semblé bizarre sur le moment.

Poirot se pencha vers elle.

— Ainsi... Vous pouvez nous aider, mademoiselle. Une fois de plus vous pouvez nous aider. C'est épatant !

— Dire que c'était ça ! Oh !, ma foi, tout coïncide.

— Racontez-moi, je vous en prie. Vous avez senti une odeur de peinture – c'est cela ?

— Oui. Bien sûr, je ne savais pas ce que c'était. J'ai pensé – mon Dieu – ça sent la cire à parquet... et puis, non, cela ressemble davantage à de la peinture... Et puis, bien entendu, je me suis finalement dit que j'avais rêvé.

— Ça s'est passé quand ?

— Laissez-moi réfléchir... C'était quand, déjà ?

— Est-ce que c'était pendant ce week-end de Pâques, lorsque la maison était pleine de monde ?

— Oui, oui, c'est à ce moment-là. Mais j'essaie de me rappeler quel jour exactement. Attendez... Ce n'était pas dimanche. Non. Et pas mardi non plus... Ce soir-là, le Dr Donaldson est venu dîner. Et le mercredi, tout le monde est parti. Non. Bien sûr, c'était lundi... Le lundi de Pâques. J'étais allongée et je ne dormais pas. J'étais assez inquiète, voyez-vous. J'ai toujours été d'avis que le lundi de Pâques est une journée éreintante ! Il y avait eu tout juste assez de rosbif froid pour le dîner et j'avais peur que Mlle Arundell n'en soit contrariée. Vous comprenez, c'est moi qui avais commandé le rôti, samedi, et bien sûr j'aurais dû en prendre un de sept livres, mais je m'étais dit que cinq livres suffiraient, seulement Mlle Arundell était toujours fâchée lorsqu'il n'y avait pas assez à manger. Elle avait un tel sens de l'hospitalité.

Elle s'interrompit un instant, le temps de retrouver son souffle, puis repartit de plus belle.

— Et j'étais donc là, allongée dans le noir, les yeux grands ouverts, à me demander si elle allait me faire une réflexion le lendemain et, une chose en entraînant une autre, j'ai mis longtemps à m'endormir... et juste au moment où j'y parvenais, j'ai été réveillée par un bruit – comme un petit coup – et je me suis assise dans mon lit et j'ai reniflé. Vous comprenez, j'ai toujours eu une peur bleue de l'incendie… parfois je crois bien qu'il m'arrive de sentir une odeur de brûlé deux ou trois fois dans une nuit… Affreux, n'est-ce pas, d'être prisonnier des flammes ? En tout cas, il y avait bien une odeur, et j'ai reniflé de plus belle, mais ce n'était pas une odeur de fumée ni rien de ce genre. Et je me suis dit que c'était plutôt un produit pour le parquet ou de la peinture… mais évidemment, il n'y avait aucune raison de sentir ça au beau milieu de la nuit. Pourtant, l'odeur était très forte et je suis restée là à renifler, à renifler, et c'est alors que je l'ai vue dans la glace…

— Vous l'avez vue ? Qui avez-vous vu ?

— Dans mon miroir, comprenez-vous, c'est si pratique. Je gardais toujours ma porte un peu entrebâillée, de façon à entendre Mlle Arundell si elle venait à appeler et à la voir si elle montait ou descendait les escaliers. On laissait aussi la seule lampe du couloir allumée. C'est comme ça que j'ai pu l'apercevoir, agenouillée sur une marche… Theresa, je veux dire. Sur la troisième marche, m'a-t-il semblé, penchée sur quelque chose, et j'étais juste en train de penser : « C'est bizarre, est-ce qu'elle ne serait pas malade ? », lorsqu'elle s'est redressée et qu'elle s'est éloignée. Aussi je me suis dit qu'elle avait dû glisser. Ou qu'elle s'était baissée pour ramasser quelque chose. Mais ensuite, bien sûr, je n'y ai plus jamais repensé.

— Le bruit qui vous a réveillée aurait pu provenir d'un petit coup de marteau sur le clou, dit Poirot, songeur.

— Oui, probablement. Mais, oh ! monsieur Poirot, c'est horrible ! Vraiment horrible ! J'ai toujours considéré que Theresa était un peu difficile, mais faire une chose pareille.

— Vous êtes certaine qu'il s'agissait de Theresa ?

— Oh ! mon Dieu, oui.

— Ça n'aurait pas pu être Mme Tanios, ou l'une des bonnes, par exemple ?

— Oh ! non. C'était Theresa.

Mlle Lawson secoua la tête et murmura à plusieurs reprises et comme pour elle-même :

— Oh ! mon Dieu ! Oh ! mon Dieu !

Poirot la dévisageait d'un air que j'eus du mal à comprendre.

— Permettez-moi, lui dit-il soudain, de procéder à une petite expérience. Montons à l'étage et tentons de reconstituer cette scène.

— Une reconstitution ? Oh ! vraiment... je ne sais pas... je veux dire que je ne vois pas du tout...

— Je vais vous montrer, dit Poirot, mettant fin à ses hésitations avec autorité.

Quelque peu troublée, Mlle Lawson nous précéda dans l'escalier.

— J'espère que la chambre est en ordre... il y a tant à faire. Une chose en entraîne une autre, balbutia-t-elle, égarée.

Le moins qu'on puisse dire est que la pièce était en effet encombrée d'objets hétéroclites – conséquences évidentes du grand nettoyage des placards entrepris par Mlle Lawson. Toujours aussi hagarde, celle-ci réussit tout de même à indiquer à Poirot sa position cette nuit-là, si bien que mon ami put vérifier de ses propres yeux qu'une partie de l'escalier se reflétait en effet dans le miroir.

— Et maintenant, chère mademoiselle, suggéra t-il, voudriez-vous avoir l'obligeance de retourner dans le couloir et de refaire les gestes que vous avez vus ?

Mlle Lawson, sans cesser de murmurer ses « Oh ! mon Dieu ! », sortit d'un air affairé pour remplir le rôle qu'on lui demandait. Poirot, lui, joua celui du spectateur.

La représentation terminée, il sortit à son tour sur le palier et demanda quelle était la lampe qui était restée allumée ce jour-là.

— C'est celle-là, répondit Mlle Lawson. C'est la seule lampe du couloir. Juste devant la porte de la chambre de Mlle Arundell.

Poirot leva le bras, dévissa l'ampoule et l'examina.

— Du quarante watts, à ce que je vois. Pas très puissante.

— Non. C'était seulement pour que le couloir ne soit pas complètement dans le noir.

Poirot retourna vers l'escalier.

— Pardonnez-moi, chère mademoiselle, mais avec la faiblesse de l'éclairage et la disposition des zones d'ombre, vous ne pouvez pas avoir vu la scène très nettement. Êtes-vous bien sûre qu'il s'agissait de Theresa Arundell et non pas d'une forme féminine indéterminée vêtue d'une robe de chambre ?

— Oui, monsieur, j'en suis sûre ! répondit Mlle Lawson, indignée. Parfaitement sûre ! Je connais assez Mlle Theresa, il me semble ! Oh ! oui, c'était bien elle. Sa robe de chambre foncée et sa grosse broche brillante avec ses initiales – j'ai très bien vu tout cela !

— Il n'y a donc pas de doute possible. Vous avez vu les initiales ?

— Oui. T.A. Je connais cette broche. Theresa la portait souvent. Oh ! oui, je pourrais jurer que c'était Theresa – et je le ferai, si nécessaire !

Elle avait prononcé ces deux dernières phrases d'un ton ferme et décidé qui ne lui était guère habituel.

Poirot l'observa. Une fois encore son regard fut bien étrange. Il était distant, il évaluait son interlocutrice et il était empreint, aussi, d'une curieuse fermeté.

— Vous le jureriez ? répéta-t-il.

— Si… si nécessaire. Mais je suppose que… est-ce que ce sera nécessaire ?

De nouveau, Poirot l'étudia du regard.

— Cela dépendra des résultats de l'exhumation, dit-il.

— L'ex… l'exhumation ?

Poirot avança vivement la main pour la retenir : sous le coup de la surprise, Mlle Lawson avait failli tomber la tête la première dans l'escalier !

— Il est possible qu'il y ait exhumation, oui, confirma Poirot.

— Oh ! mais enfin… mais ! C'est abominablement déplaisant ! Mais, voyons, je suis sûre que la famille s'opposera fermement à cette idée – s'y opposera vraiment de la façon la plus ferme…

— Oui, sans doute.

— Je suis persuadée qu'ils ne voudront pas entendre parler d'une chose pareille !

— Ah, mais si c'est le ministère de l'Intérieur qui l'ordonne ?

— Mais, monsieur Poirot – pourquoi ? Je veux dire, ce n'est pas comme si… comme si…

— Comme si quoi ?

— Comme s'il y avait quelque chose… d'anormal.

— Vous ne croyez pas que ce soit le cas ?

— Non, bien sûr que non. Mon Dieu, c'est impossible, je veux dire... avec le docteur, l'infirmière et tout...

— Ne vous mettez pas dans cet état, murmura Poirot d'un ton apaisant.

— Oh ! mais c'est plus fort que moi ! Pauvre chère Mlle Arundell ! Ce n'est pas comme si Mlle Theresa avait été ici, à Littlegreen, quand sa tante est morte.

— Non, elle est partie le lundi avant que Mlle Arundell ne tombe malade, n'est-ce pas ?

— Le matin de bonne heure. Alors, c'est évident, elle n'a forcément rien à voir avec ça !

— Espérons que non, dit Poirot.

— Oh ! mon Dieu ! (Mlle Lawson joignit les mains.) Je n'ai jamais rien vécu d'aussi affreux ! Vraiment, je ne sais plus du tout où j'en suis.

Poirot jeta un coup d'œil à sa montre.

— Il faut que nous partions. Nous retournons à Londres. Et vous, chère mademoiselle, vous comptez rester ici un moment ?

— Non... non... Je n'ai pas de plan réellement établi. En fait, moi aussi je rentre aujourd'hui. Je suis juste venue une nuit, pour... pour faire un peu de rangement.

— Je vois. Alors, au revoir, chère mademoiselle, et pardonnez-moi si je vous ai ennuyée.

— Oh ! monsieur Poirot. Ennuyée ? Vous m'avez rendue malade ! Oh ! mon Dieu ! Oh ! mon Dieu, ce monde est si cruel ! Si affreusement cruel !

Poirot coupa court à ses lamentations en lui prenant la main avec fermeté.

— Ce n'est que trop vrai. Et vous êtes toujours prête à jurer que vous avez vu Theresa Arundell agenouillée dans les escaliers, dans la nuit, du lundi de Pâques ?

— Oh ! oui, je peux le jurer.

— Et vous pouvez jurer aussi que vous avez vu un halo de lumière autour de la tête de Mlle Arundell, au cours de la séance ?

Mlle Lawson demeura un instant bouche bée, puis elle s'exclama :

— Oh ! monsieur Poirot, ne… ne plaisantez pas avec ces choses-là !

— Je ne plaisante pas. Je suis tout ce qu'il y a de plus sérieux, au contraire.

Mlle Lawson répondit alors avec dignité :

— Ce n'était pas exactement un halo. Cela ressemblait davantage à un début de manifestation. Un ruban de matière lumineuse. J'ai l'impression très nette qu'un visage allait se former.

— Fascinant. Au revoir, très chère mademoiselle, et surtout gardez tout ceci pour vous.

— Oh ! bien sûr… bien sûr. Il ne me serait pas venu à l'idée d'en parler à quelqu'un.

La dernière image que je garde de Mlle Lawson en train de nous regarder partir depuis les marches du perron ? Celle de son œil stupide derrière une paire de lorgnons en bataille.

## 23

## LE DR TANIOS VIENT NOUS VOIR

À peine avions-nous quitté Littlegreen House que l'attitude de Poirot changea du tout au tout. Son visage était devenu grave et déterminé.

— Dépêchons-nous, Hastings. Nous devons regagner Londres au plus vite.

— Tout à fait d'accord, acquiesçai-je.

Pressant le pas pour rester à sa hauteur, je regardai à la dérobée son visage soudain sévère.

— Qui soupçonnez-vous, Poirot ? J'aimerais que vous me le disiez. Croyez-vous que c'était Theresa Arundell, dans les escaliers ?

Il répondit à ma question par une autre question :

— Avez-vous remarqué et réfléchissez avant de parler – avez-vous remarqué qu'il y a quelque chose qui ne colle pas dans les déclarations de Mlle Lawson ?

— Quelque chose qui ne colle pas ? Que voulez vous dire ?

— Si je le savais, je ne vous le demanderais pas.

— D'accord. Mais de quelle façon cela ne colle-t-il pas ?

— C'est justement ça. Je ne peux être plus précis. Mais pendant qu'elle parlait, j'ai eu une impression d'irréalité… Comme s'il y avait quelque chose – un petit détail qui n'allait pas –, quelque chose qui était, oui c'était ça mon impression, impossible...

— Elle paraissait sûre et certaine qu'il s'agissait de Theresa.

— Oui, oui.

— Mais, après tout, la lumière n'était pas fameuse. Je ne vois pas comment elle peut être si affirmative.

— Non, non, Hastings, là vous ne m'aidez pas. C'était un petit détail… Quelque chose qui avait un rapport avec… – oui, j'en suis sûr – … avec la chambre.

— Avec la chambre ? répétai-je, en essayant de me souvenir de la pièce. Non, dis-je finalement, je ne crois pas pouvoir vous venir en aide.

Poirot secoua la tête, mécontent.

— Pourquoi avez-vous remis sur le tapis cette histoire de spiritisme ? demandai-je alors.

— Parce que c'est important.

— Qu'est-ce qui est important ? Le développement du « ruban » lumineux de Mlle Lawson ?

— Vous vous souvenez de la description de la séance par les sœurs Tripp ?

— Elles ont vu une auréole autour de la tête de la vieille demoiselle. (Je ne pus m'empêcher d'en rire.) D'après tout ce que nous avons entendu dire, elle n'avait pourtant rien d'une sainte ! Mlle Lawson semble en avoir eu une frousse bleue. J'ai eu vraiment pitié de cette pauvre créature quand elle nous a raconté comment elle n'arrivait pas à trouver le sommeil, morte de peur qu'elle était d'avoir des ennuis pour avoir commandé un rôti trop petit !

— Oui, c'était un détail intéressant, ça.

— Qu'est-ce que nous ferons quand nous serons à Londres ? ajoutai-je tandis que nous entrions chez *George* et que Poirot demandait la note.

— Nous irons immédiatement voir Theresa Arundell.

— Et nous découvrirons la vérité ? Mais, quoi qu'il advienne, ne va-t-elle pas tout nier, en bloc ?

— Mon cher, ce n'est pas un crime que de s'agenouiller dans un escalier ! Peut-être ramassait-elle une épingle, histoire que cela lui porte bonheur – ou quelque chose d'approchant.

— Et l'odeur de peinture ?

Nous ne pûmes rien ajouter, car le serveur arrivait avec notre addition.

Sur le chemin du retour, nous parlâmes fort peu. Je n'aime guère conduire et discuter en même temps. Quant à Poirot, il était bien trop occupé à protéger ses moustaches contre les effets désastreux du vent et de la poussière pour songer à prononcer un mot. Nous arrivâmes à l'appartement vers 2 heures moins 20.

Ce fut George – le domestique impeccable et si parfaitement anglais de Poirot – qui nous ouvrit la porte.

— Un certain Dr Tanios vous attend, monsieur. Il est là depuis une demi-heure.

— Le Dr Tanios ? Où est-il ?

— Au salon. Une dame est également passée vous voir. Elle a eu l'air effondrée que vous soyez absent. C'était ce matin, avant que je ne reçoive votre message téléphonique, monsieur, si bien que je n'ai pas pu lui dire à quel moment vous seriez de retour à Londres.

— Décrivez-la-moi.

— Un bon mètre soixante-cinq, monsieur, avec des cheveux noirs et des yeux d'un bleu très pâle. Elle portait un manteau et une jupe de couleur grise, et un chapeau très en arrière au lieu d'être incliné sur l'œil droit.

— Mme Tanios, fis-je tout bas.

— Elle semblait très nerveuse, monsieur. Elle a dit qu'il était capital qu'elle vous rencontre au plus vite.

— Quelle heure était-il ?

— À peu près 10 heures et demie, monsieur.

Poirot secoua la tête tout en se dirigeant vers le salon.

— C'est la seconde fois que je rate l'occasion d'entendre ce que Mme Tanios souhaite me confier. Qu'en pensez-vous, Hastings ? La fatalité s'acharne-t-elle sur nous ?

— La troisième fois sera la bonne, dis-je pour le consoler.

Poirot secoua de nouveau la tête, l'air d'en douter.

— Y aura-t-il une troisième fois ? Je me le demande. Venez, allons déjà voir ce que nous veut le mari.

Installé dans un fauteuil, le Dr Tanios lisait un des ouvrages de psychologie de Poirot. Il se leva d'un bond pour nous saluer.

— Pardonnez-moi mon intrusion. J'espère que vous ne m'en voudrez pas d'avoir forcé votre porte et de vous avoir attendu ainsi…

— Du tout, du tout ! Je vous en prie, asseyez-vous. Permettez-moi de vous offrir un verre de xérès.

— Volontiers. En fait, j'ai une excuse. Monsieur Poirot, je suis inquiet, très inquiet au sujet de ma femme.

— Au sujet de votre femme ? Vous m'en voyez navré. Que se passe-t-il ?

— Peut-être que vous l'avez vue récemment ? dit Tanios.

Cela pouvait passer pour une question parfaitement anodine, mais le coup d'œil rapide qui l'accompagna l'était beaucoup moins.

— Non, pas depuis que nous nous sommes rencontrés hier, ensemble, à l'hôtel, répondit Poirot de la manière la plus neutre possible.

— Ah… Je m'étais dit qu'elle vous avait peut-être rendu visite.

Poirot était occupé à servir trois verres. Il répondit d'une voix quelque peu distraite :

— Non. Avait-elle une quelconque… raison de venir me voir ?

— Non, non. (Le Dr Tanios prit le xérès que Poirot lui tendait.) Merci. Non, elle n'avait pas de raison précise, mais, à dire le vrai, je suis très inquiet de son état de santé.

— Ah ? Serait-elle fragile ?

— Physiquement, elle se porte très bien, répondit Tanios avec lenteur. J'aimerais pouvoir en dire autant de sa santé mentale.

— Ah ?

— Je crains, monsieur Poirot, qu'elle ne soit au bord de la dépression nerveuse.

— Mon cher docteur, vous m'en voyez désolé.

— Cela fait un certain temps que son état se dégrade. Au cours des deux derniers mois, son attitude à mon égard a changé du tout au tout. Elle se montre nerveuse, elle sursaute pour un oui pour un non, et elle est en proie à des idées de plus en plus bizarres… En réalité, il s'agit de bien plus que des idées : ce sont des hallucinations !

— Vraiment ?

— Oui, elle souffre de ce que l'on appelle communément manie de la persécution. Un trouble assez connu.

Poirot indiqua qu'il compatissait.

— Vous êtes donc à même de comprendre mon inquiétude !

— Bien sûr, bien sûr. Mais je ne saisis pas bien la raison qui vous a poussé à venir me voir. Comment puis-je vous aider ?

Le Dr Tanios manifesta un léger embarras.

— Il m'est venu à l'idée que ma femme risquait de venir – ou qu'elle était déjà venue – vous raconter des histoires à dormir debout. Il se pourrait fort bien, par exemple, qu'elle aille jusqu'à prétendre que je représente pour elle une menace – un danger.

— Mais pourquoi s'adresserait-elle à moi ?

Le Dr Tanios eut un sourire affable – mais néanmoins mélancolique.

— Vous êtes un détective de renom, monsieur Poirot, répondit-il. J'ai vu – je l'ai vu au premier coup d'œil – que vous aviez fait hier sur ma femme une très forte impression. Vu son état actuel, le simple fait de rencontrer un détective ne pouvait que produire ce genre d'effet. Il me semble probable qu'elle vous rende visite et… et… et qu'elle se confie à vous. C'est ainsi qu'il en va avec ces affections nerveuses ! Les malades ont tendance à se retourner contre leurs proches, contre les êtres qui leur sont les plus chers.

— C'est bien triste.

— Oui, en effet. J'aime beaucoup ma femme. (Une tendresse profonde vibrait dans sa voix.) J'ai toujours estimé qu'elle avait fait preuve d'infiniment de courage en m'épousant – moi, un étranger – et en me suivant dans un pays lointain, abandonnant ainsi derrière elle amis, famille, racines. Depuis quelques jours, je suis désespéré… je ne vois pour elle qu'une solution…

— Oui ?

— Un repos et un calme complets, ainsi qu'un traitement psychologique approprié. Je connais un établissement superbe, dirigé par un médecin hors pair. Je veux l'y conduire tout de suite – c'est dans le Norfolk.

Un repos total loin de toute influence extérieure – c'est de cela dont elle a besoin. Je suis convaincu qu'un séjour d'un mois ou deux là-bas, avec un bon traitement, lui permettrait d'aller beaucoup mieux.

— Je vois, dit Poirot.

Il avait prononcé ces deux mots d'un ton neutre, qui ne laissait rien paraître des sentiments qui l'agitaient.

Tanios lui jeta un autre coup d'œil rapide.

— C'est pourquoi, je vous serais obligé, si jamais elle vient vous voir, de me prévenir immédiatement.

— Mais certainement. Je vous téléphonerai. Vous êtes toujours à l'hôtel *Durham* ?

— Oui. J'y retourne en vous quittant.

— Votre femme n'y est pas ?

— Elle est sortie tout de suite après le petit déjeuner.

— Sans vous dire où elle allait ?

— Sans un mot. Cela ne lui ressemble pas du tout.

— Et les enfants ?

— Ils sont avec elle.

— Je vois.

— Je vous remercie beaucoup, monsieur Poirot, dit Tanios en se levant. Si jamais elle se lançait dans d'abracadabrantes histoires d'intimidation et de persécution, ai-je besoin de vous dire de n'y prêter aucune attention ? Il ne s'agit, là encore, hélas ! que d'un symptôme de sa maladie.

— Absolument désolant ! répéta Poirot sur un ton compatissant.

— C'est vrai. Bien que l'on sache, médicalement parlant, que ce n'est qu'une des manifestations d'une maladie mentale bien connue, on ne peut s'empêcher de souffrir lorsqu'une personne si proche, et qui vous est tellement chère, se retourne contre vous et que son affection se change en hostilité.

— Vous avez ma plus profonde sympathie, assura Poirot en serrant la main de son visiteur.

Le Dr Tanios était déjà à la porte du salon lorsque mon ami ajouta :

— Au fait…

— Oui ?

— Vous arrive-t-il de prescrire du chloral à votre femme ?

Tanios tressaillit.

— Je… Non… Enfin, cela m'est peut-être arrivé… Pas ces derniers temps. Elle semble avoir développé une aversion pour les somnifères – quels qu'ils soient.

— Tiens ! Serait-ce parce qu'elle n'a pas confiance en vous ?

— Monsieur Poirot !

Le médecin revint sur ses pas, soudain en colère.

— Un symptôme de sa maladie…, ajouta Poirot d'une voix apaisante.

— Oui, oui, bien sûr.

— Sans doute se méfie-t-elle énormément de tout ce que vous pouvez lui donner à boire ou à manger ? Sans doute vous soupçonne-t-elle de vouloir l'empoisonner ?

— Mon Dieu, monsieur Poirot, mais c'est exactement ça ! Vous avez donc eu affaire à des cas de ce genre ?

— Dans ma profession, il va de soi que cela arrive parfois. Mais que je ne vous retarde pas. Peut-être vous attend-elle à l'hôtel ?

— C'est vrai. Pourvu que ce soit le cas. Je suis tellement inquiet !

Il se rua hors de la pièce.

Poirot, lui, se précipita sur le téléphone. Il feuilleta l'annuaire, puis demanda un numéro.

— Allô… Allô… l'hôtel *Durham ?* Pouvez-vous me dire si Mme Tanios est là ? Comment ? T.A.N.I.O.S. Oui, c'est cela. Oui ? Oui ? Oh ! je vois…

Il raccrocha.

— Mme Tanios a quitté l'hôtel tôt ce matin, m'expliqua-t-il alors. Elle y est retournée à 11 heures, a attendu dans un taxi qu'on charge ses bagages, puis est repartie.

— Tanios sait-il qu'elle a emporté ses bagages ?

— Pas encore, à mon avis.

— Où est-elle allée ?

— Impossible à dire.

— Vous pensez qu'elle va revenir ici ?

— Peut-être. Je n'en sais rien.

— Peut-être va-t-elle écrire ?

— Peut-être bien.

— Que pouvons-nous faire ?

Poirot secoua la tête. Il paraissait soucieux, inquiet.

— Rien pour le moment. Déjeunons rapidement. Ensuite, nous irons voir Theresa Arundell.

— Vous croyez que c'était *elle*, dans l'escalier ?

— Là encore, impossible à dire. Mais il y a une chose dont je suis sûr : Mlle Lawson n'a pas pu voir son visage. Elle a aperçu une longue silhouette dans une robe de chambre foncée, c'est tout.

— Et la broche…

— Mon cher ami, une broche ne fait pas partie de l'anatomie de quelqu'un ! On peut la détacher, la perdre, l'emprunter ou même la voler.

— En d'autres termes, vous vous refusez à croire à la culpabilité de Theresa Arundell.

— Je veux entendre ce qu'elle aura à dire à ce sujet.

— Et si Mme Tanios revient vous voir pendant ce temps-là ?

— Je vais prendre des dispositions pour cette éventualité.

George nous servit une omelette.

— Écoutez, George, lui dit Poirot, si cette dame repasse, demandez-lui de m'attendre. Et si le Dr Tanios arrive pendant qu'elle est ici, ne le laissez entrer sous aucun prétexte. S'il demande si sa femme est là, vous lui répondrez que non. Vous avez compris ?

— Parfaitement, monsieur.

Poirot s'attaqua à l'omelette.

— L'affaire se complique, murmura-t-il. Nous devons progresser avec une extrême prudence. Sinon… le meurtrier frappera à nouveau.

— Si tel était le cas, vous pourriez lui mettre la main au collet.

— Probablement, mais je préfère la vie d'un innocent à la condamnation d'un coupable. Soyons donc très, très prudents.

# 24

## LA DÉNÉGATION DE THERESA

Nous trouvâmes Theresa Arundell sur le point de sortir.

Elle était d'un chic inouï. Son extravagant chapeau dernier cri, crânement posé selon un angle improbable, lui cachait presque un œil. Amusant que Bella Tanios en ait arboré, la veille, une pâle copie qu'elle portait – comme l'avait noté George – beaucoup trop en arrière. Je la revoyais encore le repousser de plus en plus loin sur ses cheveux en désordre.

— Pourriez-vous m'accorder quelques instants, très chère mademoiselle ? demanda Poirot, en mal de civilités. À moins, bien sûr, que cela ne vous retarde trop ?

— Oh ! il n'y a aucun problème, répondit-elle en riant. Je suis toujours de trois quarts d'heure en retard pour tout. Pourquoi ne pas aller jusqu'à une heure !

Elle nous fit entrer au salon. À ma surprise, le Dr Donaldson se leva d'un fauteuil placé près de la fenêtre.

— Tu as déjà rencontré M. Poirot, n'est-ce pas, Rex ? dit Theresa.

— Oui, nous nous sommes vus à Market Basing, répondit Rex avec froideur.

— Vous faisiez semblant d'écrire la biographie de mon alcoolique de grand-père, si j'ai bien compris, ajouta Theresa. Rex, mon ange, peux-tu nous laisser un instant ?

— Merci bien, Theresa, mais j'estime qu'il serait à tout point de vue préférable que j'assiste à cet entretien.

Leurs regards s'affrontèrent brièvement. Celui de Theresa était autoritaire alors que les yeux de son fiancé restaient impénétrables. La jeune femme eut un brusque accès de colère :

— Oh ! eh bien reste si ça te chante, espèce d'enquiquineur !

Le Dr Donaldson ne parut guère impressionné. Il se rassit près de la fenêtre, et posa son livre sur le bras de son fauteuil. Il s'agissait d'un ouvrage sur l'hypophyse, ne puis-je m'empêcher de remarquer.

Theresa sinstalla sur le même tabouret bas que lors de notre précédente visite, puis observa Poirot d'un air impatient.

— Eh bien, vous êtes allé voir Purvis ? Alors ?

— Il y a… des possibilités, mademoiselle, répondit Poirot d'un ton neutre.

Theresa prit un air pensif. Puis elle jeta un bref coup d'œil en direction du médecin. C'était, pensai-je, une mise en garde à l'intention de Poirot.

— Mais il serait à mon avis préférable que je vous fasse mon rapport ultérieurement, lorsque mes projets seront un peu avancés, reprit Poirot.

L'ombre d'un sourire passa sur les lèvres de Theresa.

— Je viens de rentrer de Market Basing, où j'ai eu l'occasion de discuter avec Mlle Lawson. Dites-moi, chère mademoiselle, vous êtes-vous, dans la nuit du 13 avril – la nuit du lundi de Pâques –, agenouillée dans les escaliers de Littlegreen House, une fois tout le monde couché ?

— Mon cher Hercule Poirot, quelle étrange question ! Pourquoi aurais-je fait une chose pareille ?

— La question, charmante mademoiselle, n'est pas pourquoi vous l'auriez fait, mais si vous l'avez fait.

— Je n'en sais fichtre rien. Mais ça me paraît plutôt improbable.

— Voyez-vous, chère mademoiselle, Mlle Lawson affirme le contraire.

Theresa haussa ses ravissantes épaules.

— Est-ce important ?

— Très.

Elle dévisagea Poirot, qui lui retourna un regard des plus aimables.

— Délirant !

— Je vous demande pardon ?

— C'est complètement délirant. Tu ne trouves pas, Rex ?

Le Dr Donaldson toussota :

— Excusez-moi, monsieur Poirot, mais quel est l'intérêt de cette question ?

Mon ami ouvrit les mains et répondit :

— C'est très simple. Quelqu'un a planté un clou à un endroit bien précis, en haut des escaliers. Et ce clou a reçu une couche de peinture pour qu'on le confonde avec la plinthe.

— Il s'agit de quoi ? D'un nouveau genre de sorcellerie ? demanda Theresa.

— Non, chère mademoiselle, c'est bien plus banal que cela. Le lendemain soir, le mardi, quelqu'un a placé un fil reliant ce clou à la rampe. Le résultat de l'opération, c'est que, quand Mlle Arundell est sortie de sa chambre, elle s'est pris les pieds dedans et qu'elle est tombée la tête la première dans l'escalier.

La respiration de Theresa s'accéléra.

— Mais c'était la balle de Bob !
— Pardon, ce n'était pas sa balle, non.
Il y eut un silence, bientôt brisé par la voix calme et précise de Donaldson :
— Excusez-moi, mais quelle preuve possédez-vous à l'appui de cette affirmation ?
Poirot répondit tout aussi calmement :
— La preuve du clou, la preuve de la lettre de Mlle Arundell, et enfin la preuve du témoignage visuel de Mlle Lawson.
Theresa retrouva la parole.
— Elle dit que c'est moi qui ai fait le coup, hein ?
Poirot ne répondit rien. Il se contenta d'un petit hochement de tête.
— Eh bien, c'est un mensonge ! Je n'ai rien à voir avec tout ça !
— Vous vous êtes agenouillée dans les escaliers pour une tout autre raison ?
— Je ne me suis jamais agenouillée dans les escaliers !
— Faites très attention, mademoiselle.
— Je n'étais pas dans les escaliers ! De tout mon séjour à Littlegreen House, pas une seule fois je ne suis ressortie de ma chambre après être montée me coucher.
— Mlle Lawson vous a reconnue.
— Elle aura probablement vu Bella Tanios ou une des bonnes.
— Elle assure que c'était vous.
— Elle ment comme un arracheur de dents !
— Elle a identifié votre robe de chambre et une broche que vous portiez.
— Une broche ? Quelle broche ?
— Une broche avec vos initiales.

— Oh ! je vois laquelle ! La Lawson est une menteuse qui donne des détails, en plus !

— Vous niez toujours que c'était vous ?

— Si c'est ma parole contre la sienne…

— Vous êtes meilleure menteuse qu'elle – c'est ça ?

— Vous avez probablement raison, dit Theresa avec calme, mais dans le cas présent, je dis la vérité. Je ne préparais aucun coup, je ne récitais pas mes prières, je ne ramassais ni de l'or ni de l'argent, je ne faisais rien dans les escaliers.

— Vous avez cette fameuse broche ?

— Sans doute. Vous voulez la voir ?

— Si cela ne vous dérange pas, mademoiselle.

Theresa se leva et quitta la pièce. Il y eut un silence embarrassé. J'avais l'impression que le Dr Donaldson regardait Poirot de la façon dont il aurait étudié un spécimen anatomique.

Theresa ne tarda pas à revenir.

— La voilà.

Elle jeta presque le bijou à Poirot. C'était une grosse broche tape-à-l'œil en acier inoxydable ou en chromé, avec les initiales T.A. au milieu d'un cercle. Je dus admettre qu'elle était assez volumineuse et voyante pour que Mlle Lawson ait pu la reconnaître aisément dans son miroir.

— Je ne la porte plus jamais. Je m'en suis lassée, expliqua Theresa. Londres en est envahie, maintenant. La moindre bonniche en exhibe une.

— Mais elle coûtait cher, lorsque vous l'avez achetée ?

— Oh ! oui. Au début, c'était le fin du fin.

— Quand ça ?

— À Noël dernier, je crois. Oui, vers cette époque-là.

— Vous ne l'avez jamais prêtée ?

— Non.

— Vous l'aviez, à Littlegreen House ?

— Je suppose. Oui, je l'avais. Je m'en souviens.

— L'avez-vous laissée traîner ? Vous en êtes-vous séparée pendant un moment quelconque de votre séjour ?

— Non. Je la portais sur un pull vert, je me le rappelle, un pull que j'ai mis tous les jours.

— Et la nuit ?

— Elle restait sur le pull.

— Et le pull ?

— Oh ! bon sang ! Le pull était sur un fauteuil.

— Vous êtes sûre que personne n'a pu l'ôter de ce vêtement, puis la remettre en place le lendemain ?

— C'est la version que nous livrerons au tribunal, si vous voulez – si vous estimez que c'est le meilleur mensonge possible. En réalité, je suis parfaitement certaine que ça n'a pas été le cas. C'est une bonne idée de prétendre qu'on a voulu me faire porter le chapeau, mais je ne crois pas que ce soit le cas.

Poirot fronça les sourcils, puis il se leva, fixa soigneusement la broche au revers de son manteau et s'approcha d'un miroir posé sur une table, à l'autre bout de la pièce. Il resta un instant immobile puis se recula doucement pour juger de l'effet à distance.

Il laissa soudain échapper un grognement.

— Mais bien sûr ! Quel imbécile je fais !

Il revint vers Theresa et lui rendit son bijou en s'inclinant.

— Vous avez tout à fait raison, chère mademoiselle. La broche est bien restée en votre possession ! Je me suis montré d'une stupidité regrettable.

— J'apprécie votre modestie, répondit Theresa en accrochant négligemment la broche sur son corsage.

Jetant un coup d'œil à Poirot, elle ajouta :

— Autre chose ? Il faut vraiment que j'y aille, maintenant.

— Non, tout le reste peut attendre.

Au moment où Theresa se dirigeait vers la porte, Poirot ajouta calmement :

— Il est cependant question d'une exhumation, il est vrai…

Theresa s'arrêta net. Le bijou tomba sur le sol.

— Comment ?

— Il est possible que le corps de Mlle Arundell soit exhumé, répéta Poirot d'un ton clair et net.

Theresa s'était immobilisée, les mains crispées. Elle demanda d'une voix sourde, coléreuse :

— C'est une de vos idées ? J'ai le regret de vous signaler que c'est impossible sans une autorisation de la famille.

— Vous vous trompez, mademoiselle. Il suffit d'une décision des autorités compétentes.

— Mon Dieu ! s'exclama Theresa, qui s'était mise à parcourir la pièce à grandes enjambées.

— Je ne vois vraiment aucune raison de se mettre dans tous ses états, Tessa, intervint posément Donaldson. J'avoue que, même pour un étranger à la famille, cette idée n'est guère plaisante, mais…

Elle lui coupa la parole.

— Ne sois pas stupide, Rex !

— L'idée vous dérange, petite demoiselle ? demanda Poirot.

— Bien sûr qu'elle me dérange ! C'est indécent. Pauvre vieille tante Emily ! Pourquoi diable faudrait-il qu'elle soit exhumée ?

— Je présume, dit Donaldson, que l'on a des doutes sur la cause du décès ? (Il jeta un regard interrogateur à Poirot et poursuivit :) J'avoue que cela me surprend. À mon avis, il est évident que Mlle Arundell est morte de mort naturelle à la suite d'une longue maladie.

— Un jour tu m'as raconté un truc à propos de lapin et de maladie de foie, dit Theresa. J'ai oublié les détails, mais tu contaminais un lapin avec le sang de quelqu'un qui souffrait d'une hépatite, puis tu injectais le sang de cet animal à un autre lapin, et ensuite le sang de ce second lapin à quelqu'un, et cette personne était malade du foie à son tour. Quelque chose comme ça.

— C'était simplement un moyen de t'expliquer la technique de la sérothérapie, dit Donaldson avec patience.

— Dommage qu'il y ait tant de lapins dans cette histoire ! s'exclama Theresa en laissant échapper un rire insouciant. Aucun de nous n'élève de lapins.

Elle se tourna vers Poirot et demanda, d'une voix différente :

— Monsieur Poirot, est-ce que c'est vrai ?

— Oui, c'est vrai, mais… il y a un moyen d'éviter une telle éventualité, mademoiselle.

— Alors, évitez-la ! (Sa voix, pressante, n'était plus qu'un soupir.) Évitez-la à tout prix !

Poirot se leva.

— Ce sont vos instructions ? s'enquit-il d'un ton très officiel.

— Oui, ce sont mes instructions.

— Mais, Tessa..., intervint Donaldson.

Elle se retourna brusquement vers son fiancé.

— Tais-toi ! C'était ma tante, non ? Pourquoi devrait-on déterrer ma tante ? Tu ne comprends donc pas qu'on en parlera dans les journaux, et qu'il y aura des ragots, et tout un tas de saletés déballées en public ?

Elle pivota de nouveau vers Poirot.

— Vous devez empêcher ça ! Je vous donne carte blanche ! Faites ce que vous voulez, mais arrêtez ça !

Poirot se fendit d'une courbette.

— Je ferai de mon mieux. Au revoir, mademoiselle, à très bientôt, docteur.

— Oh ! allez-vous-en ! cria soudain Theresa. Et prenez votre St. Leonards[1] sous le bras ! Je donnerais n'importe quoi pour ne vous avoir jamais rencontrés, tous les deux !

Nous quittâmes la pièce. Cette fois, Poirot ne colla pas son oreille contre la porte, il se contenta de lambiner... oui, de lambiner.

Et pas pour des prunes ! La voix de Theresa s'éleva soudain, claire et rebelle :

— Ne me regarde pas comme ça, Rex. (Puis, sur un ton brusquement altéré :) Chéri...

La voix nette et précise du Dr Donaldson lui répondit.

— Cet homme ne vous veut pas de bien, décréta-t-il.

Poirot s'épanouit dans un sourire. Et il m'entraîna vers la porte de l'immeuble.

---

1. Station balnéaire du Sussex, sur la Manche, qui jouxte Hastings (N.d.T.).

— Venez, St. Leonards, dit-il. Elle est bien bonne, celle-là !

Moi, j'avais trouvé cette plaisanterie particulièrement stupide.

## 25

### JE RÉFLÉCHIS

Non, me disais-je tout en pressant le pas pour suivre Poirot, cela ne fait plus l'ombre d'un doute. Mlle Arundell a été assassinée et Theresa le savait. Mais était-elle l'assassin, ou y avait-il une autre explication ?

Elle avait peur. C'était certain. Mais craignait-elle pour elle, ou pour quelqu'un d'autre ? Et ce quelqu'un pouvait-il être ce jeune médecin taciturne et tatillon, aux manières si distantes et empruntées ?

La vieille demoiselle avait-elle succombé à une maladie véritable – mais provoquée artificiellement ?

Jusqu'à un certain point, tout concordait. Les ambitions de Donaldson, sa certitude que Theresa devait hériter à la mort de sa tante. Et même le fait qu'il ait dîné à Littlegreen House le soir de l'accident. C'était si facile de laisser une fenêtre ouverte et de revenir en pleine nuit pour tendre le fil meurtrier en haut de l'escalier. Mais alors, que penser du clou si opportunément planté là ?

Non, ça, c'était Theresa qui avait dû s'en charger. Theresa, sa fiancée et complice. S'ils avaient tous deux agi de concert, tout s'éclairait. Dans ce cas, c'était probablement Theresa qui avait aussi installé le fil. Le premier crime, le crime qui avait échoué, était son œuvre à elle. Le second, celui qui avait réussi, était un chef-d'œuvre, plus scientifique, signé Donaldson.

Oui, tout concordait.

Toutefois, certaines pièces de mon puzzle ne s'ajustaient pas encore très bien. Pourquoi Theresa avait-elle laissé échapper si étourdiment ces informations concernant la contamination d'êtres humains ? On aurait presque dit qu'elle ne se rendait pas compte de la vérité. Mais dans ce cas... De plus en plus perplexe, j'interrompis mes spéculations pour demander à Poirot :

— Où allons-nous ?

— Nous retournons à mon appartement. Il se peut que nous y trouvions Mme Tanios.

Mes pensées prirent une nouvelle direction.

Mme Tanios ! En voilà un autre mystère ! Si c'étaient Donaldson et Theresa les coupables, que venaient faire dans l'histoire Mme Tanios et son jovial mari ? Qu'avait-elle à raconter à Poirot, cette femme, et pourquoi son époux tenait-il tant à l'en empêcher ?

— Poirot, dis-je humblement, je commence à être un peu perdu. Ils ne sont quand même pas tous dans le coup, n'est-ce pas ?

— Le meurtre d'un syndicat du crime ? Un syndicat familial ? Non, pas cette fois. Il y a ici la marque d'un seul cerveau. L'aspect psychologique ne trompe pas.

— Vous voulez dire que c'est soit Theresa, soit Donaldson, mais pas les deux ? Lui aurait-il donc fait planter ce clou sous un prétexte parfaitement innocent ?

— Mon bon ami, en entendant le récit de Mlle Lawson, j'ai compris qu'il y avait trois possibilités. 1) Mlle Lawson dit l'exacte vérité. 2) Mlle Lawson a inventé cette histoire pour des raisons qui lui sont personnelles. 3) Mlle Lawson croit vraiment à sa version mais son identification repose sur la broche. Or, comme je vous l'ai déjà fait remarquer, une broche ne fait pas partie intégrante de son propriétaire.

— Oui, mais Theresa affirme que le bijou ne l'a pas quittée.

— Et elle a tout à fait raison. J'avais négligé un petit détail qui a cependant une importance capitale.

— Cela ne vous ressemble pas, commentai-je avec malice.

— N'est-ce pas, mon cher ? Mais tout le monde a ses moments de faiblesse.

— Ah ! le poids des ans…

— Le poids des ans n'a rien à voir là-dedans, répliqua Poirot avec froideur.

— Quoi qu'il en soit, quel est donc votre détail significatif ? demandai-je comme nous franchissions l'entrée de l'immeuble de Poirot.

— Je vais vous montrer.

Nous venions d'arriver à l'appartement.

George nous ouvrit. En réponse à la question anxieuse que lui posa aussitôt Poirot, il secoua la tête :

— Non, monsieur. Mme Tanios n'est pas venue. Elle n'a pas téléphoné non plus.

Poirot passa au salon. Il marcha de long en large pendant quelques minutes. Puis il s'empara du téléphone et appela l'hôtel *Durham*.

— Oui… oui, s'il vous plaît. Ah ! Docteur Tanios, c'est Hercule Poirot à l'appareil. Votre femme est revenue ? Oh ! elle n'est pas revenue ? Mon Dieu !… Elle a pris ses bagages, dites-vous… Et elle a emmené les enfants… Vous n'avez aucune idée de l'endroit où elle a pu aller… Oui, tout à fait… Oh ! parfaitement… Mes services, à titre professionnel, peuvent-ils vous être utiles ? J'ai quelque expérience dans ce domaine… Ce genre d'opération peut être mené avec un maximum de discrétion… Non, bien sûr que non… Oui, c'est vrai… Certainement, certainement… Vos désirs sont des ordres…

Il raccrocha d'un air pensif.

— Il ne sait pas où elle est, expliqua-t-il. Je le crois sincère. L'angoisse, dans sa voix, n'est pas feinte. Il ne veut pas prévenir la police, ce qui est compréhensible. Oui, j'admets ça très bien. Il ne veut pas non plus de mon aide… Il veut qu'on la retrouve – mais il refuse que ce soit moi qui la retrouve. Non, décidément non, il ne veut pas que ce soit moi… Il croit pouvoir s'en charger tout seul. Il ne pense pas qu'elle restera cachée longtemps, car elle a très peu d'argent sur elle. Et puis elle est avec les enfants. Oui, je pense qu'il réussira en effet à la débusquer assez vite. Mais je crois, Hastings, qu'il nous faudra être un petit peu plus rapides que lui. Il est capital, à mon avis, que nous le prenions de vitesse.

— Croyez-vous exact qu'elle soit un peu toquée ? demandai-je.

— Je la crois à bout de nerfs, au bord de la dépression.

— Mais pas au point d'être internée ?

— Ça, certainement pas.

— Vous savez, Poirot, je ne comprends pas très bien toute cette histoire.

— Pardonnez-moi ma franchise, Hastings, mais vous n'y comprenez rien du tout !

— Il semble y avoir tellement de… euh… de questions secondaires.

— Bien sûr qu'il y en a. Mais séparer la question principale de celles qui ne le sont pas, voilà la première tâche d'un esprit ordonné.

— Dites-moi, Poirot, saviez-vous depuis le début que nous avions affaire à huit suspects possibles, et non sept ?

— J'ai pris ce fait en considération dès que Theresa Arundell a dit qu'elle n'avait pas vu le Dr Donaldson depuis le jour où il était allé dîner à Littlegreen House, le 14 avril, répondit sèchement Poirot.

— Je ne vois pas très bien, le coupai-je.

— Qu'est-ce que vous ne voyez pas très bien ?

— Ma foi, si Donaldson avait eu l'intention de se débarrasser de Mlle Arundell par des moyens scientifiques, c'est-à-dire par inoculation, je ne vois pas pourquoi il aurait eu recours à ce procédé si primitif d'un fil en travers de l'escalier !

— Je vous assure, Hastings, il y a des moments où vous me faites perdre patience ! L'une des deux méthodes est hautement scientifique et requiert des connaissances très spécialisées. Exact, non ?

— Exact.

— Et l'autre est simple comme bonjour, à la portée de tout un chacun. C'est « la recette de bonne maman », comme dit la publicité sur les petits-beurre. Ce n'est pas vrai ?

— Si.

— Alors réfléchissez un peu, Hastings, réfléchissez ! Installez-vous dans votre fauteuil, fermez les yeux et faites fonctionner vos petites cellules grises.

J'obéis. C'est-à-dire que je me calai contre mon dossier, que je fermai les yeux, puis essayai de mettre en pratique la troisième partie des instructions de Poirot. Le résultat, cependant, ne sembla pas clarifier beaucoup la situation.

Lorsque je rouvris les yeux. Poirot était en train de m'observer avec l'attention pleine de sollicitude d'une nurse pour un bambin confié à sa garde.

— Eh bien ?

— Eh bien, répondis-je en essayant désespérément d'imiter les manières de Poirot, il me semble que le genre de personne qui a tendu le premier piège n'est pas le genre de personne qui pourrait élaborer un meurtre scientifique.

— Exactement.

— Et je doute qu'un esprit rodé aux complexités scientifiques ait pu avoir l'idée d'un plan aussi enfantin que cet accident – qui aurait été, tout compte fait, trop hasardeux.

— Très bien raisonné.

Encouragé, je poursuivis :

— Donc, la seule solution logique me paraît la suivante : les deux tentatives de meurtre ont été menées par deux personnes différentes. Voilà, c'est ça : nous avons affaire ici à deux crimes commis par deux personnes différentes.

— Vous ne trouvez pas que la coïncidence est un peu énorme ?

— Vous m'avez dit un jour que l'on rencontrait presque toujours une coïncidence dans une affaire criminelle.

— Oui, c'est vrai, je le reconnais.

— Bon, et alors ?

— Et selon vous, qui sont les coupables ?

— Donaldson et Theresa Arundell. Un médecin est on ne peut mieux placé pour commettre le second meurtre, couronné de succès. D'un autre côté, nous savons que Theresa est impliquée dans la première tentative. À mon avis, il est possible qu'ils aient agi indépendamment l'un de l'autre.

— Vous aimez tellement dire « nous savons », Hastings. Je vous assure que, quoi que vous sachiez, moi je n'ai pas la preuve que Theresa soit « impliquée dans la première tentative ».

— Mais l'histoire de Mlle Lawson ?

— L'histoire de Mlle Lawson n'est que l'histoire de Mlle Lawson. Rien de plus.

— Mais elle dit…

— Elle dit… elle dit… Vous êtes toujours prêt à prendre pour faits avérés ce que chaque protagoniste raconte. Maintenant, écoutez-moi, mon cher, je vous ai déjà expliqué, n'est-ce pas, que quelque chose clochait dans le récit de Mlle Lawson.

— Oui, je m'en souviens. Mais vous ne trouviez pas ce que c'était.

— Eh bien, à présent, j'ai trouvé. Dans un petit instant, je vais vous montrer ce que, pauvre imbécile que je suis, j'aurais dû voir immédiatement.

Il alla jusqu'à son bureau et sortit d'un tiroir une feuille cartonnée. Avec une paire de ciseaux, il se mit à y découper quelque chose, en me demandant de ne pas regarder ce qu'il faisait.

— Soyez patient, Hastings, nous nous livrerons dans un instant à notre expérience.

Je détournai donc obligeamment les yeux.

Au bout d'un moment, Poirot poussa une exclamation de satisfaction. Il reposa ses ciseaux, jeta les petits morceaux de carton dans sa corbeille, et revint vers moi.

— Ne regardez pas. Gardez toujours les yeux tournés, s'il vous plaît, pendant que j'accroche quelque chose au revers de votre veston.

Je jouai le jeu. Poirot termina à sa grande satisfaction ce qu'il avait commencé, puis il me fit me lever et me conduisit par le bras jusque dans la chambre attenante.

— Maintenant, Hastings, examinez-vous dans ce miroir. Vous portez, n'est-ce pas, une broche à la mode avec vos initiales – sauf que, bien entendu, cette broche n'est ni en chrome, ni en acier inoxydable, ni en or, ni en platine, mais en simple carton !

Je me regardai et je souris. Poirot est extraordinairement adroit de ses mains. J'arborais une réplique très honnête du bijou de Theresa Arundell. Un rond découpé dans un carton dans lequel se trouvaient mes initiales : A.H.

— Eh bien ? dit Poirot. Vous êtes content ? Vous avez là, n'est-ce pas, une superbe broche avec vos initiales ?

— Un bijou des plus magnifiques, en effet.

— Bien sûr, elle ne brille pas, pas plus qu'elle ne reflète la lumière, mais vous admettrez tout de même qu'on peut la voir correctement d'assez loin ?

— Je n'en ai jamais douté.

— En effet. Le doute n'est pas votre point fort. Ce qui vous caractérise, c'est plutôt la foi du charbonnier. À présent, Hastings, soyez assez gentil pour ôter votre veste.

Bien qu'un peu surpris, je m'exécutai. Poirot l'enfila après avoir ôté la sienne, tout en pivotant un peu.

— Et maintenant, dit-il, voyez comment la broche – la broche avec vos initiales – me va.

Il se retourna vivement. Je le regardai – d'abord sans comprendre. Et puis je vis où il voulait en venir.

— Quel bougre d'imbécile je suis, moi aussi ! Bien sûr. On lit H.A. sur le bijou et non A.H. !

Poirot m'adressa un grand sourire, récupéra son vêtement et me rendit le mien.

— Exactement. Et à présent vous comprenez ce qui n'allait pas dans l'histoire de Mlle Lawson. Elle a prétendu avoir nettement déchiffré les initiales de Theresa Arundell sur sa broche. Mais elle a vu Theresa dans le miroir, et donc, si tant est qu'elle les ait vraiment vues, elle a dû voir leur image inversée.

— Ma foi, argumentai-je, peut-être s'est-elle rendu compte qu'elle était inversée ?

Vous en êtes-vous aperçu tout de suite, mon cher ? Vous êtes-vous écrié : « Saperlipopette ! Poirot, vous vous trompez, en fait c'est H.A. et pas A.H. » Non, bien sûr que non. Et pourtant, vous êtes beaucoup plus intelligent, je vous le concède, que Mlle Lawson. Ne me racontez pas qu'une tête de linotte comme elle, réveillée en sursaut, encore à moitié endormie, peut comprendre que A.T. est en réalité T.A. ! Non, ça ne correspond pas du tout à sa mentalité.

— Elle voulait absolument que ce soit Theresa, dis-je doucement.

— Vous brûlez, mon bon ami. Souvenez-vous, quand je lui ai suggéré qu'elle ne pouvait pas vraiment voir le visage de quelqu'un dans les escaliers, qu'a-t-elle fait aussitôt ?

— Elle s'est souvenue de la broche de Theresa et des initiales, sans se douter que le simple fait de dire l'avoir vue dans le miroir démentait toute son histoire.

Le téléphone sonna. Poirot alla répondre.

Il resta très évasif.

— Oui ? Oui… bien entendu. Oui, sans problème. L'après-midi, si vous voulez bien. Oui, à 14 heures, ce sera parfait.

Il raccrocha et se tourna vers moi, le sourire aux lèvres.

— Le Dr Donaldson brûle d'avoir une conversation avec moi. Il viendra demain après-midi, à 14 heures. Nous progressons, mon bon ami, nous progressons.

## 26

## MME TANIOS REFUSE DE PARLER

Quand j'arrivai le lendemain après le petit déjeuner, je trouvai Poirot à sa table de travail.

Il me salua d'un signe de la main et poursuivit sa tâche. Bientôt, il rassembla les feuillets qu'il venait d'écrire et les mit dans une enveloppe qu'il referma avec soin.

— Eh bien, mon vieux, qu'est-ce que vous fabriquez ? demandai-je, facétieux. Vous rédigez un compte rendu de l'affaire, que vous allez placer en sûreté pour le cas où quelqu'un viendrait à vous liquider au cours de la journée ?

— Savez-vous, Hastings, que vous n'êtes pas si loin de la vérité ? répondit-il avec le plus grand sérieux.

— Notre meurtrier deviendrait-il vraiment dangereux ?

— Un meurtrier est toujours dangereux, dit Poirot d'un ton grave. Il est étonnant que l'on ait tendance à l'oublier si souvent !

— Quelles nouvelles ?

— Le Dr Tanios a appelé.

— Toujours aucune trace de sa femme ?

— Non.

— Alors, c'est parfait.

— Je me le demande.

— Que diable, Poirot, vous ne pensez tout de même pas qu'elle a été assassinée ?

Poirot secoua la tête, sceptique.

— J'avoue, murmura-t-il, que j'aimerais bien savoir où elle se trouve.

— Bah ! elle finira bien par pointer le bout de son nez.

— Votre optimisme naïf m'enchantera toujours, Hastings !

— Enfin, Poirot ! On ne va quand même pas la recevoir en petits morceaux par la poste ni la retrouver hachée menu dans une malle en fer-blanc !

— L'inquiétude du Dr Tanios me paraît quelque peu excessive, mais pas plus que ça, répondit doucement Poirot. La première chose à faire, maintenant, c'est d'avoir une conversation avec Mlle Lawson.

— Vous allez lui parler de sa petite erreur à propos de la broche ?

— Certainement pas. Je garde cette carte dans ma manche jusqu'au moment propice.

— Qu'allez-vous lui dire, alors ?

— Cela, mon ami, vous le saurez en temps utile.

— D'autres mensonges, je suppose ?

— Vous êtes parfois blessant, Hastings. À vous entendre, on croirait que je passe le plus clair de mon temps à mentir.

— J'aurais tendance à penser que oui. En fait, j'en suis sûr.

— C'est vrai qu'il m'arrive de me féliciter de mon ingéniosité, confessa Poirot non sans candeur.

Je ne pus m'empêcher d'éclater de rire. Poirot me lança un regard de reproche, et nous partîmes pour Clanroyden Mansions.

On nous introduisit dans le même salon encombré, où Mlle Lawson entra en coup de vent, plus incohérente que jamais.

— Oh ! mon Dieu ! monsieur Poirot, bonjour. Je ne sais plus où donner de la tête !... La maison n'est pas présentable, vous m'en voyez confuse. Mais, que voulez-vous, tout va à hue et à dia, ce matin. Depuis que Bella est arrivée...

— Que dites-vous ? Bella ?

— Oui, Bella Tanios. Elle a débarqué ici il y a une demi-heure – avec les enfants. À bout de forces, la pauvre petite ! Vraiment, je ne sais quel parti prendre. Voyez-vous, elle a quitté son mari.

— Quitté ?

— C'est ce qu'elle dit. Bien sûr, il ne fait aucun doute pour moi qu'elle a mille fois *raison*, la malheureuse !

— Elle s'est confiée à vous ?

— Euh… pas exactement. En réalité, elle ne veut rien dire du tout. Elle se contente de répéter qu'elle l'a quitté et qu'elle ne retournera avec lui sous aucun prétexte !

— C'est une très grave décision, non ?

— Bien sûr que c'est très grave ! En fait, s'il avait été anglais, je l'aurais sermonnée… seulement voilà, il n'est pas anglais… Et elle a l'air si bizarre, la pauvre petite, si… comment dire ? si effrayée. Qu'a-t-il bien pu lui faire ? Il paraît que les Turcs sont parfois d'une atroce cruauté…

— Le Dr Tanios est grec.

— Oui, bien sûr, alors c'est le contraire… Je veux dire, ce sont eux, en général, qui se font massacrer par les Turcs… À moins que je ne confonde avec les Arméniens ? De toute façon, ce mariage ne me plaît guère. Je ne crois pas qu'elle doive retourner avec lui, pas vous, monsieur Poirot ? En tout cas, ce qu'il y a de sûr, c'est qu'elle décrète qu'elle ne veut pas le faire… Elle ne veut même pas qu'il sache où elle est.

— Ça va si mal que ça ?

— Oui, vous comprenez, c'est à cause des enfants. Elle a tellement peur qu'il les ramène à Smyrne ! Pauvre chérie, elle est vraiment dans une situation terrible. Voyez-vous, elle n'a pas d'argent – pas un sou. Elle ne sait pas où aller, ni ce qu'elle doit faire. Elle a envie de gagner sa vie, mais vous savez comme moi, monsieur Poirot, que ce n'est pas aussi facile que ça en a l'air. Je connais ça. Ce n'est pas comme si elle avait une formation particulière.

— Quand a-t-elle quitté son mari ?

— Hier. Elle a passé la nuit dans un petit hôtel, près de Paddington. Elle est venue ici parce qu'elle n'avait personne d'autre chez qui aller, la malheureuse.

— Et vous allez l'aider ? C'est très généreux de votre part.

— Voyez-vous, monsieur Poirot, je suis vraiment persuadée que c'est mon devoir. Mais, bien sûr, tout cela pose des tas de problèmes. Cet appartement est très petit, et je manque de place et…

— Vous pourriez la loger à Littlegreen House ?

— Oui, bien entendu… Mais, voyez-vous, son mari risque de penser à ça. Pour l'instant, je lui ai réservé deux chambres à l'hôtel *Wellington*, dans Queen's Road. Elle y est descendue sous le nom de Mme Peters.

— Je comprends, dit Poirot.

Il s'interrompit un instant, puis ajouta :

— J'aimerais voir Mme Tanios. Elle est passée chez moi hier, mais j'étais sorti.

— Ah bon ? Elle ne m'en a rien dit. Je vais lui transmettre le message, si vous le voulez bien ?

— Ce serait très aimable à vous.

Mlle Lawson se précipita hors du salon. Nous entendîmes sa voix :

— Bella… Bella… Ma chère petite, voulez-vous venir voir M. Poirot ?

La réponse de Bella Tanios ne nous parvint pas – mais quelques instants plus tard, celle-ci pénétra dans la pièce.

Je fus pétrifié par son aspect physique. Elle avait de profonds cernes sous les yeux, et ses joues avaient perdu toute couleur – mais ce qui me frappa le plus fut son air terrifié. Sursautant au moindre prétexte, elle semblait à l'affût du plus léger bruit.

Poirot l'accueillit avec toute la gentillesse dont il était capable ; il lui approcha un fauteuil et lui donna un coussin. Cette femme pâle et effrayée, il la traita comme si elle était une reine.

— Et maintenant, madame, bavardons un peu. Vous êtes passée me voir hier, je crois ?

Elle acquiesça d'un signe de tête.

— Je suis navré de n'avoir pas été chez moi.

— Oui, oui… j'aurais aimé vous y trouver.

— Vous m'avez rendu visite parce que vous aviez quelque chose à me dire ?

— Oui, je… Je voulais…

— Maintenant, je suis là, à votre service.

Mme Tanios resta silencieuse. Immobile, elle semblait vouloir faire tourner sans fin sa bague autour de son doigt.

— Eh bien, madame ?

Lentement, presque à contrecœur elle secoua la tête.

— Non, dit-elle, je n'ose pas.

— Vous n'osez pas, madame ?

— Non… je… s'il l'apprenait… il… Oh ! il m'arriverait quelque chose !

— Allons, allons, madame, c'est absurde.

— Oh ! mais non, ce n'est pas absurde… pas absurde du tout… Vous ne le connaissez pas…

— Par *le*, vous entendez votre mari, chère madame ?

— Oui, bien sûr.

Poirot resta silencieux un instant, puis il dit :

— Votre époux est venu me voir hier, madame.

Un spasme d'inquiétude lui déforma brusquement le visage.

— Oh ! non ! Vous ne lui avez pas dit… mais bien sûr que vous n'avez pas pu lui dire ! Vous ne pouviez pas ! Vous ne saviez pas où j'étais. Est-ce qu'il vous… est-ce qu'il vous a dit que j'étais folle ?

Poirot fit preuve de prudence.

— Il m'a expliqué que vous étiez… extrêmement nerveuse.

Mais elle secoua de nouveau la tête, résignée.

— Non, il vous a dit que j'étais folle, ou que j'étais en train de devenir folle ! Il veut me faire enfermer pour que je ne puisse plus le raconter à personne.

— Raconter quoi, madame ?

Mais elle recommença à secouer la tête. Se tordant nerveusement les doigts, elle murmura :

— J'ai peur…

— Chère madame, une fois que vous m'aurez tout raconté, vous serez en sécurité. Vous m'aurez révélé votre secret, et cela vous protégera automatiquement.

Sans se départir de son mutisme, elle recommença à faire tourner sa bague.

— Ça, vous devez le comprendre sans peine, madame, ajouta Poirot gentiment.

Elle respira bruyament.

— Comment pourrais-je le comprendre ? Oh ! mon Dieu, c'est terrible ! Il est si convaincant ! Et il est médecin ! Les gens le croiront lui, et pas moi. J'en suis sûre. J'en ferais autant à leur place. Personne ne me croira. Comment serait-ce possible ?

— Vous ne me donnerez même pas une chance ?

Elle lui lança un regard inquiet.

— Comment saurai-je ? Vous êtes peut-être de son côté ?

— Je ne suis d'aucun côté, madame. Je suis du côté de la vérité – toujours.

— Je n'en sais rien, gémit Mme Tanios, désespérée. Oh ! je n'en sais rien !

Puis sa voix s'amplifia, et les mots se bousculèrent sur ses lèvres.

— C'est tellement horrible – et ça dure depuis des années. J'ai vu ces choses arriver... toutes ces choses... Et je ne pouvais rien dire ni rien faire. Il y avait les enfants. Ça a été comme un long cauchemar. Et maintenant, ça... ça ! Jamais je ne retournerai avec lui. Et je ne le laisserai pas me prendre mes enfants ! J'irai quelque part où il ne me trouvera pas. Minnie Lawson m'aidera. Elle a été si gentille avec moi – si merveilleusement gentille. Personne n'aurait pu être plus gentil.

Elle s'interrompit, jeta un rapide coup d'œil à Poirot et demanda soudain :

— Qu'est-ce qu'il vous a raconté sur mon compte ? Est-ce qu'il vous a dit que je souffrais de la manie de la persécution ?

— Il m'a dit, madame, que vous aviez... changé d'attitude envers lui.

Elle hocha la tête.

— Et que j'avais des hallucinations. Il vous l'a dit, n'est-ce pas ?

— Franchement, oui, madame.

— Et voilà. Vous voyez ? C'est ça ce que tout le monde va croire. Et je n'ai pas de preuve contre lui – pas de véritable preuve.

Poirot se cala dans son fauteuil. Lorsqu'il parla de nouveau, ce fut sur un ton radicalement différent – d'une voix neutre, avec aussi peu d'émotion que s'il était en train de discuter d'une quelconque opération commerciale.

— Vous soupçonnez votre mari d'avoir supprimé Mlle Emily Arundell ?

Sa réponse fut immédiate – et spontanée.

— Je ne soupçonne pas… Je sais.

— Dans ce cas, madame, il est de votre devoir de parler.

— Ah ! mais ce n'est pas aussi facile que ça… non, pas aussi facile…

— Comment l'a-t-il tuée ?

— Je ne sais pas exactement… mais ce qu'il y a de sûr c'est qu'il l'a tuée.

— Mais vous n'avez aucune idée de la méthode qu'il a employée ?

— Non. C'est quelque chose… quelque chose qu'il a fait le dernier dimanche.

— Le dimanche où il est allé la voir ?

— Oui.

— Mais vous ignorez ce que c'est.

— Oui.

— Alors comment – excusez-moi, madame – pouvez-vous être si sûre de ce que vous avancez ?

— Parce qu'il… (Elle se tut un bref instant, puis :) J'en suis sûre !

— Pardon, madame, mais il y a un élément que vous gardez pour vous. Un élément que vous ne m'avez pas encore communiqué.

— Oui.

— Alors décidez-vous.

Bella Tanios se leva brusquement.

— Non. Non. Je ne peux pas faire ça. Les enfants. Leur père. Je ne peux pas. Je ne peux tout bonnement pas…

— Mais, madame…

— Je vous dis que je ne peux pas.

Elle avait presque crié. La porte s'ouvrit et Mlle Lawson, la tête inclinée de côté, pénétra dans la pièce avec des mines de conspirateur.

— Puis-je entrer ? Vous avez bavardé comme vous le vouliez ? Bella, ma chère petite, vous ne pensez pas que vous devriez boire une tasse de thé, ou de bouillon, ou même un petit cognac ?

Mme Tanios secoua la tête.

— Je me sens très bien, lui répondit-elle avec un faible sourire. Il faut que je retourne auprès des enfants. Je les ai laissés en train de défaire les bagages.

— Les chers petits ! roucoula Mlle Lawson. J'aime tant les enfants.

Mme Tanios se tourna vivement vers elle.

— Je ne sais pas ce que j'aurais fait sans vous. Vous… vous avez été d'une telle gentillesse !

— Allons, allons, ma chère petite, ne pleurez pas. Tout ira bien. Je vous emmènerai voir mon avocat – un homme adorable, tellement compréhensif – et il vous conseillera sur la meilleure façon d'obtenir le divorce. Divorcer est si facile, de nos jours, n'est-ce pas ? C'est ce que tout le monde prétend. Oh ! mon Dieu, on sonne. Je me demande bien qui c'est.

Elle quitta le salon en coup de vent. On entendit un murmure de voix dans le vestibule. Mlle Lawson réapparut. Elle entra sur la pointe des pieds et referma soigneusement la porte derrière elle. Elle annonça alors dans un chuchotement exalté, en remuant exagérément les lèvres :

— Oh ! Bella, ma chère, c'est votre mari. Je ne sais absolument pas…

Mme Tanios bondit vers la seconde porte, à l'autre bout de la pièce. Mlle Lawson hocha la tête avec énergie.

— Vous avez raison, ma chère petite, passez là-dedans, et vous pourrez vous éclipser quand je l'aurai fait entrer ici.

— Ne lui dites pas que je suis venue, chuchota Mme Tanios. Ne lui dites pas que vous m'avez vue.

— Non, non, bien sûr que non.

Bella Tanios se faufila dans la pièce voisine ; Poirot et moi la suivîmes en hâte. Nous nous retrouvâmes dans une petite salle à manger.

Poirot entrouvrit la porte qui donnait sur le vestibule et tendit l'oreille. Puis il nous fit signe.

— La voie est libre. Mlle Lawson l'a conduit au salon.

Nous traversâmes sans bruit le vestibule et franchîmes la porte d'entrée, que Poirot referma aussi silencieusement que possible derrière lui.

Trébuchant et s'accrochant à la rampe, Mme Tanios commença à descendre les escaliers en courant. Poirot l'attrapa par le bras pour l'aider.

— Du calme... Du calme, tout va bien.

Nous arrivâmes dans le hall.

— Ne me laissez pas seule ! supplia Mme Tanios. Elle semblait au bord de l'évanouissement.

— Mais bien sûr que non, la rassura Poirot.

Nous traversâmes la rue, tournâmes le coin et nous retrouvâmes dans Queen's Road. Le *Wellington* était un petit hôtel discret, du genre pension de famille.

Dès que nous y fûmes rendus, Mme Tanios se laissa tomber sur un canapé en peluche. Elle avait porté sa main à son cœur, qui battait la chamade.

Poirot lui tapota l'épaule pour la réconforter.

— Nous l'avons échappé belle – ça oui. Maintenant, madame, vous allez m'écouter très attentivement.

— Je ne peux vous en dire plus, monsieur Poirot. Ce ne serait pas bien. Vous... vous savez ce que je pense… ce que je crois. Vous… vous devrez vous en contenter.

— Je vous ai demandé de m'écouter, madame. Supposons – et ce n'est qu'une supposition – que je connaisse déjà toute l'affaire. Supposons que ce que vous pourriez me dire, je l'ai déjà deviné. Cela ferait une différence, n'est-ce pas ?

Elle l'observa, l'air dubitatif. Son regard avait une intensité douloureuse.

— Croyez-moi, madame, je n'essaie pas de vous tendre un piège pour vous obliger à me dire ce que vous ne voulez pas me dire. Mais cela ferait une différence, n'êtes-vous pas d'accord ?

— Je… Je suppose que si.

— Bien. Laissez-moi vous dire ceci. Moi, Hercule Poirot, je connais la vérité. Je ne vais pas vous demander de me croire sur parole. Prenez ceci. (Il lui tendit la grosse enveloppe qu'il avait cachetée devant moi le matin même.) Tous les faits sont consignés là-dedans. Une fois que vous aurez lu mon récit, si vous êtes satisfaite, appelez-moi. Mon numéro est sur mon papier à lettre.

Elle accepta l'enveloppe presque à contrecœur.

Poirot poursuivit vivement :

— Autre chose, à présent. Vous devez quitter cet hôtel tout de suite.

— Mais pourquoi ?

— Vous irez à l'hôtel *Coniston*, près d'Euston. Ne dites à personne où vous êtes.

— Mais sûrement qu'ici… Minnie Lawson ne racontera pas à mon mari où je suis.

— Vous pensez que non ?

— Bien entendu. Elle est totalement de mon côté.

— Oui, mais votre époux, madame, est un homme très intelligent. Il ne lui sera guère difficile d'embobiner une personne de cet âge. Il est essentiel – *essentiel*, comprenez-vous – qu'il ignore où vous vous trouvez.

Elle acquiesça d'un signe de tête, sans mot dire.

Poirot lui tendit une feuille de papier.

— Voici l'adresse. Bouclez vos valises et faites-vous conduire là-bas avec vos enfants dès que possible. Vous avez compris ?

Elle hocha de nouveau la tête.

— J'ai compris.

— C'est à vos enfants que vous devez penser, madame. Pas à vous. Vous les aimez, vos enfants.

Il avait touché le point sensible.

Les joues de Mme Tanios retrouvèrent quelques couleurs, sa tête se redressa. Elle n'avait plus rien d'une pauvre femme effrayée et écrasée par la vie – la mine soudain fière, elle était presque belle.

— Tout est réglé, alors, conclut Poirot.

Nous lui serrâmes la main et nous éclipsâmes. Mais sans aller bien loin. Invisibles dans un bar voisin, nous surveillâmes l'entrée de l'hôtel en sirotant un café. Environ cinq minutes plus tard, nous aperçûmes le Dr Tanios qui descendait la rue. Il ne jeta même pas un regard au Wellington. Il avançait la tête basse, perdu dans ses pensées, et disparut bientôt dans une bouche de métro.

Dix minutes plus tard, Mme Tanios et ses enfants montèrent dans un taxi avec leurs bagages.

— Parfait, dit Poirot en se levant, la note à la main. Nous avons rempli notre rôle. Maintenant, à la grâce de Dieu !

## 27

## LA VISITE DU DR DONALDSON

Donaldson arriva à 14 heures tapantes. Il était aussi calme et pondéré qu'à l'accoutumée.

Sa personnalité commençait à m'intriguer. Au début, je l'avais considéré comme un garçon plutôt insignifiant. Je m'étais demandé ce qu'une créature aussi pétulante que Theresa pouvait bien lui trouver. Mais j'étais en train de me rendre compte que Donaldson n'avait rien d'une mauviette. Derrière ses manières un tantinet pédantes, on devinait une force de caractère peu commune.

Après les salutations d'usage, Donaldson expliqua :

— Voici la raison de ma visite. Je suis dans l'incapacité absolue de comprendre quelle est au juste votre position dans cette affaire, monsieur Poirot.

— Vous connaissez ma profession, je suppose ? répondit prudemment mon ami.

— Certainement. Je vous avouerai que je me suis donné la peine de me renseigner à votre sujet.

— Vous êtes un homme circonspect, docteur.

— J'aime savoir où je mets les pieds, répliqua-t-il sèchement.

— Bravo pour votre esprit scientifique !

— Je dois reconnaître également que toutes les informations que j'ai obtenues sur vous sont similaires : vous êtes manifestement un homme remarquable dans votre domaine. Vous avez en outre la réputation de quelqu'un de scrupuleux et d'honnête.

— Vous êtes trop flatteur, murmura Poirot.

— C'est bien pourquoi je ne comprends pas ce que vous venez faire dans cette histoire.

— C'est pourtant si simple !

— Pas du tout. Vous commencez d'abord par vous présenter comme biographe.

— Petite supercherie bien excusable, ne trouvez-vous pas ? On ne peut tout de même pas crier sur tous les toits qu'on est détective – bien que cela ait également parfois son utilité.

— Je l'imagine volontiers, dit Donaldson, toujours aussi sèchement. En suite de quoi vous allez voir Mlle Theresa Arundell et vous lui laissez entendre que le testament de sa tante pourrait être annulé.

Poirot se contenta d'acquiescer d'un signe de tête.

— Ce qui, bien sûr, était grotesque. (Sa voix s'était faite plus aiguë.) Vous saviez parfaitement que ce document était valide aux yeux de la loi et que personne n'y pouvait rien changer.

— C'est votre avis sur la question ?

— Je ne suis pas un imbécile, monsieur Poirot.

— Oh ! non, docteur, vous n'êtes certainement pas un imbécile.

— Je m'y connais un peu en droit – oh ! pas beaucoup, mais suffisamment. Ce testament est intangible. Pourquoi avez-vous prétendu le contraire ? À l'évidence, vous aviez vos raisons, des raisons qui, sur le moment, ont échappé à Mlle Theresa Arundell.

— Vous semblez vraiment certain de ses réactions.

Un léger sourire passa sur le visage du jeune homme.

— J'en sais bien plus sur Theresa qu'elle ne le soupçonne, répondit-il de manière assez inattendue. Charles et elle sont persuadés de s'être assurés votre aide pour une affaire pas très recommandable. Charles est presque totalement dénué de sens moral. Theresa a une lourde hérédité et son éducation a été très négligée.

— Est-ce ainsi que vous parlez de votre fiancée ? Comme si c'était un cobaye ?

Donaldson le dévisagea à travers son pince-nez.

— Je ne vois pas pourquoi je ne regarderais pas la vérité en face. J'aime Theresa, et je l'aime pour ce qu'elle est, non pour des qualités imaginaires.

— Vous rendez-vous compte que Theresa vous adore et que sa fringale d'argent vient surtout de son désir de voir vos ambitions se réaliser ?

— Bien sûr que je m'en rends compte. Je vous ai déjà dit que je n'étais pas un imbécile. Mais je ne laisserai pas Theresa se compromettre dans une histoire louche à cause de moi. Par bien des côtés, Theresa est encore une enfant. Je suis parfaitement capable de réussir ma carrière par mes propres moyens. Je ne dis pas que j'aurais refusé un héritage substantiel – au contraire il aurait été fort bienvenu. Mais il m'aurait simplement permis de gagner un peu de temps.

— Vous avez, en fait, une totale confiance en vos capacités ?

— Au risque de manquer de modestie, je dirais oui, répondit imperturbablement Donaldson.

— Poursuivons, en ce cas. J'admets avoir gagné la confiance de Mlle Theresa grâce à cette supercherie. Je lui ai laissé croire que je pouvais me montrer, mettons... raisonnablement malhonnête, pour de l'argent. Elle m'a cru sans la moindre difficulté.

— Pour Theresa, tout le monde est capable de tout pour de l'argent, dit le jeune médecin du ton neutre que l'on emploie pour énoncer une évidence.

— Exact. C'est sa façon d'envisager le genre humain, semble-t-il. Et celle de son frère aussi.

— Charles ferait probablement n'importe quoi pour de l'argent.

— Vous ne vous faites aucune illusion, à ce que je vois, sur votre futur beau-frère ?

— Non. Je trouve même que c'est un sujet d'étude très intéressant. Il a, je crois, une névrose très profonde – mais voilà que je parle boutique. Pour revenir à ce que nous disions, je me suis demandé pourquoi vous aviez agi de cette façon, et je n'ai trouvé qu'une réponse. Il est clair que vous soupçonnez soit Charles, soit Theresa, d'être impliqué dans la mort de Mlle Arundell. Non, ne vous fatiguez pas à dire le contraire, je vous en prie ! Vous n'avez évoqué, je pense, une éventuelle exhumation que pour voir quelle réaction vous pourriez déclencher. Avez-vous, à ce stade, pris des dispositions pour avoir un accord des autorités ?

— Je serai franc avec vous. Pas encore pour l'instant.

Donaldson hocha la tête.

— C'est bien ce que je pensais. Je suppose que vous avez envisagé la possibilité que la mort de Mlle Arundell puisse se révéler parfaitement naturelle ?

— J'ai envisagé cette possibilité, en effet.

— Mais votre idée est déjà faite ?

— Parfaitement. Si vous rencontrez un cas de…, disons, de tuberculose, qui ressemble à la tuberculose et qui présente les symptômes de la tuberculose et des résultats sanguins positifs – eh bien, vous considérez qu'il s'agit de la tuberculose, n'est-ce pas ?

— C'est ainsi que vous voyez les choses ? Alors qu'attendez-vous au juste ?

— J'attends la preuve finale.

Le téléphone sonna. D'un geste, Poirot me fit signe de répondre. Je me levai donc et décrochai. Je reconnus la voix.

— Capitaine Hastings ? Mme Tanios à l'appareil. Veuillez dire à monsieur Poirot qu'il a parfaitement raison. S'il vient ici demain matin à 10 heures, je lui donnerai les informations qu'il souhaite.

— À 10 heures, demain ?

— Oui.

— Parfait, je le lui dirai.

Poirot me jeta un regard interrogateur. J'acquiesçai d'un signe de tête.

Il se tourna de nouveau vers Donaldson. Son attitude s'était modifiée. Il était soudain brusque, sûr de lui.

— Soyons clair, dit-il. J'ai diagnostiqué ici un cas de meurtre. Cela ressemble à un meurtre et cela en présentait toutes les réactions caractéristiques – en fait, c'est un meurtre ! Il n'y a pas le moindre doute.

— De quoi doute-t-on encore, alors ? Car je vois bien qu'il y a encore du doute quelque part.

— L'identité du meurtrier. Mais je la connais, désormais.

— Vraiment ? Vous la connaissez ?

— Disons que j'aurai demain la preuve définitive entre les mains.

Donaldson leva les sourcils, l'air légèrement ironique.

— Ah ! demain ! s'exclama-t-il. Parfois, monsieur Poirot, demain peut être très loin.

— Au contraire, répondit Poirot, j'ai toujours trouvé que demain succédait à aujourd'hui avec une régularité somme toute bien monotone.

Donaldson sourit. Il se leva.

— J'ai bien peur de vous avoir fait perdre votre temps, monsieur Poirot.

— Pas du tout. Il vaut toujours mieux réussir à se comprendre.

Sur une petite courbette, le Dr Donaldson quitta la pièce.

# 28

## UNE NOUVELLE VICTIME

— Voilà un homme intelligent, dit Poirot, songeur.

— Il n'est pas facile de deviner où il veut en venir.

— Oui, il a quelque chose d'inhumain. Mais il ne manque pas de perspicacité.

— C'était un coup de téléphone de Mme Tanios, dis-je.

— J'avais compris.

Je lui transmis son message. Poirot approuva d'un signe de tête.

— Bon, murmura-t-il. Tout marche comme sur des roulettes. Encore vingt-quatre heures, Hastings, et je pense que nous saurons exactement où nous en sommes.

— Je suis toujours un peu dans le brouillard. Qui soupçonnons-nous au juste ?

— Je ne sais pas qui vous soupçonnez, Hastings. Tout le monde à tour de rôle, j'imagine.

— J'ai parfois l'impression que ça vous amuse de me mettre dans cet état !

— Non, non, il ne me viendrait jamais à l'idée de jouer à ce petit jeu.

— Ça ne m'étonnerait pourtant pas de vous.

Poirot secoua la tête, l'air un peu absent. Je le dévisageai un instant et demandai :

— Qu'est-ce qu'il y a ?

— Mon ami, je suis toujours inquiet, vers la fin d'une enquête. Si quelque chose se passait mal…

— Est-ce que quelque chose pourrait mal se passer ?

— Je ne pense pas. (Il se tut, sourcils froncés.) Je crois avoir paré à toute éventualité.

— Alors, que diriez-vous si nous oubliions ce crime et allions voir un spectacle ?

— Ma parole, Hastings, que voilà une bonne idée !

Nous passâmes une fort agréable soirée, et pourtant j'avais commis l'impair d'emmener Poirot voir une pièce policière. Voici un conseil que j'offre à tous mes lecteurs : n'accompagnez jamais un soldat à une pièce sur l'armée, un marin à une pièce sur la marine, un Écossais à une pièce écossaise, un détective à une pièce policière – et un acteur à n'importe quelle pièce ! Vous subirez, dans tous ces cas de figure, une avalanche de critiques dévastatrices. Pas un instant Poirot ne cessa de se plaindre des erreurs psychologiques, et le manque d'ordre et de méthode du détective héros de l'histoire faillit le rendre hystérique. Lorsque nous nous quittâmes, ce soir-là, Poirot m'expliquait encore que toute l'affaire aurait dû être résolue dès la première moitié du premier acte.

— Mais dans ce cas, Poirot, il n'y aurait pas eu de pièce, lui fis-je remarquer.

Poirot fut forcé d'admettre que ce n'était pas faux.

Il était 9 heures passées de quelques minutes lorsque je pénétrai au salon, le lendemain matin. Comme d'habitude, Poirot prenait son petit déjeuner en ouvrant son courrier avec des soins maniaques.

Le téléphone sonna. Je répondis.

— C'est monsieur Poirot ? demanda une femme, haletante. Oh ! c'est vous, capitaine Hastings…

J'entendis une espèce de hoquet et un sanglot.

— C'est vous, Mlle Lawson ? demandai-je.

— Oui, oui. Il est arrivé quelque chose de si affreux !

Je serrai le combiné de toutes mes forces.

— Que se passe-t-il ?

— Elle a quitté le *Wellington*, vous savez – Bella, je veux dire. J'y suis allée hier, en fin d'après-midi, et ils m'ont expliqué qu'elle était partie. Sans même me laisser un mot ! C'est une chose. Je me suis dit qu'après tout le Dr Tanios avait peut-être raison. Il m'a parlé d'elle si gentiment, et il semblait si affligé, et maintenant il semble vraiment qu'il avait raison, après tout.

— Mais qu'est-il arrivé, Mlle Lawson ? C'est juste que Mme Tanios a quitté son hôtel sans vous prévenir ?

— Oh ! non, ce n'est pas ça ! Oh ! mon Dieu, non ! Si ce n'était que cela, ce ne serait rien. Bien que je pense effectivement que c'était bizarre, vous savez. Le Dr Tanios disait qu'il craignait qu'elle ne soit pas complètement… pas com-plè-te-ment… enfin, vous voyez ce que je veux dire. Il a appelé ça la manie de la persécution.

— Oui. (Satanée bonne femme !) Mais qu'est-il arrivé ?

— Oh ! mon Dieu… c'est terrible ! Morte dans son sommeil. Elle a pris trop de somnifères. Et ces malheureux enfants ! Tout cela est d'une si affreuse tristesse ! Je n'ai pas arrêté de pleurer depuis que j'ai appris la nouvelle.

— Comment avez-vous été informée ? Dites-moi tout.

Du coin de l'œil, je notai que Poirot avait cessé d'ouvrir son courrier. Il écoutait ce que je disais. Je n'avais aucune envie de lui laisser la place : si je le faisais, il semblait très probable que Mlle Lawson recommencerait à se lamenter.

— Ils m'ont téléphoné. De l'hôtel. Un hôtel qui s'appelle le *Coniston*. Il semble qu'ils aient trouvé mon nom et mon adresse dans son sac. Oh ! mon Dieu, monsieur Poirot… euh, je veux dire, capitaine Hastings… est-ce-que-ce-n'est-pas-horrible ? Ces pauvres enfants qui se retrouvent sans mère.

— Écoutez, dis-je. Êtes-vous sûre que c'est un accident ? Ils n'ont pas envisagé le suicide ?

— Oh ! quelle idée abominable, capitaine Hastings ! Oh ! mon Dieu, je ne sais pas. Vous pensez que c'est possible ? Ce serait abominable. Bien entendu, elle semblait vraiment très déprimée. Mais elle n'avait pas à s'inquiéter. Je veux dire, il n'y aurait eu aucun problème pour ce qui est de l'argent. J'allais partager avec elle – je vous assure que j'allais partager. Cette chère Mlle Arundell l'aurait souhaité. J'en suis certaine. Ça paraît si monstrueux d'imaginer qu'elle a pu mettre fin à ses jours… Mais peut-être qu'elle ne l'a pas fait. Les gens de l'hôtel pensent que c'était un accident.

— Qu'est-ce qu'elle a avalé ?

— Un de ces machins pour dormir. Du véronal, je crois. Non, du chloral… oui, c'est ça. Du chloral. Oh ! mon Dieu, capitaine Hastings, est-ce que vous ne pensez pas que…

Je lui raccrochai au nez sans plus de manières, et je me tournai vers Poirot.

— Mme Tanios…

Il leva une main.

— Oui, oui, je sais ce que vous allez dire. Elle est morte, n'est-ce pas ?

— Oui. Trop de somnifères. Du chloral.

Poirot se leva.

— Venez, Hastings, dit-il. Il faut aller là-bas tout de suite.

— Est-ce que c'est ça dont vous aviez peur, hier soir ? Quand vous disiez que vous étiez toujours inquiet à la fin d'une enquête ?

— Je craignais qu'il y eût une nouvelle mort, oui.

Le visage de Poirot était grave. Nous parlâmes très peu tandis que nous roulions vers Euston. À une ou deux reprises Poirot secoua la tête.

— Pensez-vous que… que ce soit un accident ? demandai-je timidement.

— Non, Hastings… non. Ce n'est pas un accident.

— Comment diable a-t-il bien pu découvrir où elle se trouvait ?

Poirot ne répondit pas. Il se contenta de secouer de nouveau la tête.

Le *Coniston* était un établissement de piètre apparence, situé non loin de la gare d'Euston. Montrant sa carte et faisant preuve soudain de manières brutales, Poirot se fit introduire rapidement dans le bureau du directeur.

Les faits étaient très simples.

Une certaine Mme Peters et ses deux enfants étaient arrivés vers midi et demi. Ils avaient déjeuné à 13 heures.

À 16 heures, un homme était venu porter un message à Mme Peters. On le lui avait transmis, et quelques minutes plus tard elle était descendue avec ses enfants et une valise. Les enfants étaient repartis avec le visiteur, tandis que Mme Peters allait à la réception pour dire que, finalement, elle n'aurait besoin que d'une seule chambre.

Elle n'avait pas l'air spécialement nerveuse ni troublée – plutôt calme et concentrée, au contraire. Elle avait dîné vers 19 h 30 et était remontée dans sa chambre aussitôt après.

C'était la femme de ménage qui l'avait retrouvée morte ce matin.

Le médecin, immédiatement appelé, avait déclaré que le décès datait de plusieurs heures. Il y avait un verre vide sur la table de nuit. Il était évident qu'elle avait pris un somnifère et que, par erreur, elle en avait avalé une trop forte dose. l'hydrate de chloral, avait dit le médecin, était un produit capricieux et sujet à caution. Rien ne pouvait faire penser à un suicide. D'ordinaire, on trouve une lettre. Là, il n'y en avait pas. On avait cherché dans ses affaires pour prévenir la famille, et on était tombé sur le nom de Mlle Lawson – à laquelle on avait téléphoné.

Poirot demanda si l'on avait retrouvé des papiers ou des documents quelconques. Par exemple le mot de l'homme qui était venu chercher les enfants.

Rien, lui répondit-on. Rien, sauf une liasse de feuillets calcinés dans la cheminée.

Poirot hocha la tête d'un air pensif.

Pour autant que l'on puisse savoir, Mme Peters n'avait reçu aucun visiteur – à l'exception du fameux messager qu'elle était descendue voir dans le hall de l'hôtel.

Je demandai au portier de me le décrire, mais il resta très vague. Un homme de taille moyenne… aux cheveux blonds, pensait-il… d'allure militaire… sans signe particulier. Non, il pouvait certifier que l'individu en question ne portait pas la barbe.

— Ce n'était pas Tanios, murmurai-je à Poirot.

— Mon cher Hastings ! Vous croyez vraiment que Mme Tanios, après tout le mal qu'elle s'était donné pour éloigner ses enfants de leur père, les lui aurait rendus simplement, sans la moindre protestation ? Ah ! mais bien sûr que non !

— Alors, qui est cet homme ?

— À l'évidence, quelqu'un en qui Mme Tanios avait confiance, ou plutôt quelqu'un envoyé par une tierce personne en laquelle elle avait confiance.

— Un individu de taille moyenne…, fis-je, songeur.

— Inutile de vous préoccuper de son signalement, Hastings. Je suis certain qu'il s'agit d'un personnage sans importance. L'acteur principal est resté dans les coulisses !

— Et le message venait de cette troisième personne ?

— Oui.

— Quelqu'un en qui Mme Tanios avait confiance ?

— Évidemment.

— Et le message a été brûlé ?

— Oui, on lui a demandé de le faire.

— Et votre résumé des faits ?

Le visage de Poirot était d'une sévérité inhabituelle.

— Ça aussi, ça a été brûlé, mais c'est sans importance !

— Ah bon ?

— Oui, car voyez-vous… tout est dans la tête d'Hercule Poirot.

Il me prit par le bras.

— Venez, Hastings, allons-nous-en d'ici. Nous devons nous occuper des vivants et non des morts. Oui, c'est avec les vivants que j'ai à faire !

## 29

## RECONSTITUTION À LITTLEGREEN HOUSE

Il était 11 heures du matin, le lendemain.

Sept personnes se trouvaient rassemblées à Littlegreen House.

Hercule Poirot se tenait près de la cheminée. Charles et Theresa avaient opté pour le canapé ; Charles, assis sur l'accoudoir, tenait sa sœur par l'épaule. Le Dr Tanios était affalé dans un fauteuil à oreillettes. Il avait les yeux rouges et portait un brassard noir.

La maîtresse de maison, Mlle Lawson, était assise sur un siège à dossier droit que jouxtait une table ronde. Elle aussi avait les yeux rouges et ses cheveux étaient encore plus en désordre que d'habitude. Le Dr Donaldson était juste en face de Poirot. Son visage était totalement dénué d'expression.

C'est avec un intérêt grandissant que j'observai chacun d'eux à tour de rôle.

Tout au long de mon association avec Poirot, j'avais assisté à bien des scènes semblables. Un petit groupe de gens aux traits dissimulés sous des masques de bon aloi. Puis Poirot arrachait son masque à l'un d'entre eux et révélait ce qu'il y avait dessous – *le visage d'un assassin !*

Oui, cela ne faisait aucun doute. L'une des personnes présentes était un meurtrier ! Mais laquelle ? Je n'avais toujours aucune certitude.

Poirot se racla la gorge – avec un peu de solennité, selon son habitude – et prit la parole :

— Nous sommes réunis ici, mesdames et messieurs, pour nous poser des questions sur la mort d'Emily Arundell, survenue le 1er mai dernier. Il y a quatre possibilités : que le décès soit naturel, qu'il s'agisse d'un accident, qu'elle se soit suicidée, ou encore qu'elle ait été tuée par une personne connue ou inconnue.

» Aucune enquête n'a été ouverte au moment de son décès, car il était alors admis qu'elle était morte de causes naturelles ; un permis d'inhumer avait d'ailleurs été délivré par le Dr Grainger.

» Lorsque des doutes surgissent après un enterrement, il est d'usage de procéder à une exhumation. J'ai évité, pour plusieurs raisons, de demander cette procédure. La principale étant que cela aurait déplu à ma cliente.

Le Dr Donaldson l'interrompit.

— Votre cliente ?

Poirot se tourna vers lui.

— Ma cliente, Mlle Emily Arundell. C'est pour son compte que j'agis. Son vœu le plus cher était d'éviter tout scandale.

Je passerai sur les dix minutes suivantes, qui entraîneraient nombre de répétitions inutiles. Poirot évoqua la lettre qu'il avait reçue, il la montra et la lut à haute voix. Il dit ensuite comment il avait décidé de se rendre à Market Basing, et comment il avait découvert le piège à l'origine de l'accident.

Puis il se tut, s'éclaircit de nouveau la gorge avant de poursuivre :

— Je vais à présent vous exposer le cheminement qui m'a conduit à la vérité, et vous donner le détail de ce que je crois être l'exacte reconstitution des faits.

» Et pour commencer, il est indispensable que je vous décrive ce qui s'est passé dans l'esprit de Mlle Arundell. C'est, je pense, assez facile. Elle fait une chute occasionnée lui dit-on, par la balle du chien, mais Mlle Arundell *sait que c'est faux*. Cette femme, vive et intelligente, qui doit rester alitée un moment, a le temps de réfléchir aux circonstances de son accident. Elle en vient à la conclusion que quelqu'un a volontairement essayé de la blesser, voire de la tuer.

» Partant de là, elle se demande de qui il peut bien s'agir. Il y avait sept personnes dans la maison – quatre invités, sa dame de compagnie et ses deux bonnes. De ces sept personnes, une seule peut être mise hors de cause car elle ne tire aucun avantage de sa mort. Elle ne soupçonne pas sérieusement non plus les domestiques – qui la servent depuis de nombreuses années et lui sont très dévouées, elle le sait. Il reste donc quatre personnes, trois membres de sa famille et un parent par alliance. *Chacune de ces quatre personnes profite de sa disparition, trois directement et une indirectement.*

» Elle se retrouve alors dans une position bien délicate, car elle possède un sens de la famille très développé. Fondamentalement, elle n'est pas du genre à laver son linge sale sur la place publique, selon la formule consacrée. Mais elle n'est pas non plus de celles qui restent sans réaction devant une tentative de meurtre !

» Elle prend donc une décision. Elle m'écrit une lettre. Mais elle entreprend aussi une autre démarche, et cela, selon moi, pour deux raisons. L'une, je pense, était qu'elle éprouvait une profonde rancune vis-à-vis de sa famille. Elle les soupçonnait tous sans exception et elle était bien décidée à leur river leur clou. L'autre, plus logique, était qu'elle voulait se protéger et qu'elle avait trouvé là un moyen de le faire. Comme vous le savez, elle a écrit à son notaire, M. Purvis, et lui a demandé de rédiger un testament en faveur de la seule personne de la maison qui, elle en était convaincue, ne pouvait être impliquée dans son accident.

» Je suis aujourd'hui en mesure d'affirmer que, d'après la lettre qu'elle m'a envoyée et aussi d'après ses décisions ultérieures, Mlle Arundell est passée de vagues soupçons à l'encontre de quatre personnes à une quasi-certitude concernant l'une d'elles. Sa lettre insistait tout particulièrement sur le fait que cette histoire devait rester confidentielle, puisqu'il en allait de l'honneur de sa famille.

» D'un point de vue victorien, cela signifie, me semble-t-il, qu'il s'agissait d'une personne portant son nom – et de préférence d'un homme.

» Si elle avait soupçonné Mme Tanios, elle se serait préoccupée de la même façon de sa sécurité, mais elle aurait été moins inquiète pour l'honneur des siens. En revanche, elle aurait sans doute montré les mêmes craintes s'il s'était agi de Theresa, mais avec moins de violence que pour Charles.

» Charles était un Arundell. Il portait le nom de la famille ! Ses raisons de le soupçonner sont très claires. Pour commencer, elle ne se faisait aucune illusion sur son compte. Il avait déjà failli salir leur nom une fois. C'est-à-dire qu'elle le considérait non comme un délinquant en puissance – mais comme un délinquant avéré. Il avait déjà imité sa signature sur un chèque. De l'escroquerie au meurtre, il n'y a qu'un pas.

» Elle avait en outre eu avec lui une conversation pour le moins édifiante deux jours à peine avant son accident. Alors qu'elle venait de lui refuser de l'argent, il lui avait fait remarquer – oh ! sur le mode léger – que c'était là le meilleur moyen de se faire « liquider ». Ce à quoi elle avait rétorqué qu'elle était parfaitement capable de se défendre ! Son neveu avait alors renchéri – cela nous a été rapporté – « N'en soyez pas si sûre. » Et deux jours plus tard se produit le sinistre accident.

» Il n'est guère étonnant que Mlle Arundell, allongée sur son lit et ressassant les circonstances de sa chute, en soit venue à la conclusion que c'était *Charles Arundell* qui avait attenté à ses jours.

» La succession des événements est parfaitement claire, elle aussi. La conversation avec Charles. L'accident. La lettre qu'elle m'écrite, en proie à la plus vive détresse. La lettre au notaire. Le mardi suivant, le 21, M. Purvis apporte le nouveau testament et elle le signe.

» Charles et Theresa viennent le week-end d'après et Mlle Arundell, immédiatement, fait en sorte d'assurer sa sécurité. Elle parle du testament à son neveu. Et elle ne se contente pas de lui annoncer la chose, elle lui montre l'original ! Cela, à mon sens, est parfaitement concluant. Elle veut qu'il soit bien clair dans l'esprit d'un meurtrier potentiel qu'il n'a rien à gagner à la tuer !

» Sans doute pensait-elle que Charles transmettrait l'information à sa sœur. Mais tel n'a pas été le cas. Pourquoi ? J'imagine qu'il avait une très bonne raison à cela – il se sentait coupable ! Il estimait que c'était à cause de lui qu'elle avait modifié son testament. Mais pourquoi se sentait-il coupable ? Parce qu'il avait vraiment tenté de l'assassiner ? Ou simplement parce qu'il lui avait volé quelques billets ? Tentative de meurtre ou simple larcin peuvent l'un comme l'autre expliquer son silence. Il n'a parlé de rien, espérant que sa tante se calmerait et reviendrait sur sa décision.

» Ainsi, en ce qui concernait l'état d'esprit de Mlle Arundell, j'avais l'impression d'avoir assez correctement reconstitué la succession des événements. Il me restait alors à décider si ses soupçons étaient fondés.

» Tout comme elle, je considérais que mes recherches devaient se limiter à un petit cercle de personnes – sept, pour être exact. Charles et Theresa Arundell, le Dr Tanios et sa femme, les deux bonnes et Mlle Lawson. Il me fallait prendre en compte une huitième personne, à savoir le Dr Donaldson, qui a dîné à Littlegreen House ce soir-là, mais je n'ai été informé de sa présence que plus tard.

» On pouvait classer facilement ces sept personnes en deux catégories. Six d'entre elles tiraient profit à un degré plus ou moins important de la mort de Mlle Arundell. Si l'une d'elles était coupable, le mobile du crime ne pouvait être que l'argent. Dans la seconde catégorie, il n'y avait qu'une seule personne – Mlle Lawson. Celle-ci n'avait rien à gagner à la disparition de Mlle Arundell, mais, conséquence de l'accident, c'est elle qui devait en tirer plus tard de considérables bénéfices !

» Cela signifiait que si Mlle Lawson avait manigancé ce prétendu accident…

— Je n'ai jamais rien fait de tel ! le coupa cette dernière. C'est honteux ! Venir dire de telles horreurs !

— Un peu de patience, mademoiselle. Et soyez assez gentille de ne pas m'interrompre, dit Poirot.

Mlle Lawson rejeta la tête en arrière avec colère.

— J'ai le droit de protester ! Honteux, voilà ce que c'est ! Honteux !

Mais Poirot l'ignora et poursuivit.

— Je disais donc que si c'était Mlle Lawson qui avait manigancé cet accident, elle l'avait fait pour une raison totalement différente – c'est-à-dire qu'elle s'était arrangée pour que Mlle Arundell en vînt tout naturellement à soupçonner sa famille et s'en éloignât. C'était une possibilité ! Et en cherchant à confirmer ou à infirmer cette hypothèse, j'ai découvert un détail très précis. Si Mlle Lawson avait voulu faire peser des soupçons sur la famille de sa maîtresse, elle aurait insisté sur le fait que Bob, le chien, avait passé la nuit dehors. Mais au contraire, elle avait tout fait pour éviter que cela ne parvînt aux oreilles de Mlle Arundell. Je me suis donc dit que Mlle Lawson devait être innocente.

— Je l'espère bien ! s'exclama cette dernière d'une voix tranchante.

— J'ai réfléchi ensuite au problème de la disparition de Mlle Arundell. Une première tentative de meurtre qui échoue est souvent suivie d'une seconde. Que Mlle Arundell soit morte moins de deux semaines après l'accident m'a paru fort significatif. J'ai donc commencé à enquêter.

» Le Dr Grainger ne pensait pas que le décès de sa patiente présentait un caractère anormal – ce qui n'était pas vraiment pour conforter ma théorie. Mais en me renseignant sur les événements de la soirée où Mlle Arundell était tombée malade, je découvris, là encore, un fait très significatif. Mlle Isabel Tripp me parla d'un halo de lumière apparaissant autour de la tête de Mlle Arundell, et sa sœur confirma ses dires. Évidemment, elles pouvaient très bien toutes les deux inventer cette histoire – dans un esprit romanesque –, mais je ne les croyais pas capables d'imaginer toutes seules un incident de ce genre. Lorsque j'en parlai à Mlle Lawson, celle-ci me donna elle aussi une information intéressante : elle évoqua un ruban lumineux sortant de la bouche de Mlle Arundell et formant un halo autour de sa tête.

» À l'évidence, et bien que décrit de façon quelque peu différente par les trois témoins, le phénomène demeurait le même. Ce qui, loin de toute explication spirite, revient à dire ceci : cette nuit-là, la respiration de Mlle Arundell était phosphorescente !

Le Dr Donaldson fit un léger mouvement dans son fauteuil.

Poirot lui adressa un signe de tête :

— Oui, vous commencez à comprendre. Il n'existe que très peu de substances phosphorescentes. La plus commune m'a apporté précisément la réponse que j'attendais. Je vais vous lire un bref extrait d'un article sur l'empoisonnement par le phosphore.

» L'haleine du sujet peut devenir phosphorescente avant l'apparition des premiers malaises. C'est cela que virent Mlle Lawson et les sœurs Tripp : l'haleine de Mlle Arundell, phosphorescente « comme un brouillard lumineux ». Je continue. *Une fois la jaunisse complètement déclarée, l'organisme peut être considéré sous l'influence de l'action toxique du phosphore, mais il subit aussi les effets de la rétention de la sécrétion biliaire dans le sang, et à partir de ce moment-là, il n'y a plus aucune différence particulière entre un empoisonnement au phosphore et certaines affections du foie – l'atrophie aiguë, par exemple.*

» Vous voyez l'ingéniosité du procédé ? Puisque Mlle Arundell souffrait depuis des années de problèmes hépatiques, les symptômes d'un empoisonnement au phosphore feraient penser à une nouvelle attaque de la même maladie. Il n'y aurait rien de différent, rien d'anormal.

» Oh ! c'était bien imaginé ! Des allumettes étrangères, un produit contre les nuisibles ? Il n'est pas très difficile de se procurer du phosphore qui est mortel à très petite dose, entre six millièmes et deux centièmes de milligramme.

» Et voilà ! Comme toute l'affaire devient claire, merveilleusement claire, soudain ! Naturellement, le Dr Grainger s'y laisse prendre – et d'autant mieux qu'il n'a plus d'odorat, comme je l'ai appris en discutant avec lui, alors que l'un des symptômes de l'empoisonnement au phosphore, c'est justement une haleine sentant l'ail. Il n'a aucun soupçon. Pourquoi en aurait-il eu ? Les circonstances du décès n'étaient pas suspectes ; quant au seul détail qui aurait pu lui mettre la puce à l'oreille, il n'en a pas eu connaissance. Dans le cas contraire, d'ailleurs, il l'aurait sans doute mis au compte des sottises du spiritisme.

» J'étais désormais certain (grâce aux témoignages des sœurs Tripp et de Mlle Lawson) qu'un meurtre avait été commis. Mais par qui ? J'éliminai les domestiques, dont la mentalité ne s'accordait évidemment pas avec un tel crime, ainsi que Mlle Lawson qui n'aurait sans doute jamais raconté son histoire d'ectoplasme lumineux si elle avait eu quelque chose à voir dans cette affaire. Et j'éliminai Charles Arundell puisqu'il savait, ayant vu le testament, qu'il n'avait plus rien à gagner de la mort de sa tante.

» Restaient donc Theresa, le Dr Tanios, Mme Tanios et le Dr Donaldson, dont j'avais appris qu'il était venu dîner à Littlegreen House le soir de l'incident de la balle du chien.

» À ce point de mon enquête, je n'avais pas grand-chose pour m'aider. J'ai dû me rabattre sur l'aspect psychologique de ce meurtre et la personnalité de l'assassin ! Les deux crimes avaient, en gros, le même profil. Ils étaient simples tous les deux, habiles, menés avec efficacité. Ils nécessitaient un certain nombre de connaissances, mais pas énormément. Il est facile de trouver des informations sur l'empoisonnement au phosphore, et l'on se procure aisément cette substance, comme je l'ai dit, surtout à l'étranger.

» J'ai d'abord songé aux deux hommes. Ils étaient tous deux médecins, et intelligents. Chacun d'eux aurait pu voir que le phosphore était parfaitement adapté à la situation. Mais l'incident de la balle du chien ne me parut pas correspondre à la mentalité masculine. Cela me paraissait une idée typiquement féminine.

» J'ai pensé à Theresa Arundell. Elle faisait un suspect très plausible. Elle était audacieuse et n'avait ni pitié ni scrupules. Elle était égoïste et dévorait la vie à pleines dents. Elle avait toujours eu ce qu'elle désirait et en était arrivée à un point où elle avait désespérément besoin d'argent – pour elle et pour l'homme qu'elle aimait. En outre, on voyait bien à son comportement qu'elle savait que sa tante avait été assassinée.

» Puis il y a eu cette intéressante petite scène entre son frère et elle. Cela m'a fait penser que chacun soupçonnait l'autre de ce crime. Charles a essayé de lui faire dire qu'elle était au courant de la modification du testament. Pourquoi ? C'est facile à comprendre : si elle l'était, on ne pouvait pas la soupçonner de meurtre. Elle, d'un autre côté, ne croyait pas que Mlle Arundell avait montré le document à Charles. Elle considérait cela comme une façon singulièrement maladroite de détourner les soupçons.

» Il y avait un autre détail important : la répugnance de Charles à prononcer le mot « arsenic ». J'ai appris plus tard qu'il avait longuement interrogé le vieux jardinier sur l'efficacité d'un certain désherbant. Ce qu'il avait derrière la tête était évident.

Charles Arundell changea légèrement de position.

— C'est vrai, j'y ai pensé, dit-il. Mais... Eh bien, j'imagine que je n'en ai pas eu le courage.

Poirot lui fit un signe de tête.

— Précisément. Cela ne correspond pas à votre psychologie. Vos crimes seront toujours des crimes de faible. Voler, falsifier – oui, c'est une solution de facilité –, mais le meurtre, non ! Tuer demande une nature obsessionnelle.

Poirot reprit son monologue, sur un ton de conférencier.

— Theresa Arundell, décidai-je, avait la force de caractère nécessaire pour accomplir un tel geste, mais il fallait considérer d'autres facteurs. Elle avait toujours fait ce qu'elle avait voulu ; elle avait vécu pleinement, uniquement préoccupée d'elle-même – mais ce genre de personne ne tue pas, sauf, peut-être, à l'occasion d'une brusque crise de fureur. Et pourtant... j'étais certain que c'était elle qui avait volé le désherbant dans la boîte du jardinier.

— Je vais vous dire la vérité, déclara soudain Theresa. J'ai effectivement pris du désherbant à Littlegreen House. Mais je n'ai pas pu faire ça ! J'aime trop la vie... J'aime trop être vivante... pour faire ça à quelqu'un... lui enlever la vie... Je suis peut-être mauvaise et égoïste, mais il y a des choses dont je suis incapable ! Je ne pouvais pas tuer une créature vivante, palpitante !

Poirot hocha de nouveau la tête.

— C'est vrai, et vous n'êtes pas aussi mauvaise que vous le dites, chère mademoiselle. Vous êtes simplement jeune et insouciante.

» Restait donc Mme Tanios, reprit Poirot. Dès que je l'ai rencontrée, j'ai su qu'elle avait peur. Elle s'en est rendu compte et elle a su tirer avantage de ce moment de faiblesse où elle s'était trahie. Elle a joué de façon très convaincante la femme qui craint pour son mari. Un peu plus tard, elle a changé de tactique. C'était très adroitement fait, mais je n'ai pas été dupe. Une femme peut avoir peur pour son mari, ou de son mari, mais rarement les deux à la fois. Mme Tanios a opté pour la seconde solution, et elle a été parfaite dans ce rôle, allant même jusqu'à venir me retrouver dans le hall de l'hôtel comme pour me dire quelque chose en cachette du docteur. Quand celui-ci est arrivé – comme elle l'avait prévu –, elle a fait semblant de ne pas pouvoir parler devant lui.

» J'ai immédiatement compris qu'elle ne craignait pas son mari, mais plutôt qu'elle le haïssait. Et en récapitulant ce que je savais de l'affaire, j'ai été convaincu d'avoir trouvé le personnage que je cherchais. J'avais là une femme qui n'était pas du genre à profiter pleinement de la vie. Une femme frustrée. Une fille banale, menant une existence monotone, incapable de séduire les hommes qui lui plaisaient, et préférant finalement épouser quelqu'un qu'elle n'aimait pas plutôt que de rester vieille fille. Je la voyais accumuler les insatisfactions dans sa vie, je voyais sa vie à Smyrne, exilée loin de tout ce qu'elle aimait. Puis ses enfants étaient nés, auxquels elle s'était passionnément attachée.

» Son mari l'aimait, mais elle, en secret, le détestait de plus en plus. Il avait spéculé avec son argent, et il l'avait perdu – un grief de plus contre lui.

» Il n'y avait vraiment qu'une seule chose qui illuminait sa triste existence – l'attente de la mort d'Emily. À ce moment-là, elle serait riche, indépendante, et elle aurait les moyens d'élever ses enfants comme elle le désirait – n'oublions pas l'importance qu'elle attachait à l'éducation : elle était fille de professeur !

» Peut-être avait-elle déjà préparé son crime, ou en avait-elle eu l'idée, avant d'arriver en Angleterre. Elle possédait certaines connaissances en chimie, car elle avait aidé son père dans son laboratoire. Elle connaissait le mal dont souffrait Emily Arundell et elle savait que le phosphore serait parfait pour ses desseins.

» Puis, en arrivant à Littlegreen House, une méthode plus simple se présenta à elle. La balle du chien, un fil tendu en travers de l'escalier. Une idée féminine, simple et ingénieuse.

» Elle fit une tentative – qui échoua. Elle ne s'est pas rendu compte, je crois, que sa tante avait compris ce qui s'était passé. Mlle Arundell ne soupçonnait que Charles. Je doute que son attitude envers Bella ait changé. Alors, cette femme refoulée, malheureuse et ambitieuse, mit son plan original à exécution, avec calme et détermination. Elle trouva un excellent moyen d'administrer le poison – dans les cachets que Mlle Arundell prenait après ses repas. Ouvrir un cachet, le remplir de phosphore, le refermer, était un jeu d'enfant.

» Ce cachet, elle le remit ensuite avec les autres. Mlle Arundell l'avalerait tôt ou tard. On ne penserait pas à un empoisonnement. Et si, par le plus grand des hasards, c'était le cas, elle serait bien loin de Market Basing à ce moment-là.

» Elle prit pourtant une précaution supplémentaire. Elle se procura une double dose d'hydrate de chloral chez le pharmacien, en imitant la signature de son mari sur l'ordonnance. Je devine dans quelle intention : pour l'avoir avec elle au cas où quelque chose tournerait mal.

» Comme je l'ai dit, j'ai su au premier coup d'œil que Mme Tanios était la personne que je cherchais, mais je n'avais absolument aucune preuve. Je devais me montrer prudent. Je craignais de la voir commettre un autre crime si elle avait la moindre idée que je la soupçonnais. De plus, j'avais l'impression qu'elle y avait déjà songé : son seul désir, c'était de se débarrasser de son mari.

» Son premier meurtre avait été pour elle une amère déception. L'argent, tout cet argent merveilleux qui l'obsédait, était allé à Mlle Lawson ! C'était un rude coup, mais elle se remit fort intelligemment à la tâche.

Elle commença à culpabiliser Mlle Lawson qui, je crois, n'était déjà pas très à l'aise.

On entendit soudain des sanglots. Mlle Lawson sortit son mouchoir et le trempa de ses larmes.

— Ça a été affreux ! gémit-elle. Je me suis mal conduite ! Très mal conduite ! Voyez-vous, j'étais vraiment curieuse, pour ce testament – je veux dire, je voulais savoir pourquoi Mlle Arundell en avait rédigé un autre. Et un jour, pendant qu'elle se reposait, j'ai réussi à ouvrir le tiroir du bureau. Et j'ai découvert qu'elle me laissait tout – qu'elle me laissait tout à moi ! Bien sûr, je n'avais jamais imaginé qu'il s'agissait d'autant. Quelques milliers de livres, pensais-je, pas davantage. Et pourquoi pas ? Après tout, sa propre famille ne se souciait pas vraiment d'elle ! Et puis, alors qu'elle était si malade, elle a voulu que je lui apporte le testament. J'ai compris – j'en étais sûre… – qu'elle allait le détruire… Et c'est là que je me suis si mal conduite. Je lui ai dit qu'elle l'avait renvoyé à M. Purvis. La pauvre. La pauvre chère Mlle Arundell, elle était si tête en l'air ! Elle ne se souvenait jamais de l'endroit où elle mettait les choses. Elle m'a crue. Elle m'a demandé d'écrire au notaire pour le réclamer et je lui ai répondu que j'allais le faire.

» Oh ! mon Dieu ! Oh ! mon Dieu ! Ensuite son état a empiré, et elle a été totalement incapable de penser encore à quelque chose. Et puis elle est morte. Et lorsqu'on a lu le testament, et que j'ai entendu le montant de l'héritage, j'ai vraiment eu honte ! Trois cent soixante-quinze mille livres ! Je n'aurais jamais pensé qu'il s'agissait d'une somme pareille, ou alors je n'aurais pas agi ainsi.

» J'ai eu l'impression d'avoir détourné cet argent – mais je ne savais pas quoi faire. L'autre jour, quand

Bella est venue me voir, je lui ai annoncé qu'elle pourrait en avoir la moitié. J'étais sûre que je me sentirais mieux, après ça.

— Vous voyez ? dit Poirot, Mme Tanios parvenait à ses fins. C'est pourquoi elle était si opposée à toute contestation du testament. Elle avait son plan et elle ne voulait surtout pas contrarier Mlle Lawson. Bien sûr, elle a fait semblant de respecter le souhait de son mari, mais elle s'est arrangée pour bien faire comprendre ce qu'elle pensait.

» Elle avait, à ce moment-là, deux objectifs : se libérer, elle et ses enfants, du Dr Tanios, et obtenir sa part de l'héritage. Elle aurait alors ce qu'elle désirait : une existence heureuse et fortunée en Angleterre, avec ses enfants.

» Plus le temps passait, plus elle avait du mal à dissimuler son aversion pour son mari. En fait, elle n'essayait même plus. Le pauvre homme en était bouleversé : le comportement de son épouse devait lui sembler incompréhensible. Et pourtant, il était assez logique. Elle jouait le rôle de la femme terrorisée. Si j'avais des soupçons – et elle était persuadée que c'était le cas –, elle voulait me faire croire que c'était son mari le coupable. Et elle pouvait commettre à tout moment ce second meurtre que, j'en étais sûr, elle avait déjà planifié dans sa tête. Je savais qu'elle était en possession d'une dose mortelle de chloral. J'avais peur de la voir organiser un faux suicide du docteur, accompagné d'aveux de sa part.

» Et je n'avais toujours pas de preuves contre elle ! J'étais au bord du désespoir quand j'appris enfin quelque chose. Mlle Lawson me déclara avoir vu Theresa Arundell agenouillée dans les escaliers, dans la nuit du lundi de Pâques. Je découvris bientôt que

Mlle Lawson ne pouvait pas avoir aperçu Theresa clairement – pas assez, en tout cas, pour reconnaître son visage. Et pourtant, elle était certaine de son identification. Elle a fini par me dire qu'elle avait vu une broche portant les initiales de Theresa – T.A.

» À ma requête, Theresa Arundell m'a montré le bijou en question, tout en niant formellement s'être trouvée dans l'escalier cette nuit-là. J'ai d'abord cru que quelqu'un avait emprunté la broche, mais lorsque je l'ai regardée dans le miroir, la vérité m'a sauté aux yeux. Mlle Lawson, qui venait juste de se réveiller, avait vu une vague silhouette et les initiales T.A. réfléchissant la faible lumière du couloir. Elle en avait conclu qu'il s'agissait de Theresa.

» Mais si elle avait lu dans le miroir les initiales T.A., alors, les vraies initiales devaient être A.T., puisqu'un miroir inverse les images.

» Bien sûr ! Mme Tanios se nommait Arabella Arundell. Bella n'est qu'un diminutif. A.T. signifiait Arabella Tanios. Il n'y avait rien de bizarre à ce que Mme Tanios possédât une broche semblable à celle de Theresa. Ce bijou était très peu courant à Noël dernier, mais dès le printemps tout le monde portait le même, et j'avais déjà constaté que Bella Tanios imitait les chapeaux et les vêtements de sa cousine Theresa, autant que lui permettaient ses faibles moyens.

» Je détenais la clé de l'énigme.

» Seulement, que faire ? Demander aux autorités un permis d'exhumer le corps ? C'était possible, sans doute. Je pouvais démontrer que Mlle Arundell avait été empoisonnée avec du phosphore – mais il y avait tout de même un petit risque. Le corps était enterré depuis deux mois, et je savais qu'il y avait des cas d'empoisonnement de ce genre où l'on ne trouve aucune lésion et où l'aspect post mortem est très peu concluant. Et puis, comment prouver que Mme Tanios avait été en possession de phosphore ? Difficile, puisqu'elle se l'était probablement procuré à l'étranger.

» C'est à ce moment-là que Mme Tanios a fait quelque chose de décisif. Elle a quitté son mari, en s'en remettant à la pitié de Mlle Lawson. Et elle a formellement accusé le médecin de meurtre.

» J'étais persuadé que si je ne faisais rien, il serait la prochaine victime. Je m'arrangeai pour les tenir éloignés l'un de l'autre sous le prétexte que c'était pour assurer sa sécurité à elle. Elle ne pouvait pas vraiment s'y opposer. En fait, c'était à sa sécurité à lui que je pensais. Ensuite... Ensuite...

Il se tut – un long moment. Son visage avait pâli.

— Mais ce n'était qu'une mesure provisoire. Je devais m'assurer que le tueur ne tuerait plus. Je devais protéger les innocents.

» Alors, j'ai rédigé un compte rendu de mon enquête et je l'ai remis à Mme Tanios.

Il y eut un long silence.

Puis le Dr Tanios s'écria :

— Oh ! mon Dieu ! Voilà pourquoi elle s'est suicidée !

— N'était-ce pas la meilleure solution ? dit doucement Poirot. C'est en tout cas ce qu'elle a pensé. Il fallait songer aux enfants, voyez-vous.

Le Dr Tanios enfouit sa tête entre ses mains.

Poirot s'approcha de lui et lui tapota l'épaule.

— Il fallait le faire. Croyez-moi, c'était nécessaire. Il y aurait eu d'autres crimes. Vous, pour commencer. Puis, peut-être, en fonction des circonstances, Mlle Lawson. Et ainsi de suite.

Il se tut.

Le Dr Tanios dit alors, d'une voix brisée :

— Elle a voulu… me faire prendre un somnifère, un soir… Mais il y avait… une expression sur son visage – je l'ai jeté. C'est à ce moment-là que j'ai commencé à croire qu'elle perdait la tête.

— Essayez de voir les choses de cette façon. C'est en partie vrai, en effet. Mais pas au sens légal du terme. Elle savait ce qu'elle faisait…

Le Dr Tanios murmura d'une voix triste :

— Elle a été beaucoup trop bonne pour moi – toujours.

Étrange épitaphe pour une meurtrière qui avait avoué son crime.

## 30

## LE DERNIER MOT

Il ne reste plus grand-chose à dire.

Theresa épousa son médecin quelque temps plus tard. Je les connais assez bien tous les deux, à présent, et j'ai appris à apprécier le Dr Donaldson – la clarté de ses vues, sa force intérieure et sa profonde humanité. Ses manières, je l'avoue, sont toujours aussi guindées, et Theresa les imite souvent pour le taquiner. Elle est très heureuse, je crois, et entièrement dévouée à la carrière de son mari, qui s'est déjà fait un nom en endocrinologie.

Il a fallu empêcher Mlle Lawson, en crise de conscience aiguë, de redistribuer jusqu'à son dernier sou. M. Purvis a réglé la question à la satisfaction générale, en partageant à parts égales la fortune de Mlle Arundell entre Mlle Lawson, Charles et Theresa et les enfants Tanios.

Charles a tout dépensé en un peu plus d'un an. À présent, il vit, me suis-je laissé dire, en Colombie britannique.

Juste deux ultimes anecdotes.

— Vous êtes un petit roublard, vous, hein ? dit Mlle Peabody en nous abordant un jour que nous sortions de Littlegreen House. Un malin ! Vous avez réussi à tout arranger ! Pas d'exhumation. Pas de scandale. Une situation réglée comme du papier à musique.

— Il ne fait semble-t-il aucun doute que Mlle Arundell soit morte d'une atrophie aiguë du foie, répondit doucement Poirot.

— C'est très satisfaisant, dit Mlle Peabody. Et quant à Bella Tanios, elle a succombé à une trop forte dose de somnifères, à ce qu'il paraît ?

— Oui, c'est très triste.

— C'était une malheureuse – une de ces femmes qui ont toujours envie de ce qu'elles n'ont pas. Ça rend les gens un peu bizarres, parfois. J'ai eu une fille de cuisine qui était comme ça. Très laide. Et incapable de s'en consoler. Elle s'est mise à écrire des lettres anonymes. Les gens deviennent parfois fous. Enfin là, ma foi, je dirais que tout est pour le mieux.

— Espérons-le, chère mademoiselle, espérons-le.

— En tout cas, conclut Mlle Peabody en se préparant à nous quitter, laissez-moi vous le dire – vous vous êtes bien dépatouillé. Très bien, même.

Elle s'éloigna.

Nous entendîmes un « ouaf » plaintif derrière nous. Je me retournai et ouvris le portail.

— Allez viens, mon vieux.

Bob bondit. Il avait une balle dans la gueule.

— Non, tu ne peux pas l'emporter en promenade.

Bob soupira et, l'âme en peine, abandonna sa balle dans le jardin. Il lui jeta un coup d'œil inquiet, puis nous rejoignit.

Il me regarda.

« Si c'est toi qui le dis, oh ! mon seigneur et maître, je veux bien croire que tu as raison. »

Je pris une profonde inspiration.

— Ma parole, Poirot, c'est bon d'avoir de nouveau un chien !

— Butin de guerre, répondit Poirot. Mais j'aimerais vous rappeler, mon bon ami, que c'est à moi et non pas à vous que Mlle Lawson a offert Bob !

— C'est possible, répliquai-je, mais vous ne savez absolument pas vous y prendre avec les chiens, Poirot. Vous ne comprenez rien à la psychologie canine ! Alors qu'entre Bob et moi la compréhension est totale, n'est-ce pas, mon vieux Bob ?

— Ouaf ! approuva Bob avec énergie.

Composition réalisée par PCA

---

Achevé d'imprimer en juin 2019, en France sur Presse Offset par
Dupli-Print à Domont (95)
N° d'imprimeur : 2019060890
Dépôt légal : août 2012 – Édition 06

Achevé d'imprimer [illegible] 2018 [illegible]
[illegible]
N° d'impression : [illegible]
Dépôt légal : août 2018 – Imprimé [illegible]